Julie James

Après des études de droit elle exerce le métier de juriste à la cour d'appel des États-Unis à Jacksonville, en Floride, et travaille en partenariat avec l'une des plus grandes sociétés juridiques du pays durant plusieurs années. Par la suite, elle s'est lancée dans la rédaction de scénarios pour le cinéma, et c'est en 2008 qu'elle publie son premier roman, choisissant ainsi de se consacrer entièrement à l'écriture. Elle incarne le renouveau de la romance contemporaine, mêlant avec subtilité dans ses livres l'humour, le suspense et le sentimental. Ses romans sont traduits en treize langues.

Au péril d’un rendez-vous

Du même auteur
aux Éditions J'ai lu

Mon ange gardien
N° 9600

Conflits, amour et préjudices
N° 9730

L'homme le plus sexy
N° 9829

Rendez-vous à risques
N° 9903

JULIE

JAMES

Au péril d'un rendez-vous

Traduit de l'anglais (États-Unis)
par Sophie Dalle

Vous souhaitez être informé en avant-première
de nos programmes, nos coups de cœur ou encore
de l'actualité de notre site *J'ai lu pour elle* ?

Abonnez-vous à notre *Newsletter* en vous connectant
sur **www.jailu.com**

Retrouvez-nous également sur Facebook pour avoir
des informations exclusives.

Titre original
ABOUT THAT NIGHT

Éditeur original
The Berkley Publishing Group,
published by the Penguin Group (USA) Inc., New York

Pour Charlene –
Je sais que tu m'observes
et je tiens ma promesse.

Remerciements

Avant tout, je suis immensément redevable à John et Chris, deux procureurs fédéraux adjoints qui n'ont jamais lésiné sur leur temps pour répondre à mes innombrables questions concernant leur vie et la procédure criminelle fédérale. Ancienne juriste à la cour d'appel, j'éprouve le plus grand respect pour ces talentueux avocats qui servent notre justice.

Un grand merci aussi à l'agent spécial Ross Rice et à l'adjoint du procureur Russell Samborn pour m'avoir ouvert les portes de leurs bureaux et offert un aperçu du quotidien au sein du FBI ainsi qu'au bureau du procureur fédéral du district nord de l'Illinois. Merci à Dave Scalzo pour son expertise en affaires et à Jen Laudadio pour… tu sais quoi.

Merci, Elyssa Papa et Kati Dancy pour votre sagacité et votre aptitude à respecter des délais vraiment très courts. Vous êtes géniales !

Merci à mon éditrice, Wendy McCurdy, et à mon agent, Susan Crawford, pour leur compréhension, leur aide et leur patience au cours d'une année particulièrement mouvementée pour moi. Je tiens par ailleurs à exprimer ma gratitude envers toute l'équipe Berkley, notamment Erin Galloway, attachée de presse, et Christine Masters, relectrice extraordinaire.

Enfin, à mon mari : merci pour TOUT.

1

Mai 2003, université de l'Illinois, Urbana-Champaign

Elle avait survécu.

Adossée contre le mur lambrissé, le menton dans une main, Rylann Pierce écoutait ses amis bavarder autour d'elle et, pour la première fois depuis un mois, elle se sentait bien.

En compagnie de cinq camarades de sa promotion, elle était assise à une table du premier étage du *Clybourne*, l'un des rares bars du campus que daignaient fréquenter quelques étudiants de troisième cycle, ces intellos qui exigeaient qu'on leur serve leurs boissons diluées à quatre dollars dans des verres et non des gobelets en plastique. Les membres du groupe suivaient le même cursus que Rylann et avaient donc tous passé leur dernier examen de procédure pénale en fin d'après-midi. L'ambiance était joviale et tapageuse – du moins selon les critères des étudiants en droit – ponctuée par quelques instants de déprime quand l'un d'entre eux s'apercevait, lors de l'inévitable récapitulatif post-examen, qu'il avait négligé un point crucial.

Quelqu'un la bouscula, interrompant sa rêverie.

— Ouh-hou ? Y a quelqu'un ? s'enquit sa voisine de droite et colocataire, Rae Mendoza.

— Je suis là. Je m'imaginais au bord de la piscine, répondit Rylann en essayant de se raccrocher à son mirage. Il fait beau et chaud. Je sirote un de ces cocktails exotiques ornés d'un mini parasol en papier et je lis un bouquin – sans être obligée de l'annoter.

— C'est possible ?

— Si ma mémoire est bonne, oui.

Rylann et Rae échangèrent un sourire complice. Comme nombre de leurs pairs, elles émergeaient de quatre semaines de travail acharné : rédaction de fiches, examens blancs, rencontres avec d'autres élèves… Ne dormir que quelques heures pour étudier les précis de droit *Emanuel* ! Tout cela en vue des quatre examens de trois heures chacun qui décideraient de leur carrière à venir. Cool !

Selon les rumeurs, la charge de travail en deuxième et troisième années réduisait et c'était tant mieux. Rylann n'avait qu'une envie, *dormir*. Son programme était parfait : elle avait une semaine de vacances devant elle avant de commencer son job d'été et prévoyait d'en profiter au maximum. Grasse matinée jusqu'à midi, puis aller piquer une tête dans la piscine de l'université ; et farniente, bien entendu.

— Sans vouloir éclater la bulle de ton fantasme, je doute fort que les boissons alcoolisées soient autorisées à l'IMPE, rétorqua Rae, faisant allusion au règlement du complexe sportif qui abritait ladite piscine.

Rylann résolut immédiatement le problème :

— Je remplirai mon thermos « École de Droit » de Mai Tai et je dirai que c'est du thé glacé. Si un type de la sécurité s'en prend à moi, je lui clouerai le bec en invoquant les clauses du Quatrième amendement interdisant les perquisitions et saisies illégales.

— Ouf ! Tu te rends compte que tu parles comme un véritable crack du droit ?

Malheureusement, oui.

— Crois-tu qu'un jour nous redeviendrons normales ?

— Il paraît, réfléchit Rae à haute voix, que vers la troisième année, on finit par ne plus éprouver le besoin de citer la Constitution à tout bout de champ.

— Voilà qui est prometteur, railla Rylann.

— Mais dans la mesure où tu es plus passionnée que la plupart d'entre nous, tu mettras peut-être plus longtemps à te débarrasser de cette manie.

— Tu te rappelles hier soir, quand je t'ai confié que tu allais me manquer cet été ? Eh bien, je retire ce que j'ai dit.

Rae rit aux éclats et passa un bras sur les épaules de Rylann.

— Tu sais bien que tu vas t'ennuyer à mourir sans moi.

Un sentiment d'abandon s'empara subitement de Rylann. Maintenant que les examens étaient terminés, Rae et presque tous leurs amis s'apprêtaient à rentrer chez eux. Sa colocataire s'installerait un peu plus de deux mois à Chicago où elle travaillerait comme barmaid dans un établissement branché et gagnerait de quoi payer presque une année d'études. Rylann, en revanche, avait décroché un stage au bureau du procureur fédéral du district central de l'Illinois. Si ce poste était prestigieux et très convoité, elle n'empocherait qu'un salaire symbolique, à peine de quoi couvrir ses frais jusqu'à la rentrée. En modérant ses dépenses, peut-être pourrait-elle s'offrir ses manuels du semestre prochain. Enfin, au moins un. Ces bouquins coûtaient une fortune.

Malgré ce revenu misérable qui l'attendait, Rylann exultait. Elle avait beau se plaindre de l'énormité de ses emprunts, elle ne s'était pas engagée dans cette voie pour l'argent. Elle avait échafaudé un plan – une véritable obsession – sur six ans et ce stage était une des étapes. Une fois diplômée, elle espérait obtenir une place auprès d'un juge fédéral, après quoi, elle poserait sa candidature au bureau du procureur fédéral.

Nombre de ses camarades n'avaient pas encore décidé du domaine dans lequel exercer. Rylann, elle, à l'âge de dix ans, avait su qu'elle voulait devenir procureure aux poursuites criminelles. Elle n'avait jamais changé d'avis malgré l'appât du gain brandi par les gros cabinets. Le contentieux civil lui semblait trop austère et impersonnel. La société X qui réclamait des millions de dollars à l'entreprise Y dans une procédure qui pouvait durer des années, très peu pour elle.

Rylann voulait se rendre au tribunal chaque jour, s'impliquer, plaider des causes significatives. Or à ses yeux, rien n'était plus significatif que d'expédier les criminels derrière les barreaux.

Une voix masculine coupa court à ses réflexions.

— Trois mois à Urbana-Champaign. Ma pauvre ! Explique-moi comment la deuxième de notre promotion en est arrivée là.

Comme les autres, Shane, un verre à la main, était de fort bonne humeur. Il allait retourner chez lui à Des Moines et retrouver sa petite amie dont il était follement épris sous ses airs de tombeur.

— Ce n'est pas l'endroit qui compte, Shane. C'est ce que tu fais quand tu atteins ta destination.

— Bien dit ! approuva Rae.

— Moque-toi si tu veux. Ma voiture est chargée, j'ai fait le plein d'essence, prévu de quoi manger sur la route. À 7 heures demain matin, qu'il vente ou qu'il pleuve, je décampe.

— Sept heures ? intervint Rae en fixant sa boisson, la troisième de la soirée. Je n'y crois pas une seconde.

Il agita la main et le liquide déborda légèrement du verre.

— Allons ! Une petite gueule de bois n'arrête pas un homme amoureux.

— Comme c'est romantique ! claironna Rylann.

— Pour ne rien vous cacher, côté sexe je suis *légèrement* frustré et les retrouvailles avec elle sont toujours époustouflantes de ce côté-là !

— À propos de gueules de bois, dit Rylann, je crois bien que c'est ma tournée.

Elle prit en note les commandes des uns et des autres puis se dirigea vers le bar.

— Trois pressions, un rhum-coca, un gin-tonic et une Corona avec deux rondelles de citron vert, annonça-t-elle au barman.

Une voix grave s'éleva à sa droite.

— Vous fêtez quelque chose ?

Rylann se tourna et... Waouh ! Les hommes comme celui-là n'existaient pas à Urbana-Champaign. Ils n'existaient même nulle part.

Des cheveux blond foncé, épais, un peu longs, qui effleuraient le col d'une chemise en flanelle bleu marine ; une silhouette haute, des yeux d'un bleu perçant ; un menton volontaire recouvert d'une barbe de deux ou trois jours et un corps musclé. Vêtu d'un jean sombre et chaussé de bottes d'ouvrier, il était viril et terriblement sexy.

Rylann n'était sûrement pas la première à cligner des yeux en le découvrant. Et elle ne serait pas la dernière. Quant à lui, il semblait parfaitement conscient de son pouvoir d'attraction. Les yeux pétillants, il posa un coude sur le comptoir, très sûr de lui, et attendit sa réponse.

« Prends tes jambes à ton cou ! » pensa-t-elle.

« Ridicule ! » s'empressa-t-elle d'ajouter pour elle-même. S'enfuir ? En quel honneur ?

D'un bras, elle balaya la salle, comble à plus de 23 heures.

— C'est le dernier jour des examens. Tout le monde fait la fête.

Il la dévisagea.

— Laissez-moi deviner. Vous venez de terminer vos études. Vous avez passé votre dernier examen et, ce soir, vous célébrez votre entrée dans le monde réel. D'après moi, continua-t-il en inclinant la tête, vous êtes dans la publicité. Vous avez décroché un boulot à l'agence *Leo Burnett* et vous vous apprêtez à emménager dans votre premier appartement à Chicago, un adorable trois-pièces à Wrigleyville que vous partagerez avec votre charmante colocataire.

D'un signe de tête, il indiqua Rae.

— Ce petit jeu de « je sais tout de vous » est-il votre préambule habituel ou sert-il uniquement la veille du départ en vacances, dans l'espoir que la plupart des femmes soient trop ivres pour en déceler la banalité ?

Il parut offensé.

— Je pensais faire preuve d'assurance et de perspicacité.

— Vous êtes à mi-chemin entre le cliché et la suffisance.

Il sourit et deux fossettes vinrent éclairer son visage d'une touche d'espièglerie. Craquantes, les fossettes.

— Ou alors, je vous ai époustouflée en mettant dans le mille.

Le barman poussa la commande de Rylann devant elle. Elle lui tendit deux billets de vingt dollars et patienta, le temps qu'il revienne avec la monnaie.

— Certainement pas, rétorqua-t-elle, ravie de contredire ce bel inconnu. Je suis étudiante en droit.

— Ah ! Vous repoussez donc de plusieurs années votre entrée dans le monde réel.

Il but une gorgée de bière avec nonchalance et Rylann prit sur elle pour ne pas lever les yeux au ciel.

— Je vois. Outre les clichés, vous avez une prédilection pour la condescendance.

Fossettes Craquantes l'examina d'un air entendu.

— Je ne vous reproche rien, Maître. C'est vous qui interprétez mal mes paroles.

Rylann ouvrit la bouche pour riposter puis se ravisa. Il n'était pas le seul à savoir cerner rapidement les gens et elle était prête à parier que son portrait serait mieux ciblé. Comme toutes les femmes, elle connaissait ce genre d'homme. Leur manque de caractère compensait leur beauté et leur aplomb. Un juste retour des choses.

Le barman lui rendit sa monnaie et Rylann prit un verre dans chaque main. Elle allait asséner une réplique cinglante à Fossettes Craquantes quand Rae surgit à ses côtés.

— Attends, je vais t'aider, Rylann. Pas la peine d'interrompre ta conversation pour nous, ajouta-t-elle en lui adressant un clin d'œil.

Rylann voulut protester mais Rae se faufilait déjà à travers la foule pour regagner leur table, les verres en équilibre dans les mains. Fossettes Craquantes se pencha vers elle.

— J'ai l'impression que je plais à votre copine.

— Elle est connue pour son mauvais goût en matière d'hommes.

Il rit aux éclats.

— Dites-moi ce que vous ressentez, Maître.

Elle l'observa à la dérobée.

— Je ne serai pas « Maître » avant d'avoir passé l'examen du barreau, vous savez.

— Très bien. Dans ce cas, appelons-nous par nos prénoms. Rylann.

À court de mots, elle l'examina de bas en haut.

— Vous êtes habitué à avoir toutes les femmes à vos pieds, n'est-ce pas ?

— « Toutes » est un euphémisme, avoua-t-il après un bref silence.

Surprise par sa soudaine gravité, elle hésita. Puis elle leva son verre vers lui en affichant un sourire poli.

— Je vais retrouver mes amis, à présent. Ce fut un plaisir de... ne pas vous rencontrer.

Elle rejoignit ses camarades qui avaient entrepris un débat enfiévré sur le Cinquième amendement autorisant la présence d'un conseiller juridique pendant les gardes à vue. Aucun des garçons, Shane compris, n'avait remarqué son échange avec l'inconnu du bar et tous continuèrent à discuter tandis que Rylann reprenait sa place. Rae, en revanche, trépignait d'impatience.

— Alors ? Comment ça s'est passé ?

— Si c'est de Fossettes Craquantes que tu parles, il ne s'est rien passé du tout.

— Fossettes Craquantes ? répéta Rae, ahurie. Tu sais de qui il s'agit, n'est-ce pas ?

Déroutée, Rylann jeta un coup d'œil à l'homme qui s'était rapproché d'une table de billard. Elle avait bien eu une hypothèse. À en juger par sa tenue et ses cheveux un peu trop longs, elle l'avait pris pour un citadin, un de ces types qui approchaient la trentaine et traînaient avec ses copains dans les bars du campus dans l'espoir de séduire une étudiante éméchée.

À présent, Rae sous-entendait qu'il était connu ; Rylann se voyait obligée de modifier son postulat.

Un athlète ? Il était grand, un mètre quatre-vingt-cinq au moins, et bien bâti – cela dit, elle n'avait prêté aucune attention à ces détails.

Était-il le nouveau quarterback des *Fighing Illinis'* ? Enfermée depuis neuf mois dans le monde insulaire du Code pénal, elle ne s'était guère intéressée aux exploits de l'équipe de football de l'université. Elle était peut-être sur la bonne voie. Ceci étant, pour un étudiant, il paraissait un peu âgé.

— D'accord, je donne ma langue au chat. Qui est-ce ?

— Kyle Rhodes.

Rylann se figea. Ça alors ! Elle connaissait ce nom, en effet.

— Le milliardaire ?

— Plus précisément, son fils – mais oui, c'est bien lui, en chair et en os.

— Je croyais que c'était un génie de l'informatique.

Rae changea de position pour mieux l'observer.

— Il faut croire que c'est le nouveau look du « geek » de génie. Moi, je signe tout de suite. Il peut appuyer sur les touches de mon clavier quand il veut.

— Tais-toi ! supplia Rylann.

Elle résista à la tentation de se tourner vers lui. Elle n'était pas au courant de tous les détails de son histoire mais elle avait lu des articles dans les magazines *Time*, *Newsweek* et autres *Forbes* vantant les mérites de son père, un homme d'affaires de Chicago considéré comme la concrétisation du rêve américain. D'après ses souvenirs, Grey Rhodes était issu d'un milieu modeste. Après avoir obtenu son diplôme d'informatique à l'université de l'Illinois, il avait fondé sa propre entreprise de logiciels, Rhodes Corporation. Rylann ne se rappelait pas grand-chose de plus hormis le fait que sa société avait développé l'antivirus Rhodes une dizaine d'années auparavant, un programme au succès mondial.

Elle savait aussi que Grey Rhodes offrait de généreuses contributions à l'université. Du moins le supposait-elle puisque le centre des sciences informatiques portait son nom. À la tête d'un tel empire, il était sans conteste le plus riche et le plus célèbre des anciens élèves. Par conséquent, Kyle Rhodes, étudiant en troisième cycle de sciences informatiques et héritier présomptif, était connu, lui aussi.

Ainsi, Fossettes Craquantes avait désormais un nom.

Discrètement, elle le regarda se pencher sur la table de billard pour tirer, sa chemise en flanelle moulant un torse large et apparemment musclé.

— Tu pourrais aller le voir, suggéra Rae d'un ton narquois.

Rylann secoua la tête. Pas question.

— Ta mère ne t'a jamais mise en garde contre les garçons comme lui, Rae ?

— Si. Le jour de mes seize ans quand Troy Dempsey a débarqué chez moi pour me proposer un tour en moto.

— Tu y es allée ?

— Évidemment ! Je portais une minijupe en jean et je me suis brûlé le mollet sur le pot d'échappement. J'en ai encore la cicatrice.

— J'imagine que la leçon a porté ses fruits ?

— Absolument : ne jamais porter une minijupe en jean pour faire un tour en moto.

— Exact, approuva Rylann en riant.

« Et se méfier des mauvais garçons. »

Se désintéressant de Kyle Rhodes, elles prirent part au débat sur le Cinquième amendement. Le temps passa et, en jetant un coup d'œil à sa montre, Rylann constata qu'il était plus de minuit. Elle se surprit à chercher des yeux la table de billard. Kyle et ses amis avaient disparu.

Tant mieux.

Si, si, vraiment…

2

Les plafonniers du bar s'allumèrent et les lieux perdirent en un instant leur ambiance festive. On allait fermer.

Rylann jeta un coup d'œil impatient sur sa montre – il était plus d'1 heure du matin – et se demanda ce qui pouvait bien retenir Rae aussi longtemps aux toilettes. Il n'y avait aucun risque que son amie soit malade. Certes, elles avaient bu quelques verres mais sur un laps de temps assez long.

Quand un client, le troisième en cinq minutes, bouscula Rylann en voulant gagner la sortie, elle décida d'aller prendre des nouvelles de Rae. Marchant à contre-courant, elle s'enfonça dans les profondeurs de la salle. Tout à coup, un type à sa gauche la heurta et répandit sa bière sur le décolleté du tee-shirt noir de Rylann.

Elle grimaça tandis que le liquide imprégnait le tissu jusqu'à mouiller ses seins et son ventre.

— Épatant ! grogna-t-elle en fusillant le coupable des yeux.

— Désolé, marmonna-t-il avec un sourire penaud, avant de se retourner vers l'ami qui l'avait poussé. Tu vois ce que j'ai fait à cause de toi, connard ?

Connard & Co quittèrent les lieux sans un regard vers elle et Rylann hocha la tête, furieuse.

— Bande d'imbéciles.

Fini les bars du campus. D'accord, les boissons étaient abordables mais franchement, elle préférait les lieux fréquentés par des gens plus cérébraux.

— Allons, Maître. Un peu d'indulgence.

Rylann reconnut immédiatement le ton taquin. Elle se retourna et vit Fossettes Craquantes, alias Kyle Rhodes, négligemment adossé contre le comptoir, ses longues jambes allongées devant lui.

Elle s'approcha, décidée à conserver une expression impassible, et pointa le doigt sur la pile de serviettes en papier à ses côtés.

— Serviette, s'il vous plaît.

Il s'adressa au barman :

— Dan, tu peux me filer un torchon ?

— Bien sûr, Kyle.

Il ouvrit un placard et en sortit un essuie-mains propre. Il le tendit à Kyle qui le remit à Rylann.

— Merci. On semble bien vous connaître, ici, Kyle.

Elle avait fait exprès de répéter son prénom. Curieusement, elle ne tenait pas à ce qu'il sache que c'était Rae qui lui avait révélé son identité.

— Le gérant est un ami, expliqua Kyle en désignant ses deux copains qui avaient repris une partie de billard dans un coin. Il nous offre les boissons. Des conditions idéales.

Rylann se retint de ricaner. Un fils de milliardaire qui *marchandait* ses boissons ? Mais, n'ayant encore jamais rencontré un fils de milliardaire, elle n'était guère au courant de leurs habitudes.

Elle tapota son tee-shirt trempé avec le torchon, soulagée d'être en noir et de ne pas avoir à s'inquiéter de la transparence de son vêtement. Elle s'attendait à ce que Kyle lui fasse une remarque de mauvais goût sur la façon dont l'étoffe moulait sa poitrine mais il resta silencieux. Quand elle eut terminé, elle posa la serviette sur le bar et leva les yeux vers lui. Il la regardait ; elle et non ses seins.

— Où sont vos camarades ?

Merde ! Rae ! Rylann l'avait complètement oubliée.

— Bonne question.

Elle constata que la salle était presque vide hormis quelques lambins. Ni Rae ni les autres n'étaient parmi eux.

Bizarre, bizarre.

— Elle est allée aux toilettes et devait me retrouver devant la sortie mais… Excusez-moi une minute.

Rylann fonça vers les W-C où elle effectua une rapide vérification des cabines. Toutes vides. Elle se dirigea vers l'escalier menant à l'étage. Un videur lui barra aussitôt le passage.

— C'est fermé. Vous devez partir.

— Je cherche mon amie. Elle m'a dit qu'elle allait aux toilettes. Il y en a à l'étage, non ?

— Oui, mais il n'y a plus personne là-haut.

— Vous n'avez pas vu une grande fille aux cheveux châtain clair vêtue d'un chemisier rouge ?

— Navré.

Kyle surgit aux côtés de Rylann tandis que le videur s'éloignait.

— Ça commence à m'inquiéter.

— Vous avez son numéro de téléphone ? demanda Kyle.

Rylann fronça les sourcils.

— Oui, mais je n'ai pas de portable.

Devant l'air sidéré de Kyle, elle se mit aussitôt sur la défensive. Pendant une année entière, toutes les personnes de son entourage, Rae comprise, l'avaient exhortée à s'en acheter un.

— Ce n'est pas donné.

Il sortit un appareil de la poche de son jean.

— Forfait « appels gratuits le soir ». Bienvenue en l'an 2003.

— Très drôle !

Elle faillit le gratifier d'un regard noir mais se ravisa. Ce téléphone pourrait lui être utile. La riposte du tac au tac allait devoir attendre.

Elle prit conscience que c'était la deuxième fois en cinq minutes que Kyle Rhodes lui rendait service. Par courtoisie, elle se devait de faire preuve d'un minimum de reconnaissance.

Zut.

Elle composa le numéro de Rae.

— Allô ?

— Rae, où es-tu ? s'exclama Rylann après un soupir de soulagement. Je suis là, à t'attendre comme une idiote.

— *Carpe diem*.

Rylann se mit à l'écart quelques instants.

— *Carpe diem* ? Tu te fiches de moi ?

— Ne me tue pas, je t'en supplie.

— Rae, qu'as-tu fait ? Je crains le pire.

— Alors voilà : en sortant des toilettes, j'ai vu Kyle Rhodes au bar qui te reluquait. Je me suis dit que si tu refusais de t'offrir un peu de bon temps après l'année que nous venons de surmonter, le mieux était de pousser ledit bon temps dans tes bras. Avec les copains, on s'est éclipsés par-derrière.

— Non.

— Si. Il est fils de milliardaire, Rylann. Il est beau comme un dieu. Au fond, tu devrais me remercier. Nous ne sommes plus qu'à un pâté de maisons de chez Shane et je crois que je vais rester chez lui un moment. Histoire de te laisser la voie libre.

Rylann chuchota :

— Tu vas à l'encontre du code des femmes, Rae. On ne laisse jamais une copine seule. Je n'ai plus qu'à rentrer à pied maintenant.

— Pas si tout se passe comme prévu… Au fait, à qui appartient le portable avec lequel tu m'appelles ?

Sous aucun prétexte Rylann ne le lui avouerait.

— Tu as raison, je vais te tuer. Ensuite, je te piquerai les escarpins Manolo noirs que tu t'es offerts l'hiver dernier et je les porterai pour danser sur ta tombe.

Sur ce, elle raccrocha, rejoignit Kyle et lui rendit son bien.

— Alors ?

Rylann s'empressa d'inventer une excuse.

— Un de nos copains était malade. Rae et les autres ont dû le ramener au plus vite à la maison.

— À moins qu'elle ne vous ait abandonnée ici pour que vous vous retrouviez avec moi.

— Vous êtes télépathe ?

Kyle haussa les épaules.

— J'ai entendu le *carpe diem* et j'ai deviné la suite. J'ai une sœur jumelle. J'ai vu comment fonctionne son esprit machiavélique de marieuse.

— Vous êtes conscient que je n'y suis pour rien, j'espère, souffla Rylann, écarlate.

Kyle semblait davantage amusé que contrarié par les machinations de Rae.

— N'ayez crainte, Maître, je ne vous accuserai pas de complicité… Venez. Je vous raccompagne chez vous.

— Merci, mais c'est inutile. Je n'habite pas loin.

— Comme si j'allais laisser une femme rentrer seule à pied à 1 heure du matin ! lança-t-il en lui emboîtant le pas. Ma mère m'a bien élevé, figurez-vous.

— Si vous ne lui dites rien, je ne cafterai pas.

Rylann n'aimait pas cela mais ce ne serait pas la première fois qu'elle traverserait le campus seule en pleine nuit. D'ailleurs, elle connaissait à peine Kyle Rhodes. Comment être sûre qu'il n'était pas dangereux ?

Il l'arrêta alors qu'elle s'apprêtait à franchir le seuil de l'établissement.

— Il ne s'agit pas uniquement de ce que dirait ma mère mais aussi de ce que je pense. Ma sœur est étudiante en troisième cycle à l'université Northwestern. Si je découvrais qu'un sale type l'avait laissée rentrer seule à une heure pareille, je lui botterais les fesses. Par conséquent, vous êtes condamnée à supporter ma présence. Que vous le vouliez ou non.

Rylann réfléchit. Le discours sur sa sœur semblait sincère. D'après ce qu'elle pouvait en juger, Kyle Rhodes était insolent et trop sûr de lui mais il n'avait rien d'un tueur en série.

— Très bien. Vous pouvez me raccompagner... Merci, ajouta-t-elle.

— Vous voyez ? Est-ce si difficile d'être gentille avec moi ?

Rylann poussa la porte et sortit. Comme toujours, une foule dense se pressait sur le trottoir et les étudiants se demandaient à quelle fête se rendre maintenant et où s'arrêter en chemin pour manger des burritos.

— Je suis certaine que nombre de femmes sont gentilles avec vous, dit-elle tout en se frayant un passage. J'ai eu envie d'inverser la tendance.

— Qui tombe dans les clichés, à présent ? répliqua-t-il, sur ses talons.

— Vous venez dans un bar jeter votre dévolu au hasard sur une nana qui boit un peu trop. Pas la peine d'être un génie pour en déduire que ce n'est pas la première fois que vous en *raccompagnez* une chez elle.

— Primo...

Il fut interrompu par un groupe de femmes qui venaient en sens inverse. Ignorant leurs regards intéressés, il reprit :

— Primo, je ne considère pas mes conquêtes comme des proies. Deuzio, draguer dans les bars n'est pas dans mes habitudes. Ce soir, c'était une exception. Je vous ai vue attablée avec vos camarades et je vous ai suivie quand vous vous êtes rendue au bar.

— Pourquoi ?

— Je vous trouvais sexy.

— Merci.

Un jeune homme ivre les croisa en titubant. Kyle saisit Rylann par la taille pour éviter une collision. Ils s'arrêtèrent au carrefour et attendirent que le feu passe au vert.

— J'ignorais à ce moment-là que vous étiez aussi… piquante.

— Vous êtes libre de résilier votre offre initiale d'intérêt.

— Ma parole, s'esclaffa-t-il, vous êtes une véritable accro du droit. Je ne résilierai rien du tout. J'ai un faible pour tout ce qui est piquant et épicé. Je trouve même cela très attirant chez une jeune femme. Et les ailes de poulet grillées, ajouta-t-il en inclinant la tête.

Rylann s'immobilisa et le dévisagea.

— J'ai rêvé ou vous venez de me comparer à des ailes de poulet grillées ?

— À vous entendre, c'est affreux. Les ailes de poulet grillées, quel régal !

Rylann ravala un sourire.

— Pourquoi ai-je la sensation que vous n'êtes jamais sérieux ?

— Qui voudrait être sérieux par une soirée pareille ? Les cours sont finis, Maître. Laissez-vous vivre.

Pour être franche, elle avait un mal fou à cerner Kyle Rhodes. Son pragmatisme l'incitait à se méfier : combien étaient-elles, à tomber dans les filets de ce bellâtre ? Mais elle mentirait en affirmant que l'attention que lui portait Kyle ne la flattait pas. Voilà un homme à qui bien des femmes donneraient la chasse et, pourtant, là, c'était lui le chasseur.

— Écoutez, j'apprécie que vous me raccompagniez. Vraiment. Mais histoire de mettre les points sur les « i », ce n'est rien de plus.

Le feu passa enfin au vert et ils traversèrent l'un derrière l'autre.

— Sans vouloir vous offenser, n'êtes-vous pas un peu à cheval sur les principes ? Ne vous contentez-vous jamais de suivre le mouvement ?

— Disons que je planifie plus que je ne me laisse aller.

Il poussa un grognement.

— Je parie que vous êtes de celles qui prévoient des plans quinquennaux.

— Les miens s'étendent sur six ans... Quoi ? C'est le temps qu'il va me falloir pour atteindre mon but, argua-t-elle. Tout le monde ne peut pas s'offrir le luxe d'attendre ses trente ans avant de devenir adulte, Kyle *Rhodes*.

Kyle stoppa net, si brusquement qu'elle faillit lui foncer dedans.

— Les sermons de ce genre, je les subis depuis le lycée. Ils ne sont d'ailleurs fondés sur rien. Figurez-vous que si je faisais la fête ce soir, c'est parce que je viens de passer mon examen d'entrée en doctorat.

Dont acte.

— Impressionnant. À l'avenir, vous devriez peut-être vous en servir pour draguer. Ce n'est qu'un conseil, bien sûr, acheva-t-elle avec un sourire charmant.

— Décidément ! Pour une fois que j'abordais une fille dans un bar, il a fallu que je tombe sur une championne du sarcasme.

Il s'éloigna d'un pas vif. Rylann le laissa parcourir quelques mètres avant de s'écrier :

— Vous allez dans la direction opposée... Mon appartement est par là-bas.

Pour le plus grand plaisir de Rylann, il fit demi-tour, revint vers elle, la dépassa. Le petit côté capricieux de Kyle Rhodes l'amusait beaucoup plus que celui séducteur de Fossettes Craquantes.

— Si vous êtes à cinquante mètres devant moi, on ne peut pas considérer que vous me raccompagnez chez moi. Je suis pratiquement certaine qu'il existe une règle des trois mètres ou un truc du genre.

Kyle s'immobilisa mais ne se retourna pas. Il attendit en silence qu'elle le rattrape.

— Je suppose que les félicitations sont de rigueur. Parlez-moi de votre examen.

— Ah ! Parce que *maintenant*, vous avez décidé d'être sympa.

— J'y songe.

Ils poursuivirent leur chemin.

— J'entame un troisième cycle en sciences de l'informatique. Je m'intéresse à la recherche sur les systèmes et les réseaux, plus spécifiquement la sécurité. Les protections contre les attaques par déni de service.

— Cela paraît très… technique.

— Pour simplifier, le déni de service ou DoS est une sorte de piratage. Les sociétés les considèrent surtout comme une nuisance mais je pressens que ces attaques vont s'amplifier et se complexifier dans les années à venir. Souvenez-vous de ce que je vous dis, un de ces jours, quelqu'un va provoquer la panique et le chaos si les sites internet refusent de prendre au sérieux ces menaces.

— Votre père doit être fier que vous entriez dans l'entreprise familiale.

— À vrai dire, répondit-il en grimaçant, c'est un sujet qui fâche. Je n'envisage pas de travailler pour lui. Je préfère enseigner.

Rylann ne put masquer sa surprise. Il haussa les épaules.

— Question vacances, c'est le top, non ?

— Pourquoi faites-vous cela ?

— Quoi ?

— Vous prenez des airs nonchalants du genre « surtout, ne me prenez pas au sérieux ». D'où votre tenue décontractée, je suppose.

— Non, je porte des jeans et des chemises en flanelle pour une simple question de confort. Au cas où vous ne l'auriez pas remarqué, nous suivons nos cours au beau milieu d'un gigantesque champ de maïs. Le smoking n'est pas de mise dans la région... Et puis, en quoi l'impression que je dégage vous intéresse-t-elle ?

— Je soupçonne que l'illustre Kyle Rhodes cache une autre facette de sa personnalité.

Ils marquèrent une pause au coin de la rue, à deux pâtés de maisons de chez Rylann. La brise s'était levée et lui rappela soudain que son tee-shirt était trempé. Un frisson la parcourut et elle croisa les bras contre sa poitrine.

Aussitôt, Kyle enleva sa chemise et la tendit à Rylann. En dessous, il arborait un tee-shirt gris qui épousait ses pectoraux, ses abdominaux et ses biceps. Rylann la refusa d'un geste tout en s'efforçant – en vain – de ne pas fixer ce corps d'athlète.

— Non, merci. Nous ne sommes plus très loin. Ça va aller.

— Prenez-la. Si ma mère apprenait que j'avais laissé une jeune femme rentrer chez elle en tee-shirt mouillé, elle m'étranglerait.

— Vingt-trois ans et toujours sous la coupe de maman. Adorable, marmonna-t-elle en enfilant le vêtement.

Kyle s'avança d'un pas pour ajuster le col qui s'était replié vers l'intérieur.

— Vingt-quatre. Et ma mère a un sacré tempérament – vous n'oseriez pas lui désobéir, vous non plus... Là, déclara-t-il en approuvant d'un signe de tête, satisfait de son œuvre.

Quand sa main effleura la joue de Rylann, le cœur de la jeune femme fit un bond.

Mince.

— Merci.

« Il n'est pas pour toi », se rappela-t-elle avec fermeté. Il n'avait aucune place dans son plan concernant les six prochaines années. Tiens ! Il n'avait même pas de place dans son plan pour les six *jours* à venir.

Kyle la contempla.

— J'ai menti en affirmant que je vous avais suivie jusqu'au bar parce que je vous trouvais sexy. Je vous ai vue rigoler avec vos amis et votre sourire m'a conquis.

Ouh la la ! Rylann avait du mal à respirer. Elle tergiversa un instant en plongeant son regard dans le sien puis se décida. Au fond, pourquoi pas ? Après l'année qu'elle venait de vivre, elle méritait bien un petit plaisir, non ?

Elle se hissa sur la pointe des pieds et effleura ses lèvres d'un baiser doux, presque taquin. Prenant son visage dans les mains, il l'embrassa à son tour, avec lenteur et passion. Elle posa une main sur sa poitrine, oubliant un instant - ou se fichant - qu'ils se trouvaient au coin d'une rue où n'importe qui pouvait les voir. Elle se pressa contre lui et leurs langues se mêlèrent, brûlantes.

Enfin, au bout d'un moment qui lui parut une éternité, elle réussit à s'arracher à lui. Il la fixa de ses yeux bleus, brillants de désir.

— Qu'est-ce qui vous a pris ?

— J'ai eu envie de suivre mon instinct, pour changer, avoua-t-elle, le souffle court.

Il haussa un sourcil.

— Et ?

« Exaltant », pensa-t-elle. Mais Kyle Rhodes avait certainement eu son lot de compliments à ce sujet. Elle haussa les épaules.

— Pas mal.

— Pas mal ? railla-t-il. Cher Maître, je suis doté de deux talents exceptionnels. La science informatique vient en deuxième.

« Rustre ! » Elle tourna les talons et partit en direction de son immeuble. Il n'y avait pas assez de place sur ce trottoir pour elle, Kyle Rhodes et son ego.

— Si vous êtes à cinquante mètres devant moi, on ne peut pas considérer que je vous raccompagne chez vous ! lança-t-il.

— Je vous libère de vos obligations, rétorqua-t-elle sans daigner lui jeter un coup d'œil.

Elle entendit son rire, fort et chaleureux. Parvenue devant son bâtiment, elle traversa la cour centrale au pas de course et fila jusqu'à l'escalier en bois menant au logement qu'elle partageait avec Rae au premier étage.

— Rylann.

Elle se retourna.

— Vous restez dans les parages cet été ?

— Aucune importance mais la réponse est oui. J'effectue un stage au bureau du procureur fédéral.

Kyle gravit les marches.

— Dans ce cas, dînez avec moi demain soir.

— Ce n'est pas une bonne idée.

— Vous avez l'intention de me piquer ma chemise ?

Confuse, elle s'empressa de l'enlever.

— Désolée, je…

— Gardez-la. Elle vous va bien.

Ces quelques mots lui firent l'effet d'une décharge électrique et elle dut se concentrer pour afficher un air sévère.

— On avait dit que vous me raccompagniez chez moi, point final.

— Un seul dîner, Maître. On mangera des ailes de poulet grillées, on boira une bière et on se morfondra sur la perspective d'un été tout entier au milieu de ce champ de maïs.

En toute franchise, l'idée était séduisante.

— Et si je vous disais que je m'en vais. Si vous aviez raison et que, dès demain, j'emménageais dans un charmant trois-pièces à Wrigleyville avec ma colocataire ?

Il lui adressa un sourire à faire fondre un iceberg.

— Je me taperais deux heures de route pour passer vous prendre. À demain, Maître. 20 heures.

Sur ce, il s'en alla.

Quelques minutes plus tard, Rylann s'adossa à la porte fermée et y appuya la tête. Elle ferma les yeux pour mieux s'imprégner des événements de la soirée et sourit malgré elle.

Youpi !

Malheureusement, son bonheur ne dura pas. Rylann patienta jusqu'à 22 heures le lendemain avant d'abandonner tout espoir.

Il lui avait posé un lapin.

Au fond, ce n'était pas plus mal. Son stage débutait dans une semaine. Ce n'était pas le moment de flirter avec un fils de milliardaire génie de l'informatique et réfléchir aux problématiques du genre « est-ce qu'il va m'appeler ? »

Pauvre Rae ! Elle ne s'en remettrait pas. Avant de partir, elle avait laissé à Rylann ses escarpins Manolo noirs exprès pour l'occasion.

— Pas question que tu te rendes en claquettes à un premier rendez-vous avec un milliardaire, avait-elle proclamé en lui présentant la boîte juste avant de monter dans sa voiture.

Rylann avait étreint son amie avec fougue.

— Revenez vite, toi et toutes tes autres paires de chaussures.

— Téléphone-moi demain pour me raconter. Qui sait ? Imagine qu'il t'emmène en jet privé jusqu'en Italie déguster une pizza ou qu'il privatise un restaurant tout entier pour votre premier dîner en tête à tête.

« Ou encore, qu'il me pose un lapin. »

Résolue à chasser tout sentiment de déception de son esprit, Rylann enfila un bas de pyjama et un débardeur.

Inutile de se pomponner puisqu'elle n'avait nulle part où aller.

Elle s'installa confortablement sur le canapé et alluma la télévision, zappant d'une chaîne à l'autre. Le silence lui pesait et soudain, elle prit conscience qu'elle s'apitoyait lamentablement sur son sort.

Pas question. D'autant que Kyle Rhodes n'était pas *à ce point* merveilleux. Insolent, trop sûr de lui, il s'habillait comme s'il venait de tomber d'un tracteur. Quant à sa passion pour l'informatique ? Quel ennui.

Et puis… elle n'était pas vraiment tombée sous le charme.

Non, non.

Le lendemain matin, Rylann sortit de sa chambre en tenue de jogging. Accaparée par ses études, elle avait négligé sa forme physique ces derniers mois et éprouvait le besoin de faire un peu de sport. Son enthousiasme durerait sans doute une quinzaine de minutes, jusqu'à ce qu'elle s'effondre, haletante, après deux ou trois kilomètres de footing.

Pour une femme à qui on avait posé un lapin la veille, elle était de fort bonne humeur. D'une part, elle comptait jeter la chemise de Kyle dans la benne à ordures en sortant. D'autre part, elle avait préparé une réplique en or pour le cas où elle le croiserait de nouveau un jour.

En franchissant le seuil de l'appartement, son MP3 dans une main et la chemise en flanelle dans l'autre, elle aperçut le journal sur le paillasson. Éblouie par le soleil, elle le ramassa en clignant des yeux. « Mmm ! Quelle magnifique journée ! Idéale pour la piscine. Je crois bien que je vais… »

Elle mit quelques secondes à assimiler l'information du gros titre. L'euphorie retomba.

L'ÉPOUSE DU MILLIARDAIRE RHODES MEURT
DANS UN ACCIDENT DE LA ROUTE.

Marilyn Rhodes.

La mère de Kyle.

Sans quitter le quotidien des yeux, Rylann rentra dans l'appartement, referma sa porte d'entrée et alla s'asseoir à la table de la cuisine pour lire l'article.

3

Neuf ans plus tard

Le vent glacial du mois de mars soufflait sur le lac Michigan, si cinglant qu'on en avait les larmes aux yeux. Kyle s'en rendait à peine compte. Courir lui permettait de s'évader.

À 7 heures du matin, il faisait encore nuit et la température atteignait péniblement les 5°. Chaque jour depuis deux semaines, il effectuait ce circuit de 20 km. Miles, le portier, s'en était étonné et, pour simplifier les choses, Kyle lui avait raconté qu'il s'entraînait pour un marathon.

La vérité, c'était qu'il appréciait ce moment de solitude et surtout... cet incroyable sentiment de liberté que lui procurait la course, l'idée que seul l'épuisement physique pouvait l'arrêter.

Sans oublier, bien sûr, une armada de flics armés s'il commettait la bêtise de s'éloigner de plus de 15 km de chez lui.

Un détail.

Dès le premier matin, il s'était rendu compte que ce rituel présentait un inconvénient de taille : le bracelet électronique fixé à sa cheville lui irritait la peau à chaque foulée. Il avait tenté d'apaiser l'échauffement en saupoudrant son pied de talc mais n'avait réussi qu'à se maculer de poudre blanche et à sentir le bébé. Or un célibataire endurci de plus de trente ans ne pouvait pas se permettre de sentir le bébé. Une simple bouffée de ce parfum suffisait à affoler les horloges biologiques de ces dames.

Malheureusement, un homme pouvait se retrouver confronté à des problèmes bien plus graves. Kyle l'avait appris à ses dépens. Se voir arrêté et emprisonné, par exemple, accusé de plusieurs délits fédéraux. Ou découvrir que Jordan, son exaspérante et entêtée sœur jumelle, avait failli être abattue alors qu'elle collaborait avec le FBI pour lui assurer une libération anticipée.

Il lui en voulait encore d'avoir mis sa vie en péril pour lui.

Jetant un coup d'œil à sa montre, il accéléra le rythme sur la dernière ligne droite. Selon les termes de son assignation à résidence, il était autorisé à sortir quatre-vingt-dix minutes par jour « à des fins personnelles » à condition de ne pas dépasser un rayon de quinze kilomètres autour de chez lui. En principe, il était censé en profiter pour acheter ses provisions et laver son linge mais il avait trouvé le moyen de contourner le système. Il commandait ses victuailles par internet et confiait ses vêtements au pressing situé dans le hall de son immeuble. Il disposait alors d'une heure et demie en plein air, une heure et demie au cours de laquelle la vie paraissait presque normale.

Ce soir-là, il arriva chez lui avec huit minutes d'avance. Déjouer le système, d'accord. Le tester, sûrement pas. Pour peu qu'il soit retardé par une crampe à la cuisse, l'alarme se déclencherait. De mauvais étirements et le GIGN se ruerait sur lui pour lui passer les menottes.

Le rideau d'air chaud qui l'accueillit dans l'immeuble le fit suffoquer. À moins que ce ne fût la perspective de réintégrer son duplex où il serait prisonnier pour les vingt-deux heures et trente-deux minutes à venir.

« Plus que trois jours », se rappela-t-il.

Dans un peu moins de soixante-douze heures – il s'était mis à décompter les heures en prison –, il redeviendrait officiellement un homme libre. En supposant, bien sûr, que le bureau du procureur fédéral respecte ses engagements – et ce n'était pas gagné. Ses relations avec cette administration étaient pour le moins houleuses malgré tous les arrangements conclus avec sa sœur pour raccourcir sa détention de dix-huit à quatre mois. Les avocats l'avaient qualifié de « terroriste » devant le juge comme devant les journalistes, ce qui, aux yeux de Kyle, lui avait valu un aller simple sur la liste noire des bandits. Car un « terroriste », comme le savait n'importe quel crétin en possession d'un dictionnaire, était une personne qui s'adonnait à la violence et à l'intimidation pour parvenir à son but.

Lui n'avait fait preuve que de stupidité.

Miles consulta sa montre tandis que Kyle passait devant le bureau de réception.

— Vous courez même le samedi soir ?

— Pas de repos pour les méchants, répliqua Kyle avec un sourire décontracté.

Il pénétra dans l'ascenseur et appuya sur le bouton du trente-deuxième étage. Juste avant que les portes ne se referment, un homme d'une trentaine d'années en jean et pull de ski se précipita à l'intérieur de la cabine. Il écarquilla les yeux en reconnaissant Kyle mais ne dit rien et enfonça la touche du vingt-troisième étage.

L'ascenseur monta. Kyle savait que le silence ne durerait pas ; inévitablement, l'autre dirait quelque chose. Certaines personnes l'insultaient, d'autres le félicitaient mais tous s'exprimaient.

Quand la cabine atteignit le vingt-troisième étage, l'inconnu lui jeta un coup d'œil avant de sortir.

— Pour ce que ça vaut, j'ai trouvé cette histoire plutôt rigolote.

— Je regrette que vous n'ayez pas fait partie du jury.

Kyle poursuivit son ascension jusqu'au dernier étage qu'occupaient trois duplex. Il pénétra chez lui, se débarrassa de son blouson humide de transpiration et le jeta sur l'un des tabourets alignés devant le comptoir de la cuisine. Selon ses instructions, l'espace avait été aménagé en une seule pièce à vivre, vaste et claire, bordée sur deux côtés par des baies vitrées offrant une superbe vue sur le lac. Dommage que le temps soit si gris mais rien d'étonnant pour un mois de mars à Chicago.

La semaine précédente, lorsque Jordan et leur père lui avaient rendu visite, il avait lancé en plaisantant :

— Si un jour vous devez de nouveau négocier pour moi une détention à domicile, arrangez-vous pour que les fédéraux m'autorisent à passer les mois d'hiver sur la plage de Malibu.

Grey Rhodes, pas du tout amusé, s'était excusé pour donner un coup de fil.

— C'est trop tôt, avait dit Jordan en secouant la tête.

— Toi, ça ne te gêne pas d'inventer des blagues sur la prison, avait répliqué Kyle, sur la défensive.

Sa sœur était même devenue une spécialiste de la plaisanterie, ce qui l'irritait au plus haut point.

Jordan lui avait agité sous le nez le cookie qu'elle venait de chaparder dans un placard.

— Oui, mais moi, je sais depuis l'âge de trois ans que tu es un idiot. Curieusement, il a fallu beaucoup plus de temps à papa pour s'en rendre compte.

Elle lui avait adressé un sourire espiègle avant de mordre dans son gâteau.

— Merci. Hé ! Toi, le génie – ce cookie est vieux de cinq mois.

Jordan avait soudain arrêté de mâcher et s'était empressée de jeter le reste de gâteau. Kyle avait ri aux éclats.

Un peu plus tard, juste avant de partir, elle avait abordé une nouvelle fois le sujet, plus sérieusement.

— Ne t'inquiète pas pour papa. Il finira par s'en remettre.

Pourvu qu'elle ait raison. Leur père avait géré l'inculpation très médiatisée de Kyle avec brio. Comme Jordan, Grey avait assisté au procès dans son intégralité et rendu visite à son fils en prison chaque semaine. Malgré cela, les tensions entre eux persistaient.

Il était temps qu'ils aient une conversation d'homme à homme.

Kyle chassa cette pensée, se déshabilla et prit une douche. Il disposait d'une demi-heure avant l'arrivée de ses visiteurs, aussi il s'assit à son bureau et alluma son ordinateur.

Après avoir parcouru les nouvelles nationales, il s'attarda sur les pages « technologies » du *Wall Street Journal*. Un soupir d'exaspération lui échappa lorsqu'il constata que sa prochaine comparution faisait l'objet d'un long article.

Dieu merci, il n'apparaissait pas à la une mais il s'attendait à ce que tous les journaux publient sa photo le mardi suivant, lorsque le juge statuerait sur la requête du Ministère public. Qu'une seule bêtise – oui, il avait commis une bêtise et il l'avait avouée – ait attiré une telle attention sur lui était absurde. Les gens enfreignaient les lois tous les jours. Bon, d'accord, dans son cas, plusieurs lois fédérales… mais tout de même.

Kyle décida d'ignorer l'article du *Wall Street Journal*. Comme beaucoup, il était au courant de ce qu'il avait fait. En termes légaux, on l'avait inculpé pour « multiples transmissions électroniques de codes malveillants conçus pour endommager des ordinateurs protégés ». En termes techniques – le langage qu'il préférait – cinq mois auparavant, il avait orchestré et diffusé un déni de service à l'encontre d'un réseau de communications globales par le biais d'un « botnet », un réseau d'ordinateurs infectés via un logiciel malveillant.

En somme, pour le commun des mortels, il avait piraté et bloqué le site *Twitter* pendant deux jours. L'initiative la plus débile de son existence.

Tout ça, à cause d'une femme.

Il avait rencontré Daniela, une New-Yorkaise mannequin égérie de la marque de lingerie fine *Victoria's Secret*, lors d'un vernissage à SoHo. Le coup de foudre. Elle était belle, elle appréciait l'art et la photographie et ne semblait pas se prendre au sérieux. Ils avaient passé le week-end ensemble, un tourbillon grisant de sexe, de restaurants, de bars et de fêtes – tout ce que recherchait Kyle à cette époque.

Ils avaient maintenu une relation à distance. Kyle s'était rendu à New York régulièrement durant les sept mois qui avaient suivi. Les tabloïds avaient commencé à s'intéresser à cette liaison entre la top-modèle et le riche héritier.

— Incroyable ! Mon frère sort avec un mannequin, s'était exclamée Jordan au téléphone après avoir lu leurs noms dans la colonne « Scènes et cœurs » du *Tribune*... Tu n'as jamais songé à diversifier ton portfolio ? avait-elle ajouté d'un ton moqueur.

— Pourquoi ? J'aime sortir avec des mannequins.

— Pas suffisamment pour nous les présenter, ni à moi ni à papa.

Sa sœur avait toujours eu la fâcheuse manie de mettre le doigt là où ça faisait mal.

La vérité, c'était qu'il ne s'était jamais engagé et ce, pour une raison très simple : le célibat lui convenait. Au fil de ces neuf dernières années, il s'était focalisé sur son travail chez Rhodes Corporation, gravissant les échelons jusqu'à devenir vice-président de la division Sécurisation des réseaux. Il mettait toute son énergie dans son travail et aimait fréquenter la gente féminine pour prendre du bon temps. Il ne voyait aucun intérêt à s'attacher à une femme unique. Il s'arrangeait toujours pour que l'atmosphère demeure simple et légère. Il ne promettait rien d'autre que du plaisir pour le temps que cela durerait.

Pourtant, la réflexion de Jordan l'avait poussé à se remettre en question. Depuis peu, son statut lui pesait. Vu sa situation, il n'avait aucun problème à rencontrer des femmes mais ces aventures sans lendemain avec des bombes sexuelles finissaient par le lasser. Il s'était toujours dit qu'il lui faudrait un jour se poser. Il avait grandi au sein d'une famille aimante et souhaitait en fonder une à son tour. Peut-être le moment était-il venu d'y songer.

Dès lors, il avait vu plus régulièrement Daniela. Soit il la rejoignait à New York, soit il lui offrait un billet d'avion pour venir à Chicago. Il n'était pas naïf au point de s'imaginer que tout allait pour le mieux entre eux mais, jusque-là, il n'avait jamais trouvé « chaussure à son pied ». Du coup, il avait enterré ses doutes. Après tout, il n'était pas si mal loti.

Pourtant, quand au bout de six mois environ, Daniela avait émis le souhait de rencontrer sa famille, Kyle avait hésité. Dans la mesure où il n'avait jamais présenté aucune femme à ses proches, le pas à franchir lui paraissait énorme. Gigantesque. Depuis des années, ils n'étaient que tous les trois : lui, Jordan et leur père. Ensemble, ils avaient évolué sous les projecteurs braqués sur eux du fait de la fortune paternelle et, miraculeusement, ils étaient demeurés des gens à peu près normaux. Aussi, même s'il avait fréquenté Daniela depuis plus longtemps que les autres et l'avait qualifiée à deux reprises de « petite amie », il ne se sentait pas de la présenter aux siens, avait bafouillé une réponse vague et changé de sujet.

Première alerte.

La semaine suivante, Daniela l'avait appelé en lui parlant si vite avec son accent brésilien qu'il avait eu du mal à la comprendre. Elle lui avait raconté qu'elle venait d'être choisie pour un clip vidéo, un projet qui l'excitait terriblement puisqu'elle envisageait de devenir actrice. En route pour Los Angeles, elle avait décidé de faire une surprise à Kyle et de s'offrir une escale à Chicago pour passer la soirée avec lui. Un joli geste mais qui tombait mal.

— Tu aurais dû me prévenir. Je dîne ce soir avec toute l'équipe de direction... Nous discuterons prévention d'intrusions, contrôle d'accès des réseaux et produits pour solutionner les menaces. Très sexy, avait-il conclu en lui adressant un clin d'œil.

Daniela ne manifestait pas le moindre intérêt pour les sciences informatiques mais Kyle y était habitué. En revanche, la plupart des filles étaient fascinées par le duplex et la Mercedes SLS AMG que son métier lui permettait de s'offrir.

— Si je t'en avais parlé, ce n'aurait plus été une surprise, avait-elle répliqué avec une petite moue. Tu ne peux pas te désister ? Qu'est-ce que tu risques ? Ton père ne va pas te punir sous prétexte que tu as manqué une réunion monotone avec une bande de cracks de l'informatique.

Kyle n'avait pas digéré ce commentaire.

Peut-être ne parlaient-ils pas le même langage. Ou bien elle n'avait que faire de sa vie à lui. N'empêche que Daniela n'avait jamais semblé saisir qu'il exerçait un vrai métier chez Rhodes Corporation. Sans vouloir se vanter, il était l'une des stars de la société – et pas seulement parce qu'il était le fils du grand patron. Parce qu'il était expert en son domaine.

Neuf ans auparavant, Kyle avait renoncé, pour des raisons personnelles, à se lancer dans un cursus de doctorat et avait rejoint l'entreprise familiale. S'il y était resté aussi longtemps, c'était pour l'expérience. Dans l'industrie informatique, Grey Rhodes était une mine d'enseignement. L'empire qu'il avait bâti en était la preuve concrète.

Ceci étant, la vie n'était pas un long fleuve tranquille. Son père avait beau être le P-DG, Kyle était en charge de la division Sécurisation des réseaux et avait insisté pour rester autonome : il dirigeait son service comme il l'entendait. Certes, parfois – et même souvent –, lui et son père se querellaient ou se marchaient sur les pieds. Cependant, le sens professionnel l'emportait et Grey Rhodes respectait les opinions de son fils qu'il considérait comme son lieutenant.

Le hic, c'était que Kyle n'avait plus envie d'être le bras droit. Il était doué, il avait de l'ambition et de la volonté. Or chez Rhodes Corporation, il ne pouvait y avoir qu'un numéro un et la place était prise.

Il avait des idées. Des projets pour l'avenir qui ne correspondaient probablement guère à ceux de son père. Et l'heure de les mettre à exécution approchait à grands pas.

Le soir du dîner avec l'équipe de direction, Daniela et lui s'étaient chamaillés pendant plus d'une heure. Pour finir, Kyle avait tenté de se racheter. L'intention de Daniela n'était-elle pas louable ? Ils n'allaient pas se disputer toute la nuit, surtout qu'ils ne se reverraient pas avant au moins deux semaines.

— Voici ce que je te propose, avait-il murmuré en la serrant contre lui. J'achèterai une bouteille de champagne en revenant et nous fêterons ton succès ensemble à mon retour.

— Ah ! Mon amour, c'est tentant, avait-elle roucoulé en déposant un baiser affectueux sur sa joue. Mais ce soir, j'ai envie de… de m'éclater. Je vais passer un coup de fil à Janelle. Elle est à Chicago en ce moment pour un tournage. Tu te souviens d'elle ? Tu l'as rencontrée à New York le soir où nous avons bu un verre au *Boom Boom Room*…

Tout en parlant, elle avait déambulé jusqu'à la salle de bains avec son énorme trousse de maquillage.

Daniela n'était rentrée qu'à 5 heures du matin, trente minutes avant qu'il ne se réveille pour aller courir. Elle s'était introduite dans l'appartement avec la clé qu'il lui avait confiée et écroulée sur le lit tout habillée. Kyle s'était éclipsé sans lui dire bonjour et, lorsqu'il était sorti de son travail, elle était déjà dans l'avion pour Los Angeles.

Deuxième alerte.

Daniela ne lui avait donné aucune nouvelle pendant quatre jours. Au début, il s'était dit qu'elle était accaparée par son projet mais, en constatant qu'elle ne réagissait ni à ses appels ni à ses messages, Kyle avait commencé à s'inquiéter. Il la savait fêtarde et des visions atroces étaient venues le hanter. Pourvu qu'elle ne devienne pas l'objet d'un de ces tragiques reportages de l'émission *Access Hollywood*, « la top-modèle ivre qui avait perdu la vie en glissant dans sa salle de bains ».

Enfin, il avait enfin obtenu une réponse.

Via *Twitter*.

@KyleRodhes Dsl, sa ne va pa marché entr nou. G rencontré 1 typ à LA et je m'1stal avec lui. T mignon mè tu parl trop d'1formatik.

À tout seigneur, tout honneur. Il fallait de l'habileté – en plus d'un cœur de pierre et d'une sérieuse aptitude à massacrer la langue – pour rompre avec quelqu'un en moins de cent quarante caractères. Elle n'avait même pas eu la décence de lui envoyer un message privé. Non. Elle l'avait « tweeté » pour que tout un chacun puisse le lire. Mais ce n'était pas le pire. Vingt minutes plus tard, Daniela avait posté un lien : une vidéo où elle batifolait dans un bain à remous avec le célèbre acteur Scott Casey.

Nul.

Un coup de massue sur la tête.

Kyle était conscient que tout n'était pas merveilleux entre Daniela et lui mais ce qu'elle venait de faire était... cruel et surtout humiliant. Elle l'avait publiquement cocufié. Il voyait déjà la manchette des journaux :

SCANDALE DANS UN JACUZZI !!!
LA TOP-MODÈLE TROMPE LE RICHE HÉRITIER.

Il était expert en nouvelles technologies. Il savait pertinemment ce qui allait se passer : d'ici quelques minutes, le monde entier serait au courant.

Pas question.

Kyle s'était emparé de la bouteille de whisky sur le bar, avait rempli un verre et l'avait vidé cul sec. Quatre fois de suite. Avec toujours la même pensée à l'esprit.

« Qu'elle aille se faire foutre ! »

Il n'était pas acteur de cinéma ni P-DG d'un empire industriel. Il n'apparaissait jamais en couverture des hebdomadaires *Time* ou *Newsweek*. Il n'était pas non plus un perdant. Il s'appelait Kyle Rhodes et il était un dieu de l'informatique. Il s'était spécialisé dans la sécurisation des réseaux. Il lui suffisait de pirater le site *Twitter* et d'effacer les messages de Daniela ainsi que la vidéo. Personne n'en saurait rien.

Il s'en serait peut-être sorti indemne s'il s'était arrêté là.

Malheureusement, assis devant son ordinateur, imbibé et furieux, il avait eu un éclair de génie éthylique. Le véritable problème était ce réseau social, cette perpétration d'un monde dans lequel les gens étaient devenus si égotistes qu'ils jugeaient normal de rompre en cent quarante caractères.

Il avait donc carrément bloqué le fonctionnement du site pendant quarante-huit heures.

Rien de compliqué. Il lui suffisait de concocter un virus malin pour contaminer cinquante mille ordinateurs à l'insu de leurs propriétaires.

Cette tâche accomplie, il avait décidé de déguerpir. Il avait fourré son portable, son passeport et une tenue de rechange dans un sac à dos et pris un vol de nuit pour Tijuana où il s'était soûlé pendant deux jours à la tequila.

— Pourquoi Tijuana ? lui avait demandé Jordan dans le tumulte de son arrestation.

— Il me semblait que c'était le genre d'endroit où l'on pouvait se rendre sans qu'on nous harcèle de questions, avait-il expliqué en haussant les épaules.

Il n'avait pas tort. À Tijuana, personne ne se souciait de savoir qui il était. Plus de type trahi par son ex-petite amie top-modèle. Plus d'héritier, de génie de l'informatique, homme d'affaires, fils ni frère. Ces deux jours d'anonymat lui avaient fait un bien fou.

Le deuxième soir, Kyle était assis dans le bar où il avait élu domicile, en train de siroter une dernière boisson. Il ne s'était jamais pris une cuite avant cela et, comme la plupart des gens, avait trouvé ce moyen efficace pour oublier ses soucis. Mais tôt ou tard, il lui faudrait revenir à la réalité.

Le barman, Esteban, l'observait à la dérobée en essuyant des verres.

— Vous croyez qu'ils vont attraper cet escroc ? avait-il lancé avec un fort accent mexicain.

Surpris, Kyle avait cligné des yeux. Esteban n'était pas un bavard. Cette question violait-elle sa politique du silence ? Pas franchement. Après tout, ce n'était pas de *lui* que l'on parlait.

— Quel escroc ?

— Le hacker de Twidder.

— Twidder ? J'ignore ce que c'est et comment on peut l'escroquer mais apparemment, c'est une drôle d'histoire, *amigo*.

— Vous êtes un rigolo, hein ? avait riposté Esteban en indiquant le poste suspendu au mur derrière Kyle... *Twitter*, petit malin.

Par curiosité, Kyle s'était retourné vers la télévision qui diffusait une émission d'informations. Il avait étudié l'espagnol pendant quatre ans au lycée mais le débit de la présentatrice était si rapide qu'il avait du mal à la comprendre. Toutefois, il n'avait pas besoin qu'on lui traduise les trois mots qui défilaient au bas de l'écran.

El TERRORISTA DEL WEB

Kyle s'était étranglé, sa tequila à la bouche.

Eh… merde !

Les sourcils froncés, il s'était efforcé de saisir les propos de la journaliste. Difficile, vu son état, mais il avait réussi à décrypter les termes *policía* et *FBI*.

L'estomac retourné, il s'était précipité dehors et avait vomi ses sept rasades d'alcool, s'empalant par la même occasion le front dans un cactus qu'il n'avait pas remarqué.

Instantanément dégrisé, paniqué, il avait couru jusqu'à l'auberge minable où il avait loué une chambre – en espèces – et appelé la seule personne en qui il avait confiance.

— Jordan… J'ai fait une énorme bêtise.

Détectant l'anxiété dans sa voix, elle était allée droit au but.

— Que tu peux réparer ?

Kyle savait qu'il n'avait pas le choix. Aussitôt après avoir raccroché, il avait branché son portable et mis un terme au gel du réseau.

Et les agents du FBI avaient retrouvé sa trace.

Eux aussi avaient leurs génies de l'informatique.

Le lendemain matin, dessoûlé et penaud, Kyle avait rempli son sac à dos et pris un taxi pour l'aéroport. L'espace d'un instant, juste avant d'embarquer, il avait pensé : « Je ne suis pas obligé de rentrer. » Mais fuir ne résoudrait rien. Il s'était comporté comme un imbécile, à lui d'en payer les conséquences, quelles qu'elles soient.

Après l'atterrissage à O'Hare, l'hôtesse avait prié tous les passagers de rester assis. Recroquevillé au huitième rang, Kyle avait vu arriver deux individus en costume-cravate – de toute évidence des agents du FBI. Ils avaient remis un document au pilote.

— Oui, c'est moi ! avait lancé Kyle en ramassant ses affaires.

— Trafic de drogue ? avait chuchoté son voisin hispanique.

— *Twitter.*

Il s'était levé et avait salué les nouveaux venus.

— Bonjour, messieurs.

Le plus jeune lui avait tendu la main, impassible.

— Votre ordinateur, Rhodes.

— Je suppose qu'on n'a pas le temps d'échanger des mondanités, avait plaisanté Kyle en lui présentant son sac.

L'aîné avait tiré les bras de Kyle derrière son dos avant de lui passer les menottes. Tandis qu'ils lui citaient ses droits, les cinquante passagers médusés avaient sorti leurs appareils photo pour prendre des clichés qui ne tarderaient pas à circuler sur la toile.

Dès lors, il avait cessé d'être Kyle Rhodes, le fils du milliardaire, pour devenir Kyle Rhodes, le Terroriste du Web.

Pas malin.

On l'avait emmené dans les bureaux du FBI en centre-ville et abandonné dans une salle d'interrogatoire pendant deux heures. Il avait rameuté ses avocats qui lui avaient exposé les chefs d'accusation à son encontre. Trente minutes après le départ de ses représentants, on le transférait au centre de détention.

— Rhodes, vous avez de la visite, lui avait annoncé un gardien en fin d'après-midi.

On l'avait conduit dans une cellule équipée d'une table en métal et de deux chaises. Il avait patienté, détaillant sa combinaison orange et ses bracelets aux poignets. La porte s'était ouverte et sa sœur était entrée. Il lui avait adressé un sourire contrit.

— Jordan.

Elle s'était ruée vers lui pour l'étreindre, exercice compliqué par les menottes. Puis elle s'était écartée et l'avait tapé sur le front avec la paume de sa main.

— Espèce d'idiot !

— Aïe ! C'est là que le cactus m'a agressé.

— Qu'est-ce qui t'a pris ?

Au cours des deux semaines suivantes, on lui poserait cette question des centaines de fois. Il aurait pu mettre sa bêtise sur le compte de son orgueil, de son ego, de sa fâcheuse tendance à s'emporter quand on le provoquait. En fait, l'explication était simple.

— Je… j'ai été stupide.

Il n'était pas le premier à réagir de façon excessive en découvrant que sa petite amie le trompait ; et il ne serait pas le dernier. Malheureusement, il était le seul à avoir provoqué un chaos d'envergure planétaire.

— J'ai dit aux avocats que je plaidais coupable.

Inutile de gaspiller l'argent des contribuables et le sien pour un simulacre de procès. D'autant qu'il était indéfendable.

— On dit aux informations que tu vas sans doute purger une peine de prison, avait lâché sa sœur d'une voix entrecoupée par les sanglots.

Oh non ! La dernière fois qu'il avait vu sa sœur pleurer remontait à la mort de leur mère – il y avait neuf ans.

— Écoute-moi bien, Jordan, car je ne le répéterai pas. Moque-toi de moi, traite-moi de tous les noms mais je t'interdis de verser une larme pour moi. Compris ? Quoi qu'il arrive, je gérerai.

Jordan avait opiné en reprenant son souffle.

— D'accord.

Elle l'avait examiné de bas en haut avant d'incliner la tête.

— C'était comment, le Mexique ?

— J'aime mieux ça, avait marmonné Kyle en lui souriant... Comment va papa ?

Jordan lui avait lancé un regard noir.

— Tu te rappelles la nuit où tu t'es échappé par la fenêtre de la cuisine pour assister à la fête de Jenny Garrett ?

Kyle avait grimacé. Il n'était pas près de l'oublier. Il avait laissé ladite fenêtre ouverte pour son retour mais leur père, réveillé par un bruit suspect, était descendu avant qu'il ne revienne. Un raton laveur se régalait de céréales dans l'office.

— Si mal que ça ?

— Vingt fois pire.

Elle lui avait serré brièvement l'épaule en signe de compassion.

Zut.

Après l'épluchage des articles de presse, Kyle consulta ses messages. Son adresse électronique chez Rhodes Corporation était accessible via le site de l'entreprise bien qu'il n'en fît plus partie – il avait démissionné afin d'épargner à son père le désagrément de devoir le renvoyer – et ses mails avaient été réexpédiés sur son compte personnel.

Depuis sa sortie de prison, ils arrivaient par centaines tous les jours : demandes d'interviews, lettres d'insultes d'accros de *Twitter*, propositions de mariage de femmes qui rêvaient de rencontrer un ex-taulard.

Aucun courriel ne méritait une réponse et il effaça l'ensemble sans en ouvrir un seul. Les interviews étaient une chose détestable et les lettres d'insultes ne méritaient pas que l'on s'attarde dessus. Quant aux sollicitations féminines... mieux valait éviter de coucher avec des folles.

La sonnerie de son téléphone fixe interrompit ses réflexions.

— Dex est ici, annonça Miles le portier, faisant allusion au meilleur ami de Kyle, Gavin Dexter.

Ce dernier venant très souvent, Miles avait depuis longtemps cessé les « Monsieur ».

— Il est avec quelques amis, enchaîna Miles d'un ton amusé.

— Merci, Miles. Faites-les monter.

Deux minutes plus tard, en ouvrant sa porte, Kyle découvrit Dexter... accompagné d'une vingtaine de personnes.

— Hourra ! Hourra ! s'écrièrent à l'unisson les visiteurs.

Dex sourit.

— Kyle Rhodes ne pouvant se rendre à la fête, c'est la fête qui vient à lui... Content que tu sois revenu parmi nous, mon vieux.

Aux alentours de minuit, Kyle parvint enfin à s'éclipser. De vingt et un ils étaient passés à quelque soixante-dix personnes ; le duplex était noir de monde. Réfugié dans son bureau, il se versa un petit verre de whisky. Il ferma les yeux et but une gorgée, savourant ce moment de tranquillité avant de retourner auprès de ses soi-disant amis.

Car, hormis Dex, pas un seul n'avait daigné lui rendre visite en prison.

Celle-ci était pourtant située en plein centre de Chicago et Kyle y avait séjourné pendant *quatre mois* ! Seules trois personnes étaient venues, son père, sa sœur et Dex. Pour tous les autres, il avait été « loin des yeux, loin du cœur ».

Cette expérience l'avait profondément ébranlé. Au début, il avait éprouvé de la colère mais peu à peu, il s'était dit que ces gens n'en valaient pas la peine. Il comprenait désormais qui ils étaient – des relations superficielles. Plus jamais il ne se laisserait duper.

Tant de choses avaient changé depuis son arrestation qu'il n'était pas sûr de les avoir toutes prises en compte. Cinq mois auparavant, il avait une carrière éblouissante chez Rhodes Corporation, une ravissante amie, égérie de Victoria's Secret, un cercle d'amis sur lesquels il pensait pouvoir compter. Aujourd'hui, il n'avait plus de boulot, plus de projets mais un casier judiciaire.

Pas la peine d'être un génie pour comprendre quand il avait dérapé.

De toute évidence, il n'était pas né pour entretenir une liaison à long terme. Sa première – et sans doute dernière – tentative d'engagement sérieux s'était terminée en fiasco. Toutefois, s'il en voulait encore à Daniela, il ne pouvait guère lui reprocher sa propre stupidité. Il était l'unique responsable du piratage de *Twitter*. Il ne pouvait pas non plus la blâmer complètement sous prétexte qu'elle l'avait plaqué. Elle avait agi de manière cruelle mais, au fond, il ne s'était jamais vraiment impliqué dans leur histoire. Il s'était persuadé qu'il était prêt à se caser. À tort.

Il ne commettrait plus cette erreur. Du moins, pas avant très longtemps.

Du coup, sa situation actuelle présentait certains avantages. Les aventures éphémères ? Il adorait. Le sexe ? Il n'avait reçu aucune plainte. Il allait donc s'en tenir aux rendez-vous clandestins, flirts et autres parties de jambes en l'air sans lendemain. Exit les sentiments.

À cet instant, Dex passa la tête dans la pièce.

— Je pensais bien te trouver ici, marmonna-t-il en entrant.

Kyle leva son verre.

— Je suis venu faire le plein. C'était plus simple que de se frayer un chemin jusqu'au bar.

— Tu fuis la fête ?

— Pas du tout, mentit Kyle avec un sourire. C'est exactement ce dont j'avais besoin.

— À ton avis, que diront tes copains au bureau du procureur s'ils l'apprennent ?

— Je suis sous le coup d'une assignation à domicile, non ?

Tant qu'il n'enfreignait pas les termes de son contrat, il se fichait éperdument de l'opinion des autorités. Dans trois jours, il serait complètement libre.

— À propos de copains... Selena Marquez vient d'arriver. Elle te réclame.

— Pas possible ?

Kyle connaissait bien Selena. Elle avait vingt-cinq ans, des jambes interminables et travaillait comme mannequin à Chicago en attendant de percer à New York. Avant Daniela, Selena et lui s'étaient fréquentés de temps à autre et s'étaient toujours beaucoup amusés.

— Je devrais peut-être aller lui dire bonjour. Jouer mon rôle d'hôte... Comment est-elle ?

— Ma foi, si j'étais un ancien détenu privé de sexe pendant quatre mois, je dirais qu'elle est plutôt canon. Euh... pardon, je n'aurais pas dû...

— T'occupe, Dex. Et merci. Pour tout. Je ne l'oublierai pas.

Dex hocha la tête et ouvrit la marche jusqu'à la salle de séjour. Kyle trouva Selena dans le vestibule, vêtue d'une minirobe argentée et perchée sur des talons aiguilles.

— Sacrée soirée ! murmura-t-elle avec un sourire.

— Sacrée tenue.

— Choisie tout spécialement pour toi... Un peu plus tard, je pourrai peut-être te dévoiler ce qu'il y a dessous, roucoula-t-elle.

Elle effleura sa joue d'une caresse et s'éloigna à grand renfort de déhanchements.

Voilà ce qu'il lui fallait. Du simple. Du facile. Pas de sentiments, pas d'attaches.

4

Rylann avait pratiquement fini de défaire ses valises quand elle se rendit compte qu'elle avait suspendu ses vêtements dans une seule partie du dressing.

Où avait-elle la tête ?

Tout, dans son nouvel appartement de Chicago, était livré en un exemplaire : une chambre, un bureau, un dressing, une place de parking, une brosse à dents et surtout, *une* propriétaire. Fini la colocation.

Elle décrocha ses tailleurs pour les suspendre du côté encore vide. Elle contempla le résultat, trouva l'ensemble un peu triste et plaça une pile de pulls sur l'étagère du dessus. Avant d'y ajouter ses tenues de sport.

Le résultat n'était toujours pas satisfaisant.

Elle courut dans la chambre chercher ses deux robes de cocktail noires, tenues indispensables pour les soirées professionnelles. À San Francisco, elle avait participé activement à l'association du barreau de Californie et, par conséquent, assisté à d'innombrables réceptions avec les personnes haut placées de la communauté. En sa qualité d'adjointe du procureur de San Francisco – ces avocats ou l'élite du système judiciaire américain, qui poursuivent les coupables de crimes fédéraux –, elle s'y sentait comme un poisson dans l'eau.

Aujourd'hui, elle intégrait un nouveau cercle. Ce changement lui ferait un bien fou.

Rylann suspendit les robes à côté des tailleurs et recula d'un pas. Bon, le mélange était un peu éclectique mais ça irait.

Vingt minutes plus tôt, elle était au désespoir après avoir déballé *la* robe pourpre à col V qu'elle avait portée le soir de *la* non-demande en mariage. Elle aurait mieux fait de brûler cette toilette pour retrouver une certaine paix intérieure mais cette robe mettait si bien en valeur sa poitrine... Tant pis pour la paix intérieure, elle était superbe !

D'ailleurs, à quoi bon s'apitoyer ? Jon, son ex-petit ami, ne devait guère se morfondre à Rome devant la tenue qu'il avait arborée le soir de leur rupture. Elle était même prête à parier qu'il n'en avait aucun souvenir.

Rylann marqua une pause en réalisant qu'elle non plus.

Ouf ! Elle progressait.

Elle avait un plan sur six mois pour se remettre de ses déboires amoureux et se félicitait d'être dans les temps. Elle avait même un peu d'avance. Elle s'était accordé deux jours de rechute provisoire après son déménagement mais, pour l'instant, tout allait bien.

Costume gris foncé, chemise bleu clair, la cravate à rayures qu'elle lui avait offerte « comme ça, pour le plaisir » le lendemain du jour où ils s'étaient installés ensemble.

Merde. Elle n'avait pas oublié.

Selon ledit plan sur six mois, elle en était à l'étape où les détails de ce genre auraient dû lui échapper. Ses cheveux en bataille au réveil ; ses yeux noisette mouchetés d'or ; la façon dont il s'était tortillé sur son siège en lui déclarant qu'il hésitait à se marier.

Rectification : cet épisode, elle se le rappellerait toute sa vie.

Ils dînaient à *La Jardinière*, un restaurant à l'ambiance romantique au cœur de San Francisco. Jon avait voulu lui faire la surprise mais dès qu'il avait commandé une bouteille de champagne *Cristal*, elle avait compris. Certes, ils appréciaient tous deux les bons vins et en buvaient à l'occasion mais le *Cristal* était une exception. Ce qui ne pouvait signifier qu'une chose.

Il allait lui demander sa main.

Rylann s'était dit que le timing était parfait. On était en septembre, elle aurait donc neuf mois devant elle pour organiser l'événement en juin. Elle ne tenait pas forcément à cette époque de l'année mais elle pensait au boulot : deux de ses consœurs venaient d'annoncer leur grossesse et souhaitaient prolonger leur congé maternité jusqu'en mai. Si Jon et elle convolaient en justes noces après leur retour, elle pourrait poser ses deux semaines pour la lune de miel sans se sentir coupable d'infliger une surcharge de travail à un collègue.

Le serveur avait rempli leurs coupes et ils avaient trinqué.

— Aux nouveaux départs, avait proclamé Jon, le regard espiègle.

— Aux nouveaux départs, avait renchéri Rylann avec un sourire.

Ils avaient bu une gorgée, puis Jon lui avait pris la main. Comme toujours, il était magnifique dans son costume sur mesure avec ses cheveux coiffés à la perfection. À son poignet, il portait la montre qu'elle lui avait offerte pour son dernier anniversaire. Ce cadeau lui avait coûté bien davantage qu'elle ne l'avait voulu mais il était tellement déprimé à l'idée de vieillir qu'elle avait tenu à lui remonter le moral.

— J'ai quelque chose à te demander. Depuis mes trente-cinq ans, j'ai mûrement réfléchi à mon avenir. J'ai beau savoir ce que je veux, je crois que j'ai eu peur de franchir le pas.

Il s'était tu pour reprendre son souffle. Rylann l'avait rassuré.

— Tu es nerveux.

— Un peu, avait-il admis en riant tout bas.

— Accouche ! Nous avons déjà le champagne.

Sur ce, Jon avait plongé son regard dans le sien.

— Je veux m'installer en Italie.

Rylann avait cligné des yeux.

— En Italie ?

— Oui. Une opportunité se présente à notre bureau de Rome et j'ai posé ma candidature... L'Italie ! Formidable, non ? s'était-il exclamé avec l'enthousiasme d'un enfant à qui l'on viendrait de promettre une journée à Disneyland.

— C'est... épatant, avait bredouillé Rylann en redescendant sur terre.

Jon était partenaire chez McKinzey Consulting et avait travaillé comme un fou pour en arriver là. Dernièrement, il s'était plaint qu'il s'y ennuyait mais pas une fois il n'avait soumis l'idée de partir pour l'Europe.

— Qu'est-ce qui t'a motivé ? avait-elle demandé comme si elle s'adressait à une vague relation plutôt qu'à l'homme avec lequel elle partageait sa vie depuis trois ans.

Jon avait avalé une autre gorgée de champagne.

— J'y songe depuis un moment. Je ne sais pas... J'ai trente-cinq ans, j'ai l'impression de faire du surplace. J'ai fait des études, décroché un emploi, voilà qui résume mon existence... La tienne aussi, d'ailleurs.

Aussitôt, Rylann s'était mise sur la défensive.

— Après avoir obtenu mon diplôme, je suis venue à San Francisco alors que je n'y connaissais absolument personne. Une initiative plutôt aventureuse, non ?

— Aventureuse ? avait-il raillé. Tu as débarqué ici parce que tu avais un boulot à la cour d'appel. Et c'était il y a sept ans. Il serait peut-être temps d'envisager un changement. Réfléchis-y. On pourrait louer un appartement à proximité de la Piazza Navona. Tu te rappelles la *trattoria* où nous avons mangé, celle avec l'auvent jaune ? Tu adorais cet endroit.

— En effet. Je m'y sentais bien parce que nous y étions en *vacances*.

— Et voici venu le moment des sarcasmes ! avait lâché Jon en se balançant sur sa chaise.

Rylann s'était ressaisie. Il avait raison – l'ironie ne les mènerait nulle part.

— J'essaie simplement de comprendre. Cette histoire d'Italie m'a l'air de tomber du ciel.

— Le restaurant chic, le champagne… Tu te doutais bien de quelque chose, non ?

Rylann l'avait dévisagé. Incroyable ! Il était complètement à côté de la plaque !

— Je croyais que tu allais me demander en mariage.

Jamais elle ne s'était sentie aussi humiliée et mal à l'aise que dans le silence qui avait suivi. Et tout à coup, elle avait su que l'Italie était le moindre de leurs problèmes.

— J'ignorais que tu en avais envie.

Incrédule, Rylann avait eu un mouvement de recul.

— Pardon ? Nous en avons discuté. Nous avons même parlé enfants.

— Nous avons aussi envisagé d'avoir un chien et un nouveau canapé. Nous avons évoqué toutes sortes de projets… Je croyais que tu souhaitais te concentrer sur ta carrière.

Rylann avait baissé la tête. Décidément, c'était la soirée des grandes révélations.

— En quoi la famille et le travail sont-ils incompatibles ?

— Je voulais simplement dire qu'à mon avis, le mariage et les gosses, ce sera pour plus tard. Peut-être.

Ce « peut-être » avait ébranlé Rylann. Certes, elle s'était consacrée à son métier ces sept dernières années. Elle ne le regrettait pas. Elle n'avait pas non plus l'intention de s'arrêter complètement pour élever des mômes. Si elle avait la manie de tout planifier, elle n'avait jamais éprouvé le besoin d'aller plus vite avec Jon. Elle ne s'était pas fixé de limites dans le temps, mais avait supposé qu'ils se passeraient la bague au doigt et fonderaient une famille aux alentours de leurs trente-cinq ans.

Devant la manière dont il tripotait le pied de sa coupe, elle avait pris conscience qu'il ne s'agissait plus de trouver une date. Ce qui ne lui convenait pas du tout.

— Peut-être ? avait-elle répété.

D'un geste, Jon avait désigné les convives alentour.

— Tu tiens vraiment à ce qu'on en discute ici ?

— Oui.

— Bien. Que veux-tu que je te dise, Rylann ? J'ai changé d'avis. Le mariage, les enfants exigent des sacrifices. Je me tue au boulot. Je gagne pas mal d'argent mais je n'ai jamais l'occasion d'en profiter. Vu la situation économique, je ne peux ni démissionner ni m'octroyer un congé sans solde. Cette mutation me paraît donc la solution idéale… Ne complique pas tout, avait-il ajouté en se penchant vers elle. Je t'aime. N'est-ce pas ce qui compte par-dessus tout ? Viens avec moi en Italie.

Mais Rylann était demeurée figée. Ce n'était pas aussi simple.

— Jon… tu sais pertinemment que je ne peux pas te suivre là-bas.

— Pourquoi ?

— D'une part, je suis l'adjointe d'un procureur fédéral aux *États-Unis*. Un poste qui n'existe pas à Rome.

Il avait haussé les épaules.

— J'aurai largement de quoi t'entretenir.

— Moi qui suis si focalisée sur ma carrière, ce n'est pas ainsi que tu risques de me vendre ton projet.

Jon s'était tu un moment, furieux.

— C'est ton dernier mot ? L'Italie ne figure pas sur ton plan pour les dix prochaines années, donc tu optes pour ton boulot plutôt que pour moi ?

— T'installer en Italie, c'est ton rêve, pas le mien.

— J'espérais que ce pourrait être *le nôtre*.

Ah oui ? Rylann avait croisé les bras sur la table. Au fil des minutes, cette conversation s'était transformée en une sorte de contre-interrogatoire.

— À t'entendre, ta candidature a été approuvée. As-tu expliqué à tes patrons que tu devais en discuter avec moi avant d'accepter ?

Une lueur de culpabilité avait vacillé dans les prunelles de Jon, celle-là même qu'elle avait décelée à d'innombrables reprises chez les coupables qu'elle poursuivait.

— Non, avait-il murmuré tout bas.

— Je n'ai rien à ajouter.

Près de six mois après cette soirée, Rylann était assise au beau milieu de son salon en train de déballer un carton contenant sa moitié de la vaisselle Villeroy & Boch qu'elle et Jon avaient achetée pour recevoir leurs amis. Il avait insisté pour qu'elle garde l'ensemble mais elle avait refusé par orgueil. À présent, elle se demandait ce qu'elle allait bien pouvoir faire d'un lot incomplet de porcelaine.

La sonnerie de son portable retentit. S'arrachant à son problème, elle dénicha l'appareil sous une montagne de papier de soie. C'était Rae.

— Salut !

— Alors ? Ce nouvel appartement ?

Rylann cala le cellulaire entre son oreille et son épaule pour pouvoir continuer à s'activer tout en bavardant.

— Pour l'heure, c'est un désastre parce que j'ai pris du retard. J'ai passé l'après-midi à explorer le quartier.

Transie de froid. Apparemment, la ville de Chicago avait oublié qu'on était au *printemps*.

— Si je ne m'abuse, quelqu'un avait promis de venir me donner un coup de main, ajouta-t-elle d'un ton taquin.

— Je sais. Je suis la pire amie qui existe. J'ai une requête pour jugement sommaire à déposer la semaine prochaine et la version préliminaire que m'a envoyée ce fichu étudiant de deuxième année est une catastrophe. Je croule sous les corrections et les annotations. Mais je pense pouvoir être là d'ici une heure. La bonne nouvelle, c'est que je t'apporte des pâtisseries.

Rylann sortit une assiette à dessert de son carton.

— Excellent. On pourra utiliser ma moitié de vaisselle. Que veux-tu que je fasse d'un service de cinq pièces ?

— Tu pourrais… organiser un somptueux dîner pour mon petit ami imaginaire, le tien et une cinquième roue de carrosse ?

Aïe !

— Ne ris pas. Quand Jon est parti pour l'Italie, je me suis retrouvée dans cette position.

En effet, la plupart de leurs amis à San Francisco étaient en couple. Raison de plus pour recommencer à zéro à Chicago.

— Ici, au moins, je suis une première roue. Un monocycle.

— Très périlleux, le monocycle. Surtout après trente ans.

— Ce ne devrait pas être si difficile. J'ai eu des amants avant Jon.

— Que tu es naïve ! soupira Rae. Moi aussi, à une époque, j'ai été innocente et pleine d'espoir. Tu crois que tu es prête ? enchaîna-t-elle d'un ton plus sérieux.

— Je n'ai guère le choix.

Car, concernant le plan sur six mois, il lui restait un objectif à atteindre.

Pas de regrets. Pas de retours en arrière.

5

Le lundi matin, sa mallette à la main, Rylann sortit de l'ascenseur au vingt et unième étage de la tour Dirksen et se dirigea vers les portes en verre arborant le sceau familier du département de la Justice : un aigle serrant le drapeau des États-Unis entre ses griffes et entouré de la devise *Qui Pro Domina Justitia Sequitur* – « qui poursuit au nom de la justice ».

Rylann poussa un soupir. Certes, elle était un peu nerveuse à la perspective de cette première journée dans les bureaux de Chicago mais elle n'était plus une débutante. Elle avait six ans d'expérience derrière elle en tant qu'adjointe du procureur fédéral de San Francisco. Elle avait gravi les échelons jusqu'à la division des procédures spéciales et possédait l'un des palmarès les plus brillants du district.

Sa place était derrière ces portes en verre. Plus vite elle le prouverait à son entourage, mieux elle se sentirait. Elle inspira profondément, se souhaita « bonne chance » et entra.

L'hôtesse l'accueillit avec un large sourire.

— Ravie de vous revoir, Rylann. Mme Lynde m'a prévenue que vous commenciez aujourd'hui. Je lui signale votre arrivée.

— Merci, Katie.

Rylann se posta devant la fenêtre offrant une vue panoramique sur la ligne des gratte-ciel de Chicago. Elle connaissait les lieux pour les avoir visités le mois précédent lorsqu'on l'avait convoquée pour un entretien. Installée sur quatre étages de l'édifice, l'agence employait environ cent soixante-dix avocats, deux douzaines de juristes et une équipe administrative conséquente.

Ce poste était tombé à pic, alors que Rylann cherchait un moyen de recommencer à zéro après sa rupture avec Jon. Ayant grandi dans les faubourgs de Chicago, elle avait sauté sur cette occasion de se rapprocher de sa famille et de Rae.

Une jolie jeune femme aux longs cheveux bruns et aux yeux bleus vint vers elle et Rylann esquissa un sourire. Comme lors de leur première rencontre, elle fut frappée par la jeunesse de Cameron Lynde, trente-trois ans – seulement un an de plus que Rylann – et déjà procureure. Ancienne première adjointe, elle avait remplacé Silas Briggs quand on avait inculpé ce dernier pour corruption. L'arrestation d'une figure politique aussi importante avait provoqué un véritable chaos au sein du département comme dans les médias et animé les conversations de tous les adjoints pendant des semaines. Apparemment, Cameron était efficace, ambitieuse et décidée à redorer l'image du bureau de Chicago.

Cameron lui tendit la main.

— Heureuse de vous revoir. Nous vous attendions avec impatience, déclara-t-elle en désignant la pile de dossiers qu'elle tenait sous son bras. Comme vous pouvez le constater, nous sommes débordés. Suivez-moi, je vais vous montrer votre bureau.

Tout en échangeant les banalités d'usage, Rylann et Cameron empruntèrent un escalier interne pour gagner l'étage inférieur. La disposition des postes de travail était semblable à celle que Rylann avait connue à San

Francisco : le personnel administratif et les juristes rassemblés dans un vaste espace ouvert, entouré par les bureaux des avocats.

— ... donc, quand j'ai parlé avec Bill après notre entretien, expliqua Cameron, faisant allusion à l'ancien patron de Rylan, il m'a vivement conseillé de vous demander pourquoi on vous avait surnommée « Rylann Sans Peur ».

Rylann poussa un grognement d'exaspération même si ce sobriquet ne l'ennuyait pas *tant que cela*.

— On m'a collé cette étiquette dès ma première année sur le terrain et je n'ai jamais pu m'en débarrasser.

— Vraiment ? Racontez-moi.

— En résumé... je travaillais sur une affaire de crime et de trafic de drogue organisé. Je devais rencontrer deux agents du FBI dans un labo clandestin. Sauf qu'ils avaient omis de me préciser qu'il était situé au beau milieu d'un bois et qu'il n'existait qu'un moyen d'y accéder, par une trappe et une échelle rouillée de trois mètres. Comme je sortais du tribunal, j'étais en tailleur et talons. Pas du tout pratique.

— Non ! s'exclama Cameron en riant. Ils se sont fichus de vous. Comment auraient-ils pu oublier de vous prévenir ?

— D'après moi, c'était leur méthode pour bizuter la petite nouvelle.

— Qu'avez-vous fait ?

— J'ai franchi la trappe et descendu l'échelle en jupe, répliqua Rylann d'un ton neutre.

— Bravo !... Nous voici.

Sur la porte, la plaque en cuivre était gravée d'un éloquent :

RYLANN PIERCE
Adjointe du procureur fédéral

Elle pénétra dans la pièce à la décoration simple : moquette bleu foncé et mobilier sobre avec vue sur la tour Hanckock et le lac Michigan.

— Tout fonctionne à peu près comme à San Francisco, notamment le téléphone et les logiciels. Ah ! Un détail dont je voulais m'assurer : vous êtes bien membre actif du barreau de l'Illinois, n'est-ce pas ?

— Absolument.

Elle avait passé l'examen l'été qui avait suivi l'obtention de son diplôme et réactivé son statut en apprenant qu'elle venait s'installer à Chicago.

— Parfait. Sur ce, bienvenue parmi nous, claironna Cameron en lui remettant la pile de dossiers. Je vais trop vite ?

— Non, non. Indiquez-moi le chemin des tribunaux et celui du café *Starbuck's* le plus proche, je serai prête à démarrer.

— Pour le *Starbuck's*, c'est facile : juste en face. Il vous suffit de suivre la horde qui s'éclipse en douce à 15 heures. Quant aux tribunaux, ils occupent les étages douze à dix-huit. Prenez la matinée pour étudier ces rapports. Si vous avez des questions, n'hésitez pas à passer me voir dans l'après-midi.

— Entendu. Merci, Cameron.

— Vous êtes la première adjointe que j'engage depuis que j'ai pris mon poste. Que pensez-vous de mon discours de bienvenue ?

— Pas mal. Vous m'avez conquise en me titillant au sujet de mon surnom.

Cameron la dévisagea en riant.

— Je suis sûre que vous vous sentirez à merveille ici, Rylann... Ah ! J'ai failli oublier. Commencez donc par jeter un coup d'œil sur le premier dossier de la pile. Audience demain matin. Le confrère qui le gérait est indisponible. Il s'agit d'une requête approuvée, vous ne devriez rencontrer aucun problème. La presse sera là. Contentez-vous des réponses habituelles : nous sommes satisfaits de la résolution prise, nous n'avons pas de commentaires et blablabla. Vous connaissez la chanson.

— Des journalistes pour une requête approuvée ? s'étonna Rylann. Bizarre, non ?

Intriguée, elle s'empara de la chemise cartonnée et lut l'intitulé : *Ministère public contre Kyle Rhodes*.

Dieu merci, ces six années d'expérience lui avaient appris à masquer ses sentiments.

Bonté divine !

La seule vision de ce nom raviva ses souvenirs. Les yeux bleus, le sourire dévastateur. Le corps d'athlète. Leur baiser au clair de lune.

Le moment était sans doute mal venu d'expliquer à sa nouvelle patronne qu'elle avait *embrassé* l'accusé de sa première affaire !

— Le Terroriste du Web, murmura Rylann, faussement détachée.

Personne ne devinerait son désarroi. Autrefois, Kyle Rhodes avait fait battre son cœur mais près de dix ans s'étaient écoulés depuis. Aujourd'hui, elle était Rylann Sans Peur. Au boulot, elle resterait de marbre.

— Ma porte vous est grande ouverte, conclut Cameron avant de disparaître.

Rylann fixa la photo d'identité de Kyle attachée par un trombone à la liasse de documents. Il y paraissait grave et soucieux. Rien à voir avec le charmeur qui l'avait raccompagnée chez elle par une douce soirée de mai à Urbana-Champaign.

Il ne se souvenait probablement même pas d'elle.

Quelle importance ? Il avait dû en embrasser des femmes en une décennie. Lorsqu'elle surgirait au tribunal demain, il ne réagirait sans doute pas. Tant mieux. Après tout, il ne l'avait pas impressionnée tant que cela la première fois. Et puis, une adjointe de procureure digne de ce nom ne se démontait jamais face aux accusés.

Encore moins un accusé qui s'était autrefois prétendu prêt à faire deux heures de route pour l'emmener manger des ailes de poulet grillées.

Par chance, tout cela était du passé. Oui, les circonstances de leurs « retrouvailles » étaient ironiques, voire risibles mais elle traiterait Kyle Rhodes comme n'importe quel autre criminel. N'était-elle pas professionnelle jusqu'au bout des ongles ?

Elle aurait l'occasion de le prouver… demain.

6

— Kyle ! Kyle ! Quels sont vos projets maintenant que vous êtes un hacker ?

— Avez-vous parlé à Daniela depuis votre arrestation ?

Assis à la table de la défense, Kyle ignorait les questions et les appareils photo. Les journalistes finiraient par se lasser. Dans moins d'une heure, il serait libre et ce cauchemar prendrait fin.

— *Facebook* sera-t-il votre prochaine cible ?

— Avez-vous une déclaration à nous faire avant l'arrivée du juge ?

— Oui, gronda Kyle dans sa barbe… Que le spectacle commence pour qu'enfin vous me fichiez la paix.

À ses côtés, l'un de ses avocats – ils étaient cinq ce jour-là – se pencha vers lui.

— Nous devrions peut-être nous charger de la presse.

La porte s'ouvrit brutalement et les crépitements redoublèrent d'intensité. Un murmure se répandit à travers la foule et Kyle comprit que ce ne pouvait être que sa sœur ou son père.

Jetant un coup d'œil par-dessus son épaule, il vit Jordan s'approcher, en manteau de cachemire et lunettes noires. Ses longs cheveux blonds – plus clairs que les siens – étaient rassemblés en chignon.

Indifférente aux paparazzis, elle prit place au premier rang derrière la barrière.

Kyle se retourna et cligna des yeux, aveuglé par les flashs.

— Je t'avais dit que c'était inutile de prendre un jour de congé pour ça.

— Au risque de louper le grand final ? Pas question. Je suis toute émous*twittée* à l'idée de ce qui va se passer.

Très drôle. Kyle ouvrit la bouche pour riposter mais elle ôta ses lunettes, révélant un énorme hématome jaune sur sa joue.

Eh merde.

Impossible de plaisanter maintenant. Jamais il ne se remettrait de ce sentiment de culpabilité qui le taraudait depuis que sa sœur avait failli mourir en collaborant avec le FBI dans l'espoir de le faire sortir de prison.

Instinctivement, il serra le poing. Heureusement pour lui, le connard qui l'avait blessée était derrière les barreaux. Car si Kyle avait pu passer ne serait-ce que cinq minutes avec Xander Eckhart, il lui aurait brisé le cou. D'accord, Jordan était parfois pénible mais tout de même. Kyle avait clairement établi les règles dès la sixième, le jour où il avait infligé un cocard à Robbie Wilmer parce que ce crétin avait soulevé la jupe de sa sœur au beau milieu de la cour de récréation et devant tous les élèves.

Personne ne touchait à sa jumelle.

Il se contenta donc d'ébaucher un sourire puis fronça les sourcils. Un homme en costume sombre, bien bâti, la chevelure noire venait de franchir le seuil de la salle.

— Tu as invité le grand brun ténébreux ? s'insurgea-t-il tandis que l'agent spécial Nick McCall se dirigeait vers eux.

Lui et Jordan vivaient quasiment ensemble, pourtant Kyle le regardait encore en chien de faïence. Du fond de sa cellule, il n'avait pas pu assister à l'évolution de leur relation. Tout ce qu'il savait, c'était que Nick McCall était apparu tout à coup dans leur vie et qu'il préférait rester sur ses gardes avant de l'accueillir à bras ouverts dans le clan Rhodes.

— Sois gentil, Kyle, ordonna Jordan.

— Quoi ? J'ai toujours été sympa avec lui, non ?

— Je l'aime beaucoup. Autant te faire à cette idée.

— Il appartient au FBI. Les types qui m'ont arrêté. Où est ton sens de la loyauté familiale ?

Elle fit mine de réfléchir.

— Rappelle-moi pourquoi ils t'ont arrêté ? Ah oui ! Parce que tu avais enfreint environ dix-huit lois fédérales.

— Six. Et ce n'était que *Twitter* ! ajouta-t-il, peut-être un peu trop fort.

Voyant l'expression désapprobatrice de ses avocats, Kyle se carra dans son siège et rajusta sa cravate.

— Tout est relatif, bougonna-t-il.

— Hé, Sawyer ! Je te déconseille d'employer cet argument face au juge, recommanda Nick le sourire aux lèvres en s'installant aux côtés de Jordan.

Kyle leva les yeux au ciel et compta jusqu'à dix.

— Dis à ton copain du FBI que je ne réponds pas à ce nom, Jordan.

On l'avait surnommé Sawyer en prison sous prétexte qu'il ressemblait vaguement à Josh Holloway, qui incarnait ce personnage de la série *Les Disparus*.

Kyle vit sa sœur adresser un sourire complice à l'agent du FBI. Force lui était d'admettre qu'ils semblaient s'entendre à merveille. Leurs gestes d'affection le gênaient presque mais ils étaient touchants.

De nouveau, un murmure parcourut la foule. Tout le monde se tut pour fixer l'homme d'affaires et milliardaire Grey Rhodes en costume bleu marine taillé sur mesure.

Il prit place à la gauche de Jordan.

— J'espère que je n'ai rien raté. Je fré*tweet* d'excitation depuis le début de la matinée.

Jordan s'esclaffa. Kyle secoua la tête et se tourna face au tribunal. Franchement, par moments il se demandait comment ses proches allaient surmonter la fin de cette débâcle. Il s'attendait presque à les voir sortir le pop-corn et les canettes de soda avant le début du spectacle.

À ce propos... Kyle consulta sa montre.

— Où est Morgan ? demanda-t-il à ses avocats.

Morgan était l'adjoint du procureur fédéral qui l'avait traité de terroriste et exigé la peine maximum. Kyle reconnaissait mériter une sanction mais tout était allé trop loin. Il n'était pas un imbécile : ce type avait monté l'affaire en épingle dans l'espoir de se faire un nom en traînant le sien dans la boue. S'il n'avait pas été le fils d'un milliardaire, Morgan l'aurait épargné. Les avocats de Kyle en étaient eux-mêmes convaincus.

— Il ne vient pas aujourd'hui, répondit Mark Whitehead. Un conflit d'horaires. Il est remplacé par un certain... Ryan, je crois.

— Je n'aurai donc pas l'occasion de lui dire au revoir ? Quel dommage. On s'appréciait tant. Ce n'est pas tous les jours qu'un homme vous qualifie de « cyber-menace pour la société ».

La porte de la salle s'ouvrit brutalement.

Kyle se retourna, curieux de voir ce baveux que le bureau du procureur fédéral avait dégoté à la dernière minute.

Tiens ! Tiens !

Le regard de Kyle remonta lentement... Escarpins, jambes fines, jupe noire, sautoir de perles et enfin... de magnifiques yeux ambre.

Bon sang de bonsoir !

Rylann.

Fasciné, il la fixa. Sexy à damner un saint. Elle avait changé de coiffure. Exit la coupe courte. À présent, ses épais cheveux noirs et ondulés cascadaient sur ses épaules. Elle s'immobilisa devant la table de la défense.

— Bonjour, messieurs. Vous n'êtes que six aujourd'hui ?

Kyle retint un sourire. Toujours aussi impertinente. Ses cinq avocats se levèrent d'un bond. Il les imita, plus lentement. Rylann se présenta, serra la main de Mark.

— Rylann Pierce.

Pierce. Enfin, neuf ans plus tard, Kyle découvrait son nom de famille.

Après avoir dûment salué ses confrères, elle se tourna vers lui avec un sourire.

— Monsieur Rhodes, prononça-t-elle d'une voix rauque, un tantinet taquine comme le soir de leur première rencontre.

— Maître, susurra-t-il.

Elle inclina la tête.

— On y va ?

Pivotant sur elle-même, elle alla prendre place dans l'autre camp. Kyle se rendit compte qu'elle s'était adressée à ses représentants, pas à lui.

Elle posait sa mallette quand un huissier aboya :

— Veuillez vous lever ! La séance est ouverte, présidée par l'honorable juge Reginald Batista.

— Le Ministère public contre Kyle Rhodes, annonça le greffier.

Rylann et l'avocat principal de Kyle s'avancèrent jusqu'au podium.

— Rylann Pierce pour le bureau du procureur fédéral, monsieur le Juge.

— Mark Whitehead pour la défense.

Le juge leva les yeux du document qu'il tenait devant lui.

— Vu que les deux parties et ce qui ressemble à la totalité des services de presse de Chicago sont présents, autant passer aux choses sérieuses... Nous sommes ici pour une motion plutôt inhabituelle de l'Article 35 requise par le bureau du procureur fédéral, requête qui vise à réduire la peine de l'accusé, Kyle

Rhodes, au temps déjà purgé. Si j'ai bien compris, M. Rhodes a effectué quatre mois d'incarcération sur les dix-huit ordonnés par ce tribunal… Est-ce exact, Maître ? ajouta-t-il en se tournant vers Mark.

— Oui, monsieur le Juge. Il y a deux semaines, via un arrangement avec le bureau du procureur fédéral, M. Rhodes a été libéré du centre correctionnel et poursuit sa détention à domicile.

Le juge ôta ses lunettes et apostropha Rylann.

— Ms. Pierce, vous remplacez votre confrère en dernière minute. Je suis donc conscient que vous n'avez pas suivi la totalité de la procédure. Toutefois, je l'avoue, cette requête me surprend. Au cours de l'audience de détermination de la peine, votre bureau avait recommandé – avec véhémence – que j'inflige à M. Rhodes la sentence maximum. Si je ne m'abuse, votre confrère, M. Morgan, a décrit l'accusé comme un « terroriste » et « une cyber-menace pour la société ». Pourtant, quatre mois plus tard, vous requérez une réduction de la sanction.

Kyle jeta un coup d'œil nerveux vers les quatre avocats assis à sa table. Ce discours ne lui plaisait guère : il s'était imaginé que l'affaire était réglée.

Puis une voix exquise s'éleva :

— Les circonstances ont évolué, monsieur le Juge, dit Rylann. Le bureau du procureur fédéral, en relation avec le FBI, a conclu un arrangement avec Jordan Rhodes, sœur de l'accusé. En échange de la participation de cette dernière à une mission d'infiltration du FBI, notre bureau a accepté de réduire la peine de M. Rhodes. Jordan Rhodes a honoré sa part du contrat, à nous d'honorer la nôtre.

— Bien que ce tribunal ne soit lié par le moindre accord avec le gouvernement, je valide votre requête, Maître. Je déclare par la présente que la peine de l'accusé est réduite au temps déjà purgé.

Kyle cligna des yeux. Pfffuittt ! En un claquement de doigts, il était libre.

Puis le juge le considéra d'un œil sévère.

— Toutefois, rendez-nous service, monsieur Rhodes. Évitez *Twitter*. Car si je vous revois ici, je ne pourrai plus rien pour vous.

Il abattit son marteau d'un geste sec.

— La séance est close.

— Veuillez vous lever ! glapit l'huissier.

Un vacarme infernal retentit. Aveuglé par les flashs, Kyle fut assailli par une masse de corps : ses avocats, sa sœur, son père – qui se ruaient sur lui – et une meute de reporters avides d'un commentaire. Il se fraya un chemin pour rejoindre Rylann, qui se préparait à partir.

Ils se retrouvèrent au milieu de l'allée, une forêt de micros sous le nez.

— Ms. Pierce, qu'avez-vous à dire ?

Quand le regard de Rylann rencontra le sien, Kyle eut la sensation d'avoir été victime d'un pistolet à impulsion électrique.

Il la toisa avec aplomb tandis que les souvenirs affluaient : son émoi, la marche à pied, leur baiser. Allait-elle lui lancer une vanne, lui signaler d'un hochement de tête qu'elle se rappelait cet épisode ? À l'instant précis où elle entrouvrait les lèvres, un énième flash crépita.

Elle tressaillit et la lueur dans ses prunelles disparut, remplacée par une expression parfaitement neutre.

— Je n'ai rien à dire sinon que nous sommes satisfaits de la décision du juge, proclama-t-elle à la cantonade.

Puis elle tourna les talons, se faufila entre les journalistes et sortit.

7

Le jeudi soir, après le travail, Rylann retrouva Rae au restaurant *Ralph Lauren* de l'avenue Michigan. Entre Rylann qui attaquait sa première semaine au bureau et Rae qui se débattait avec la rédaction de sa requête, toutes deux avaient été débordées. C'était donc la première fois qu'elles se voyaient depuis les « retrouvailles » avec Kyle.

Une scène à laquelle Rylann pensait beaucoup trop à son goût.

— Je n'en reviens pas que tu n'aies encore rien dit, attaqua-t-elle après que le serveur leur eut apporté leurs boissons. Tu as suivi les informations ? Aurais-tu par hasard entendu parler d'un ancien détenu aux fossettes craquantes ?

Elle mourait d'envie de se confier à son amie. Rae posa son menu.

— Ô mon Dieu, bien sûr ! Je me posais la question depuis mardi mais j'ai été tellement accaparée par mon boulot… J'ai su que le juge avait réduit la peine de Kyle Rhodes au temps purgé.

Rylann sourit intérieurement, heureuse du scoop qu'elle allait avancer.

— Exact. Je suppose que tu n'as vu aucune des milliers de photos prises au cours de l'audience ?

L'une de celles qui avaient fait la manchette des journaux avait été prise à l'instant précis où Kyle et elle s'étaient retrouvés au milieu de l'allée du tribunal. Était-elle paranoïaque ? La manière dont Kyle l'observait lui avait semblé assez... intime. Comme s'ils partageaient un secret.

Ce qui était le cas.

— Désolée, j'ai loupé le coche, admit Rae, penaude. Depuis lundi, je vis dans un terrier.

— Tu n'as donc pas davantage remarqué le nom de la personne qui représentait les États-Unis.

Rylann jubilait. Rae haussa les épaules.

— Je présume que c'est l'avocat qui a géré la procédure depuis le début.

L'air de rien, Rylann but une gorgée de pinot noir.

— On peut en effet le supposer. Sauf – petit hic de rien du tout – que ce monsieur a eu un problème d'emploi du temps et que le bureau du procureur a dû le remplacer à la toute dernière minute.

Elle ébaucha un sourire espiègle. Rae la dévisagea un moment puis écarquilla les yeux.

— Tais-toi. C'est toi qu'ils ont choisie ?

— Parfaitement.

— Tu t'es présentée contre Kyle Rhodes devant le juge ? s'esclaffa Rae. Ma foi, c'est une façon intéressante de renouer au bout de neuf ans. Qu'a-t-il dit en te voyant ?

— Il m'a appelée « Maître ».

Rae parut déçue.

— C'est tout ? Et toi ?

— J'ai dit : « Monsieur Rhodes » et je lui ai serré la main.

— Quelle imagination !

— Nous étions au tribunal, devant des centaines de reporters. Je n'allais tout de même pas gribouiller mon numéro de téléphone dans sa paume et le supplier de m'appeler.

— Dommage. Ç'aurait été mignon.

— Je ne donne pas dans le mignon. Encore moins au tribunal… Bien que l'appellation « maître » soit un petit jeu entre nous.

— Sans blague ! s'exclama Rae, le regard malicieux. Comment vous est-il apparu, Maître ?

« Beau à tomber. » Rylann tint sa langue, préférant se la jouer détachée.

— Ses cheveux sont un peu plus longs qu'autrefois. Sinon, je n'ai rien remarqué de spécial. J'étais dans ma bulle.

— Laquelle ?

— Professionnelle, évidemment.

— Dans ce cas, pourquoi es-tu rouge comme une pivoine ?

Parce que en plus d'avoir hérité de la peau blanche de sa maman d'origine irlandaise, Rylann avait la ferme conviction que les femmes insensibles au charme de Kyle Rhodes devaient se compter sur les doigts d'une main. Avec son sourire diabolique et son physique d'Adonis, il aurait fallu être de marbre pour ne pas s'empourprer en pensant à lui.

Cependant, Rylann masqua son malaise en indiquant son verre.

— Ce sont les antioxydants dans le vin rouge. Ils dilatent les pores.

Rae lui sourit sans y croire une seconde.

— D'accord. Et maintenant ?

— Rien. Kyle Rhodes est le Terroriste du Web. Je suis avocate et j'appartiens au bureau qui l'a écroué. Fin de l'histoire.

— Une fin qui manque sérieusement de piquant.

Rylann haussa les épaules, nonchalante.

— Il m'a raccompagnée chez moi une fois et nous avons échangé un baiser. Il y a des siècles. Je me rappelle à peine cette soirée.

— Certains souvenirs ne s'effacent jamais, Rylann. Entre autres, un baiser de l'homme idéal.

Plus tard dans la soirée, une fois rentrée chez elle, Rylann posa sa mallette sur le canapé et déboutonna son imperméable tout en se dirigeant vers la chambre. Elle s'engouffra dans le dressing et y accrocha son manteau en se remémorant les paroles de Rae.

« Certains souvenirs ne s'effacent jamais, Rylann. Entre autres, un baiser de l'homme idéal. »

Un peu trop sentimental à son goût.

Elle était adulte. Elle avait trente-deux ans, pas treize. Rylann Sans Peur ne restait pas sur un baiser vieux de neuf ans.

D'instinct, son regard se posa sur l'étagère du haut, où elle avait rangé une vieille boîte à chaussures qui la suivait partout depuis des années. Le jour où ils avaient emménagé ensemble à San Francisco, Jon lui avait demandé ce qu'elle contenait.

— Des lettres que maman m'a adressées quand j'étais à l'université, avait-elle éludé – son premier mensonge depuis qu'ils se connaissaient.

Se hissant sur la pointe des pieds, Rylann s'empara de la boîte et l'ouvrit.

À l'intérieur était pliée la chemise en flanelle que Kyle lui avait donnée tant d'années auparavant.

Elle caressa le col en se remémorant le moment où il la lui avait tendue. Les battements accélérés de son cœur quand la main de Kyle avait effleuré son cou.

D'accord. Très bien. Quelques détails de rien du tout lui revenaient de temps en temps.

Rylann secoua la tête, furieuse contre elle-même. Quelle idiote. Ce n'était qu'un bout de tissu. Qu'est-ce qui l'avait poussée à le conserver tout ce temps ? De Urbana-Champaign, elle s'était rendue à San Francisco, puis elle s'était installée avec Jon. Chaque fois, elle avait envisagé de s'en débarrasser. Chaque fois, quelque chose l'en avait empêchée.

« Je vous ai vue rigoler avec vos amis et votre sourire m'a conquis. »

Qu'elle le veuille ou non, quelque chose s'était passé entre elle et Kyle. Leur rencontre avait duré moins de trente minutes mais elle l'avait senti aussitôt. Jamais elle n'avait connu un tel émoi, pas même avec Jon.

— Ressaisis-toi, Pierce.

À quoi bon faire ressurgir tout cela ?

Ils n'étaient plus des étudiants. Kyle sortait de prison, elle était adjointe du procureur fédéral. L'impasse totale. Elle n'allait pas faire le premier pas et, après la manière dont elle l'avait envoyé balader au tribunal, les chances étaient minces pour qu'il essaie de prendre contact avec elle. Point final.

Lentement, Rylann remit le couvercle sur la boîte et la rangea sur l'étagère. Hors de sa vue.

Il était temps d'oublier Kyle Rhodes. Une bonne fois pour toutes.

8

Le lendemain matin, Rylann frappa à la porte de Cameron et marqua une pause en constatant que la jeune femme était au téléphone. Le regard chaleureux, celle-ci lui fit signe de prendre place dans l'un des fauteuils en face d'elle.

— Il faut que je te laisse, Collin. J'ai du monde... Oui, je suis une personne très importante. Je sais que cela t'ennuie de partager la vedette... Désolée, murmura-t-elle avec un sourire en raccrochant... Un vieil ami.

Elle croisa les mains.

— J'ai une affaire intéressante dont j'aimerais discuter avec vous. Mais avant cela, je voudrais savoir comment s'est déroulée cette première semaine.

— Bien. Il me semble avoir fait la connaissance de pratiquement tous mes confrères de la division et l'ambiance au sein du groupe est bonne.

Le seul qu'elle n'avait pas eu l'occasion de rencontrer était l'insaisissable Cade Morgan qui s'était chargé du dossier « Terroriste du Web ».

— L'équipe est formidable, renchérit Cameron. J'en faisais partie avant d'être promue.

Rylann apprécia sa modestie. Cameron avait été nommée procureure fédérale par le président des

États-Unis. Nettement plus prestigieux qu'une vulgaire promotion.

— Voilà, reprit Cameron, plus sérieusement. Le FBI m'a récemment mise au courant d'une enquête que j'aimerais vous confier. Un dossier sensible qui requiert quelqu'un d'expérimenté à la lueur de certaines circonstances que je vous expliquerai ensuite.

Rylann ne put masquer sa curiosité.

— De quoi s'agit-il ?

— Un meurtre. Il y a deux semaines, un détenu nommé Darius Brown a été découvert mort dans sa cellule du centre correctionnel. Apparemment, il aurait été attaqué en pleine nuit par son compagnon de cellule, un dénommé Ray Watts, qui l'aurait tabassé à mort avec une arme de fortune – un cadenas accroché à une ceinture. Le temps que les gardiens arrivent, Brown était déjà inconscient. On l'a transporté d'urgence à l'infirmerie où il est décédé quelques heures plus tard.

Cameron ouvrit une chemise cartonnée et tendit à Rylann la photo d'identité d'un homme aux cheveux blonds très courts.

— Je vous présente Watts, l'assassin présumé. Il purge deux condamnations à perpétuité pour homicide et incendie volontaire. Il est membre de la *Fratrie*, un groupe local blanc extrémiste et a été incarcéré il y a quatre ans après que lui et deux de ses camarades ont lancé une bombe incendiaire dans la demeure d'un Afro-Américain qui venait d'ouvrir une supérette dans le quartier. Le propriétaire du magasin et son épouse ont péri dans les flammes.

— Ce Watts me semble un citoyen modèle, railla Rylann.

Elle avait beau être habituée à ce genre de récit, ils continuaient de la bouleverser. Le jour où cela s'arrêterait, elle n'aurait plus qu'à ranger sa mallette.

— Un codétenu modèle aussi, répliqua Cameron d'un ton tout aussi sec. Il a la réputation d'être extrêmement violent : il venait de passer trois mois seul dans sa cellule jusqu'au jour du transfert de Brown.

Elle posa les bras sur son bureau.

— Voici comment cette affaire a atterri chez moi. Le FBI, en la personne de l'agent Griegs, mène depuis un certain temps une mission d'infiltration au sein de la prison – sur une tout autre affaire. Il en profite pour transmettre à ses supérieurs toutes les informations qui lui paraissent pertinentes quant aux combines à l'intérieur de l'établissement. Suite à ce drame, l'agent Griegs a signalé à son contact que cette agression lui semblait suspecte. Un de ses collègues, l'agent spécial Wilkins, a donc pris le relais sur cette affaire. Il a été immédiatement frappé par la chronologie des événements. Au moment de l'attaque, Brown, lui aussi afro-américain, n'était installé dans la cellule de Watts que depuis deux jours. Un transfert organisé par l'un des gardiens, Adam Quinn. Naturellement, l'agent Wilkins a interrogé ce dernier et c'est là que l'histoire s'est corsée. À la question « pourquoi avait-on placé Brown dans la cellule de Watts ? », Quinn est devenu nerveux, agité. Il a proclamé qu'il avait pris cette initiative parce que, selon le règlement, les détenus ne devaient bénéficier d'aucun privilège. Toutefois, il a été incapable d'expliquer pourquoi – alors que Watts avait sa cellule pour lui tout seul depuis trois mois –, il avait soudain décidé de se plier audit règlement. Quinn n'a pas pu non plus donner les raisons pour lesquelles il avait sélectionné Brown comme codétenu de Watts.

— C'est d'autant plus étrange que Watts était connu pour son racisme, murmura Rylann. L'agent Wilkins a-t-il confirmé l'existence de cette clause du règlement ?

— Le directeur a convenu qu'il existait des exceptions, notamment dans le cas d'individus violents comme Watts... Forcément, l'agent Wilkins a voulu comprendre. En relisant le dossier de Brown, il est tombé des nues : il se trouve que Quinn, le *gardien*, avait lui-même été agressé par Brown deux semaines avant que celui-ci ne soit assassiné.

Aussitôt, Rylann fut sur le qui-vive.

— Sait-on ce qui s'est passé ?

— Il semble que Brown ait agrippé l'avant-bras de Quinn alors qu'il venait ramasser son plateau-repas, suffisamment fort pour lui disloquer le poignet.

Rylann se carra dans son fauteuil.

— En somme, Quinn aurait élaboré ce stratagème en guise de représailles.

— C'est l'avis de l'agent Wilkins. Comme on pouvait s'y attendre, Brown a subi une ségrégation disciplinaire d'une semaine suite à l'incident avec Quinn. Après quoi, il a raconté à ses copains que le gardien était entré dans sa cellule une nuit et l'avait intimidé.

Rylann inclina la tête.

— À savoir ?

— Brown prétendait que Quinn avait dit : « Espèce de salopard, tu vas me le payer cher. »

— Quelqu'un l'a-t-il entendu proférer cette menace ?

— Nous l'ignorons. Mais nous reviendrons là-dessus tout à l'heure. L'agent Wilkins a ensuite jeté un coup d'œil dans le fichier de Quinn et découvert qu'il avait eu deux autres altercations avec des détenus au cours de l'année dernière. Et, comme par hasard, les deux fois, ces hommes avaient été cognés par un autre prisonnier.

Cameron accorda à Rylann le temps de digérer l'information.

— Notre gardien de prison ne supporte pas que ses ouailles sortent du rang, dit Rylann. Mais plutôt que de se salir les mains, il se sert des autres pour le venger. Malheureusement, là, il a choisi le mauvais numéro et un homme est mort.

— Par chance, l'agent infiltré nous a mis sur la piste. Sans quoi, ce manège aurait pu continuer indéfiniment…

Ce qui me ramène à votre question : quelqu'un a-t-il entendu Quinn menacer Brown ?

— Vous avez un témoin, devina Rylann.

— Possible. Le FBI a identifié un détenu qui se trouvait lui aussi en ségrégation disciplinaire la nuit où Quinn s'en serait pris à Brown. Il occupait la cellule voisine. Toutefois, pour l'heure, nous ne savons toujours pas s'il a entendu quoi que ce soit.

— Pourquoi ? Il refuse de parler ?

— D'une part, il a été libéré juste avant le meurtre de Brown. Il n'est peut-être même pas au courant.

— Je ne comprends pas, insista Rylann. Pourquoi le FBI ne l'a-t-il pas interrogé chez lui ?

— Ce n'est pas faute d'avoir essayé. Jusqu'ici, tout le monde s'est heurté à ses avocats. C'est pourquoi le FBI s'est tourné vers nous. Si vous souhaitez avoir une conversation avec cet homme, il nous faudra sans doute requérir une citation à comparaître. Je doute fort qu'il coopère de son plein gré.

Cameron contempla Rylann avec une pointe d'amusement.

— Il ne porte pas le bureau du procureur fédéral dans son cœur ces temps-ci, enchaîna-t-elle. Surtout depuis qu'on l'a traité de « terroriste » et de « cybermenace pour la société ».

Rylann cligna des yeux.

— *Kyle Rhodes* serait notre témoin clé ?

— Le vôtre, précisa Cameron. À partir de maintenant, Rylann, l'affaire est entre vos mains. Terroriste du Web inclus.

Il ne manquait plus que cela !

— Bizarre, cette manie qu'il a de surgir dans ma vie ces temps-ci, marmonna Rylann.

Bizarre, mais surtout, dangereux.

Cameron opina.

— La comparution pour la requête de réduction de peine était un pur hasard. J'avais besoin de quelqu'un d'expérimenté pour remplacer Cade au pied levé, vous étiez la petite nouvelle et vous ne crouliez pas encore sous le boulot. En revanche, quand le FBI m'a confié le dossier Brown hier, je l'avoue, j'ai tout de suite pensé à vous. Si une personne parmi nous a une chance de convaincre Kyle Rhodes de coopérer, c'est vous. D'après la transcription de l'audience, du point de vue de Rhodes, vous êtes la seule à avoir plaidé *pour* sa libération. Avec un peu de chance, vous saurez utiliser votre pouvoir de persuasion pour l'amadouer.

« À moins qu'il ne me claque sa porte au nez. »

Le moment était sans doute mal venu de raconter à sa supérieure qu'elle avait envoyé balader l'accusé à la fin de l'audience.

— Et si ça ne marche pas ? Jusqu'où voulez-vous que j'aille ?

— Jusqu'au bout, décréta Cameron, l'air grave. Quand j'ai pris la place de Silas Briggs – que personne n'appréciait en passant –, je me suis promis d'enrayer la corruption à tous les niveaux. Selon ce que le FBI m'a communiqué, nous avons un gardien de prison qui joue les justiciers envers les détenus et dont les actions ont causé la mort d'un homme. Il doit en payer les conséquences.

Elle regarda Rylann droit dans les yeux.

— Si Kyle Rhodes a entendu Quinn menacer Brown, nous aurons de quoi inculper ce sale type. Arrangeons-nous pour que cela arrive.

Devant l'expression déterminée de sa supérieure, Rylann ne put que répondre :

— C'est comme si c'était fait.

9

Rylann resta au bureau jusqu'à 20 heures et, une fois à la maison, commanda son repas chez un traiteur asiatique. Elle enfila un jean et un tee-shirt et s'installa sur son canapé pour appeler ses parents. Ils avaient pris leur retraite depuis plusieurs années et passaient leurs hivers dans la petite maison qu'ils avaient achetée près de Naples, en Floride. Au fil du temps, ces « hivers » duraient de plus en plus longtemps et elle avait la nette impression qu'elle ne les reverrait pas avant juin.

— Ah ! La femme du moment ! s'exclama fièrement Helen en décrochant. Pourquoi ne pas nous avoir dit que tu travaillais sur l'affaire du Terroriste du Web ? J'ai montré ta photo à tous nos voisins. Celle qu'ils ont prise de toi dans la salle de tribunal, face à Kyle Rhodes.

— Une mission de dernière minute. Ma patronne m'a demandé de remplacer un confrère.

— Il semble fasciné par ta poitrine.

Rylann eut un instant d'hésitation. Ah oui ! La photo.

— Pas du tout, maman.

— Alors qu'est-ce que je décèle dans ce regard ? Cet homme-là rêve de te voir nue.

Aussitôt, Rylann repensa à la façon dont Kyle avait soutenu son regard quand le flash avait crépité.

Il s'était souvenu d'elle, oh oui !

— Je n'ai rien remarqué de spécial, mentit-elle.

— Mmm, murmura Helen, dubitative. Heureusement que ce dossier est clos sans quoi je serais obligée de te concocter un sermon pour te mettre en garde contre les mauvais garçons dans son genre. Après tout, c'est mon devoir de mère.

Rylann ne put s'empêcher de sourire.

— Kyle Rhodes n'est plus un garçon, maman.

— Crois-moi, j'ai cerné le bonhomme.

Rylann aurait volontiers changé de sujet mais sa mère s'en chargea.

— Trêve de plaisanteries ! Que t'a-t-on confié d'autre ?

Helen, qui avait travaillé autrefois comme secrétaire dans un cabinet de Chicago, adorait discuter du métier avec sa fille. Pendant une grande partie de l'enfance de Rylann, les rôles avaient été inversés chez les Pierce. Sa mère avait été le principal soutien financier de la famille. Son père, chauffagiste, s'était gravement blessé au dos quand Rylann avait sept ans et malgré les traitements et la thérapie, il avait dû se contenter par la suite d'un emploi à mi-temps. C'était donc papa qui la déposait le matin à l'école, la ramenait à la maison le soir. À 18 heures, Helen franchissait le seuil, se changeait et s'attablait avec eux en les régalant d'anecdotes concernant les affaires que traitaient « ses avocats ».

Très jeune, Rylann s'était rendu compte d'une chose : elle détestait que les méchants l'emportent. De ces discussions à l'heure du repas était né son désir de devenir procureure fédérale.

Rylann bavarda avec sa mère encore quelques minutes, jusqu'à ce qu'on sonne à sa porte. Le livreur. Elle descendit en courant récupérer sa commande. Assise face au comptoir de sa cuisine, elle mangea tout en parcourant la pile de documents qu'elle avait rapportée du boulot. Le dossier Brown n'était pas le plus important ni le plus glorieux qu'elle ait eu à traiter mais elle l'avait déjà inscrit en haut de sa liste de priorités. Primo, un homme avait été tabassé à mort. Deuzio, Cameron Lynde comptait sur elle. Sous aucun prétexte elle ne la décevrait.

Conclusion : elle et Kyle Rhodes avaient encore du pain sur la planche.

Le lundi matin, Rylann se présenta au bureau en pleine forme.

À peine assise à son poste de travail, elle chercha le numéro de téléphone de la firme représentant Kyle. En théorie, elle était autorisée à le contacter directement puisque l'affaire dont elle voulait lui parler était sans rapport avec celle qui l'avait conduit en prison. Toutefois, elle préférait s'adresser d'abord à ses avocats. Question de courtoisie.

On ne lui retourna pas la politesse.

— Je vais vous répondre ce que j'ai répondu au FBI, Ms. Pierce. Si vous vous imaginez que je vais vous laisser rencontrer mon client, vous êtes complètement cinglée, rétorqua Mark Whitehead, le chef de la bande. Pas après la manière dont votre bureau l'a traité il y a cinq mois.

Rylann s'efforça de garder son calme.

— Il ne s'agit pas de cela, insista-t-elle. Je souhaite lui parler d'un incident qui s'est produit il y a deux semaines au centre correctionnel. Sans m'étendre sur le sujet, sachez que votre client n'est en rien soupçonné.

Mark ricana.

— Mon client n'était plus incarcéré, il y a deux semaines.

— Raison de plus pour que vous me croyiez quand je vous dis qu'il n'est en rien soupçonné.

— Je persiste et signe. Si vous voulez interroger Kyle Rhodes, procurez-vous une assignation à comparaître.

— Sauf votre respect, nous savons tous deux que je n'ai pas besoin de votre permission. Je joindrai donc M. Rhodes directement s'il le faut.

— Bonne chance. Je suis sûr que le Terroriste du Web a des tas de choses à vous dire. Mais je doute qu'elles soient utiles à votre enquête.

— On peut opter pour la simplicité, Mark, ou j'obtiendrai un mandat. Dans ce cas, vous ne pourrez pas assister à l'audience, rétorqua-t-elle, abattant sa dernière carte.

— Vous ne plaisantez pas, n'est-ce pas ? Moi qui trouvais Morgan insupportable, soupira-t-il. Entendu, j'appelle Kyle Rhodes. Mais à votre place, je ne me ferais pas trop d'illusions.

Rylann raccrocha, satisfaite d'avoir avancé d'un petit pas. Elle ignorait comment Kyle réagirait vu son ressenti concernant le bureau du procureur mais elle se préparait à quelque chose du genre : « Allez vous faire voir, Maître. »

À cette pensée, elle esquissa un sourire. Le pauvre. Il n'imaginait pas à quel point elle était tenace.

Quelques minutes plus tard, on frappa à sa porte. Rylann leva les yeux sur un homme grand et élégant aux cheveux bruns.

L'insaisissable Cade Morgan daignait enfin apparaître.

— Je vous dois une tasse de café, déclara-t-il avec un sourire.

Rylann montra le gobelet *Starbuck's* devant elle.

— Vous êtes sauvé. J'ai eu ma dose de caféine.

Il s'approcha pour lui serrer la main.

— Cade Morgan. Vous m'avez remplacé mardi.

— Aucun souci. Je suis contente d'avoir pu vous rendre service.

— Pardon de ne pas être venu me présenter plus tôt. J'étais au tribunal toute la semaine dernière. Je viens d'avoir le verdict du jury.

— Alors ?

— Coupable sur les cinq chefs d'accusation.

— Félicitations.

— Merci. Il paraît qu'on vous a confié une affaire intéressante. Dans la mesure où c'est moi qui me suis occupé du cas Rhodes, Cameron a tenu à me prévenir que Kyle Rhodes pourrait être un de vos principaux témoins.

Il s'adossa contre la bibliothèque, décontracté et sûr de lui.

— J'ignore si elle vous a prévenue mais à votre place, je n'attendrais pas grand-chose de Kyle Rhodes. J'ai miné le terrain en le traitant de terroriste.

Personnellement, Rylann avait toujours pensé que Morgan avait poussé le bouchon un peu loin. Cependant, dans la mesure où elle évitait le plus possible de juger ses confrères de la division, elle opta pour la diplomatie.

— De toute évidence, vous avez pris cette affaire très à cœur.

— Pas seulement moi.

Rylann le dévisagea sans comprendre.

— Je ne suis pas sûre de vous suivre.

— Ne vous méprenez pas, je suis responsable de tous les chefs d'accusation proférés à l'encontre de Kyle Rhodes. Il a enfreint la loi et provoqué un chaos planétaire. Pas question de se contenter d'une simple tape sur les doigts.

— Mais ? s'enquit-elle en haussant un sourcil.

— Mais il y a cinq mois, ce service n'était pas le même. Disons que nous avons peut-être été un peu trop... vindicatifs quant à la façon dont nous avons abordé l'affaire. M. Silas Briggs, enchaîna-t-il d'un air irrité, avait clairement dit qu'il n'attendait rien de moins de ma part. Il aimait que les projecteurs soient braqués sur lui et a sauté sur l'occasion qui se présentait. Quand on s'acharne sur un riche héritier, personne ne s'en plaint.

— Sauf le riche héritier.

— Je n'avais pas franchement besoin de son aide, répliqua Cade en riant. Dieu merci, désormais, Kyle Rhodes est votre problème, plus le mien... Sincèrement, si vous avez besoin de quoi que ce soit, je suis au bout du couloir. N'hésitez pas à passer me voir, petite nouvelle... Et demain, c'est moi qui offre le café.

« Pas mal », songea Rylann après son départ. Il était beau, cent pour cent américain. Un peu trop sûr de lui peut-être, mais c'était plutôt une vertu chez les adjoints aux poursuites criminelles. Peu importe. Cade Morgan était hors limites. Mêler le boulot et les sentiments ne pouvait mener qu'au désastre.

À cet instant, son téléphone sonna.

— Rylann Pierce.

— Ici Mark Whitehead. J'ai parlé avec mon client, annonça-t-il d'un ton courroucé. Mon client, M. Rhodes, est d'accord pour vous rencontrer cet après-midi. Malgré toutes mes tentatives pour l'en empêcher.

Rylann ne s'était pas attendue à cette réponse. Kyle était arrivé au tribunal entouré de *cinq* avocats et elle s'était dit que le milliardaire refuserait net de discuter avec un membre du bureau du procureur sans être accompagné d'au moins un représentant.

Au fond, tant mieux. Ils seraient plus libres pour discuter.

— Entendu. Où se trouve son bureau ?

— Eh bien, Ms. Pierce, vu que mon client n'a plus d'emploi, son bureau se trouve chez lui. 800 North Lake Shore Drive. Dernier étage. Soyez-y à 16 heures 30 précises.

10

La double sonnerie du téléphone sur le bureau de Kyle annonça un appel de la réception.

— Ms. Pierce est arrivée, monsieur Rhodes, annonça Miles.

— Merci, Miles. Faites-la monter.

Kyle raccrocha et sauvegarda le document sur lequel il travaillait en songeant que les événements prenaient un tour fort intéressant. Si un autre membre du bureau du procureur fédéral avait demandé à le rencontrer, il l'aurait envoyé balader. Ces gens avaient peut-être honoré leur partie du contrat, ils ne l'avaient pas moins envoyé au trou.

Le hic, c'était qu'il avait été incapable de refuser la demande de l'illustre Rylann Pierce aux yeux ambre et à la langue acérée.

Il était… curieux de savoir ce qu'elle voulait.

Cette histoire d'enquête sur un incident qui se serait produit au sein du centre correctionnel deux semaines auparavant lui paraissait louche. À l'époque, il avait déjà quitté la prison. En quoi pouvait-il l'aider ? Toutefois, selon ses avocats, elle avait insisté avec véhémence.

Ce qui l'intriguait d'autant plus.

Mardi dernier, en rentrant du tribunal, il avait commencé par s'offrir une séance de footing. Enfin, il avait pu prendre tout son temps et courir aussi loin qu'il en avait envie sans se soucier du bracelet électronique ni des flics. Ensuite, il s'était rué devant son ordinateur et avait tapé « Rylann Pierce » sur *Google*.

Il l'avait retrouvée sur le site *LinkedIn* et découvert qu'elle avait travaillé à San Francisco au service d'un juge d'appel avant de rejoindre le bureau du procureur fédéral. Il avait aussi lu les articles publiés par le district nord de la Californie concernant plusieurs affaires particulièrement médiatisées qu'elle avait traitées. Apparemment, elle avait mené une carrière exemplaire avant de partir subitement pour Chicago.

Il avait l'impression que cela cachait quelque chose.

Kyle entendit frapper à sa porte. Il se leva et traversa l'appartement. En passant devant la glace du vestibule, il se vit arborer un large sourire.

« Du calme, imbécile. Ce n'est rien d'autre qu'une fille que tu as raccompagnée chez elle. »

Peut-être était-ce une simple coïncidence. Peut-être venait-elle réellement lui parler d'une enquête. Ou peut-être… avait-elle une autre idée en tête. Peut-être avait-elle pensé à lui tout au long de la semaine comme lui avait pensé à elle.

Son sourire s'élargit. Il n'y avait qu'un seul moyen de le savoir.

Kyle lui ouvrit. Elle se tenait, droite, sur le seuil, cheveux en cascade, l'air d'une héroïne de Hitchcock en imperméable ceinturé, talons hauts, une mallette à la main.

— Maître.

— Monsieur Rhodes.

La réplique exacte de leur dialogue de mardi. Mais cette fois, il n'y avait ni reporters, ni caméras, ni avocats de la défense autour d'eux. Ils étaient face à face, seuls.

— Entrez.

— Merci de m'avoir accordé ce rendez-vous.

Elle passa devant lui, laissant un parfum délicat et floral dans son sillage.

Kyle ferma la porte avant de se retourner pour l'examiner de bas en haut. Il avait été fasciné par sa beauté neuf ans plus tôt. Aujourd'hui, elle semblait plus raffinée, plus sophistiquée – terriblement attirante.

— Nous ne nous sommes pas vus depuis des lustres, Ms. Pierce.

Elle ébaucha un sourire.

— Nous nous sommes vus pas plus tard que la semaine dernière.

Il croisa les bras dans un geste de défi.

— Vous n'avez pas eu la force de résister ?

Elle s'apprêta à riposter mais renonça.

— Peut-être pourrions-nous nous asseoir pour discuter.

Il indiqua l'immense pièce à vivre de son duplex.

— Mettez-vous à l'aise.

Rylann se dirigea vers le coin salon.

— À en juger par ces lieux, vous avez bien réussi ces dernières années. Mis à part le petit incident *Twitter*.

— Vous avez l'intention de me harceler avec ça ?

— Trop facile, rétorqua-t-elle en riant. Vous avez prétendu autrefois qu'un jour, quelqu'un provoquerait le chaos si les grandes entreprises ne prêtaient pas davantage attention aux dangers des attaques de déni de service. Quelle clairvoyance !

Kyle s'immobilisa.

— Vous vous rappelez mes paroles ?

Rylann marqua une pause avant de hausser les épaules.

— Uniquement à cause du fiasco *Twitter*.

Sur ce, elle prit place dans un fauteuil en cuir imaginé par un grand designer italien et posa sa mallette par terre. Kyle s'installa sur le canapé d'en face et l'observa tandis qu'elle se débarrassait de son trench, révélant un tailleur gris foncé et un chemisier ivoire.

— Avant que vous ne vous lanciez, peut-être devrions-nous chasser le gorille de quatre cents kilos qui hante cette pièce.

— Pardon ? s'enquit-elle, perplexe.

— Je fais allusion à cette fameuse soirée. Vous savez pourquoi je vous ai posé un lapin, je suppose ?

L'expression de Rylann se radoucit.

— Ah ! Oui. J'ai été désolée d'apprendre le décès de votre mère.

— Merci, marmonna Kyle, soulagé que ce problème soit réglé. C'est bien dommage, vous savez. J'avais prévu de déployer tous mes charmes. Vous auriez forcément craqué.

Elle rit aux éclats.

— Vous ne manquez pas de culot.

Kyle posa les bras sur le dossier du divan.

— Alors ? Qu'est-ce qui vous amène, Rylann Pierce ?

Elle changea de position, croisa une jambe par-dessus l'autre.

— Un meurtre.

Kyle cligna des yeux, sa bonne humeur volatilisée.

— Un meurtre ?

— Oui. Un détenu a été tabassé au centre correctionnel il y a deux semaines.

À son expression, il comprit qu'elle ne plaisantait pas. En un clin d'œil, le ton de leur conversation changea.

— Vous êtes vraiment venue me voir à propos d'une affaire, murmura-t-il en prenant tout à coup conscience de son erreur de jugement.

— Quelle autre raison aurait pu me pousser à solliciter cette entrevue ?

« Pauvre idiot. »

— Laissez tomber. Que s'est-il passé à la prison ?

Rylann lui exposa les faits entourant la mort de Darius Brown puis lui expliqua que, selon elle, c'était Quinn, le gardien, qui avait orchestré l'agression en guise de représailles.

— Nous savons que Quinn et Brown avaient déjà eu quelques altercations. À sa sortie d'une semaine de ségrégation disciplinaire, Brown a déclaré que Quinn l'avait menacé.

À ces mots, Kyle se leva et se mit à arpenter la pièce.

— Nous savons aussi que vous subissiez vous-même une sanction de ce type, dans la cellule voisine de celle de Brown. Je suis venue vous demander si vous avez entendu Quinn proférer des menaces à l'égard de Brown. Avec un peu de chance, oui.

Elle se tut, attendant sa réponse.

Kyle s'immobilisa, le dos tourné, face aux baies vitrées donnant sur le lac. Au loin, il voyait la Grande Roue près du Navy Pier.

— « Espèce de salopard, tu vas me le payer cher. » Est-ce cela que vous voulez entendre ?

Rylann poussa un soupir, visiblement soulagée.

— Oui.

Kyle se frotta la bouche avec le revers de sa main. Cette situation lui paraissait surréaliste.

— J'ignorais que Brown était mort.

— L'avez-vous bien connu lors de votre incarcération ?

— Non. Nous avons échangé quelques boutades entre les barreaux pendant ces deux jours où nous étions ensemble en ségrégation disciplinaire… J'ai cru que Quinn jouait de son autorité. Je n'ai pas imaginé une seconde qu'il mettrait sa menace à exécution… Et maintenant ?

Rylann quitta son siège et s'approcha de lui.

— Je présente l'affaire au jury d'accusation. J'aimerais que vous témoigniez au procès.

Kyle eut un petit rire amer.

— Mais bien sûr. Moi, le tristement célèbre Terroriste du Web. Les jurés vont apprécier, railla-t-il.

— À vrai dire, vous êtes le témoin idéal. Si vous étiez toujours en réclusion, un avocat de la défense digne de ce nom tenterait de mettre en doute vos propos en prétendant que vous cherchez à amadouer le bureau du procureur fédéral dans l'espoir d'une réduction de peine. Maintenant que vous êtes libre, c'est impossible.

Kyle la fixa.

— Vous avez besoin de moi, devina-t-il.

Rylann eut une hésitation imperceptible avant d'acquiescer.

— En effet.

— Dites-moi : m'auriez-vous proposé un marché en échange de mon témoignage si j'avais été derrière les barreaux ?

— J'y aurais probablement songé.

— Dans ce cas, proposez-m'en un aujourd'hui.

— Vous êtes libre, argua-t-elle. Je n'ai rien à vous offrir.

Il s'avança d'un pas vers elle.

— Faux, Maître. J'aimerais des excuses de la part du bureau du procureur fédéral.

Rylann explosa de rire.

— Des excuses ! C'est la meilleure ! s'exclama-t-elle en repoussant ses cheveux... Euh... Vous êtes sérieux, bredouilla-t-elle en se ressaisissant.

— Parfaitement.

— Kyle, c'est hors de question.

— Si vous voulez que je sois votre témoin, à vous de voir.

Oui, il se comportait comme un goujat mais après ce qu'il avait subi, il en avait tous les droits. Elle était terriblement attirante mais elle était venue dans un but précis. Cet entretien n'avait rien à voir avec leur rencontre d'antan et l'alchimie qu'il avait cru déceler entre eux ce soir-là. Rylann n'était ici que pour raison professionnelle.

Les règles étaient simples : il était désormais un homme libre. Si le bureau du procureur fédéral voulait jouer avec lui, ce serait lui le maître du jeu.

— Je vous laisse jusqu'à demain pour y réfléchir, dit-il. Sinon, je rameute mes avocats. Vous n'aurez qu'à passer par eux.

Rylann le dévisagea, loin d'être intimidée.

— Mmm. On m'avait prévenue que vous monteriez sur vos grands chevaux.

— *On* avait raison.

— Soit.

Elle alla ramasser ses affaires, sortit quelque chose d'une poche extérieure de sa mallette puis revint se planter devant lui.

— Permettez-moi de vous expliquer les rouages du système, Kyle. Vous pouvez vous déplacer jusqu'à mon bureau pour que nous en discutions – en présence de vos avocats si cela vous fait plaisir. C'est le moyen le plus simple. Sinon, il me suffit d'obtenir un mandat et de vous traîner devant un tribunal où vous me direz de toute façon tout ce que vous savez. Dans un cas comme dans l'autre, j'obtiens ce que je veux.

Pas impressionné pour un sou, Kyle éluda ce chantage.

— Vous oubliez l'option numéro 3, celle où j'oublie tout ce que j'ai entendu cette nuit-là.

Une lueur de colère dansa dans les prunelles de Rylann.

— Vous n'oseriez pas.

— Voulez-vous que l'on parie, Maître ? Vous me connaissez mal. Et il y a cinq mois, tout le monde a découvert que j'étais capable de commettre les pires bêtises.

Rylann envisagea une nouvelle approche.

— En effet, concéda-t-elle. Je vous connais mal. Nous avons passé trente minutes ensemble il y a dix ans. Malgré tout, je suis convaincue que le Kyle Rhodes qui m'a raccompagnée chez moi et m'a donné sa chemise agirait pour le mieux, quels que soient ses griefs envers mon employeur. Si ce type-là traîne dans les parages, dites-lui de m'appeler.

— Vous étiez aussi entêtée à cette époque ? C'est bizarre, je n'en ai pas le souvenir.

Elle lui tendit une carte de visite.

— Voici mes coordonnées, au cas où vous pencheriez pour la solution la plus commode.

Il accepta le bristol mais ne put s'empêcher de la taquiner.

— Décidément, vous avez très envie de me revoir… Êtes-vous certaine que ce ne soit que pour le boulot, Ms. Pierce ?

Elle resta muette un instant avant de s'approcher si près que leurs corps se frôlaient.

— Appelez mon bureau, Kyle, sinon je prendrais les dispositions nécessaires si rapidement que vous en aurez le vertige.

Elle recula et afficha un sourire suave.

— Bonne soirée !

11

Rylann jeta un coup d'œil à sa montre en traversant le couloir de la prison située au cœur de Chicago. Elle avait mis plus longtemps que prévu à parcourir les cinq pâtés de maisons qui séparaient son bureau de l'établissement mais il lui restait deux ou trois minutes d'avance.

Elle avait organisé cette réunion – sa première avec les agents du FBI de Chicago – après avoir étudié le dossier Brown pendant tout le week-end. Si l'agent spécial affecté à l'enquête avait fait preuve de méticulosité, il était malheureusement tombé sur un os chaque fois qu'il avait voulu interroger des détenus autres que les amis proches de Brown. À une exception près : un certain Manuel Gutierrez, qui occupait la cellule voisine de celle de Watts la nuit du meurtre, avait refusé de parler au FBI mais laissé entendre qu'il pourrait se montrer plus bavard avec les représentants du bureau du procureur fédéral.

Ce genre de requête n'était pas rare. Aussi zélés que les étudiants en première année de droit, les prisonniers, impatients de retrouver leur liberté, connaissaient par cœur les dispositions de l'Article 35, y compris celles permettant une réduction de peine aux détenus coopératifs. Les plus futés d'entre eux savaient d'autre part que seul le bureau du procureur fédéral – et non le FBI – avait le pouvoir de s'en servir.

Rylann n'était pas une fanatique de la méthode. D'une part, le jury pouvait refuser le témoin sous prétexte qu'il n'était pas forcément impartial. D'autre part, en tant qu'avocate aux poursuites criminelles, son rôle était de mettre les délinquants *derrière* les barreaux. Toutefois, elle était pragmatique. Parfois, le succès d'une plaidoirie reposait sur le témoignage d'un détenu. Elle comprenait qu'il pouvait être dangereux pour cet homme de fournir des informations aux autorités. Au pénitencier, les cafteurs avaient la vie dure. Résultat, de temps en temps, l'application de l'Article 35 était inévitable.

Sa mission du jour était donc de découvrir ce que Manuel Gutierrez savait au sujet de la mort de Marius Brown. En tout début de matinée, Rylann avait joint l'agent du FBI chargé de l'enquête en lui suggérant qu'ils rendent visite à Gutierrez. Par chance, l'agent était disponible dans l'après-midi.

— Ms. Pierce ?

Un Afro-Américain d'environ vingt-cinq ans venait vers elle, arborant le sourire le plus amical – et le costume le plus élégant – qu'elle ait jamais vu chez un agent du FBI. Il lui tendit la main.

— Agent spécial Sam Wilkins, à votre service. J'ai deviné que c'était vous en repérant votre mallette.

— Très heureuse de vous rencontrer, Sam. Appelez-moi Rylann, je vous en prie.

En bavardant, ils firent un saut au vestiaire afin que Wilkins puisse consigner son arme. En quelques minutes, Rylann apprit qu'il avait rejoint le FBI aussitôt après avoir obtenu son diplôme de droit de l'université de Yale et que l'affaire Brown était sa première en solo au sein de la division des crimes violents.

— Qu'est-ce qui vous a poussé à choisir ce domaine ? demanda-t-elle, intriguée.

Wilkins semblait nettement moins bourru que la plupart de ses collègues avec qui elle avait travaillé jusque-là.

— Disons que c'est le domaine qui m'a choisi. Quand j'ai démarré, j'ai fait équipe avec un senior et l'une de nos premières affaires fut une enquête sur un assassinat. Quelqu'un a dû apprécier notre boulot car désormais, Jack et moi semblons être les premiers sur la liste dès qu'on dégote un nouveau cadavre.

Wilkins marqua un temps tandis qu'ils montraient leur badge aux gardiens de sécurité puis ôtaient leur veste pour passer sous les détecteurs de métaux. Rylann le suivit jusqu'aux ascenseurs.

— À propos, on a une piste, annonça-t-elle.

Elle lui résuma la piste « Kyle Rhodes » puis se tut tandis qu'ils pénétraient dans une cabine bondée.

Lorsqu'ils en émergèrent au onzième étage, Wilkins la conduisit jusqu'aux salles d'interrogatoire à la disposition des officiers de police et des agents fédéraux.

— Vous croyez qu'il va vous appeler ? Kyle Rhodes ?

Rylann réfléchit. La balle était dans le camp de Kyle mais en toute franchise, elle ignorait ce qu'il allait en faire.

— Nous verrons bien.

Dix minutes plus tard, Manuel Gutierrez s'asseyait en face d'eux.

— Qu'est-ce que j'ai à gagner si je parle ?

De ses poignets menottés, il désigna la porte qui venait de se refermer sur le gardien chargé de l'escorter.

— Parce que après ça, si je reste ici, le prochain à sortir dans une housse mortuaire, ce sera moi.

— Dites-moi d'abord ce que vous savez, monsieur Gutierrez, proposa Rylann. Si je décide que votre témoignage peut nous être utile, nous discuterons des étapes suivantes.

Gutierrez réfléchit un instant puis se pencha en avant.

— D'accord, convint-il à voix basse. Vous savez que j'étais dans la cellule voisine de celle de Watts, n'est-ce pas ? En tout cas, avant qu'on ne l'expédie dans le *no man's land* pour avoir tué Brown. Bref, la veille du jour où Brown a été transféré, j'ai entendu une conversation entre Watts et Quinn – une conversation qui me semble carrément louche au vu de ce qui s'est passé.

— Que se sont-ils dit ?

— Watts a demandé à Quinn : « Jusqu'à quel point voulez-vous que je le rosse, patron ? »

— Et qu'a répondu Quinn ? s'enquit Rylann, vivement intéressée.

— Quinn a fait « chut ». Vous savez, comme s'il avait peur qu'on les entende.

Gutierrez porta son regard de Rylann à Sam.

— C'est pas grand-chose mais ça peut vous servir, non ?

Rylann rumina un instant. Elle aurait préféré davantage mais c'était au moins une pièce à rajouter au puzzle.

— Oui. Merci.

Gutierrez prit son bref silence pour une hésitation.

— Écoutez, tout le monde sait ce qui est arrivé. Quinn a enfermé Brown dans une cellule avec ce connard de raciste en disant à Watts de le tabasser. Vous avez déjà vu Watts ? Il pèse plus de cent kilos. Tout en muscles. Brown mesurait un mètre soixante-quinze.

Il brandit ses menottes puis pointa l'index sur Rylann, lui touchant presque le nez.

— Les gens nous prennent pour de la merde mais on a des droits… Vous devez épingler ce type, madame.

— On se calme, intervint Wilkins.

Rylann posa une main sur la table entre elle et l'agent pour lui signifier que tout allait bien. Elle soutint le regard du détenu.

— C'est bien mon intention, monsieur Gutierrez.

Cet après-midi-là, Kyle franchit le seuil de la boutique de sa sœur, *Les Caves Delavigne*, au moment même où cette dernière surgissait du sous-sol, un carton dans les bras. En deux foulées, il la rejoignit et s'empara du fardeau.

— Donne-moi ça, Jordan.

Elle obtempéra puis lui indiqua le bar.

— Merci. Pose-le là.

Kyle s'exécuta et désigna son poignet plâtré.

— Tu as une armée d'employés. Sers-t'en.

Jordan haussa un sourcil tout en commençant à sortir les bouteilles.

— Ma foi, on est de bien mauvaise humeur, aujourd'hui. Qu'est-ce qui te tracasse ?

Oui, il enrageait depuis qu'une certaine adjointe du procureur fédéral tenace et obstinée avait ressurgi dans sa vie en l'assaillant de menaces et de jugements moraux. Cependant, il n'avait aucune envie d'en discuter avec sa sœur.

— Je suis fatigué. J'ai mal dormi.

Sans doute parce que cette même adjointe du procureur tenace et obstinée avait hanté ses pensées.

« Je suis convaincue que le Kyle Rhodes qui m'a raccompagnée chez moi et m'a donné sa chemise agirait pour le mieux, quels que soient ses griefs envers mon employeur. Si ce type-là traîne dans les parages, dites-lui de m'appeler. »

Quelle… quelle prétentieuse ! Comme s'il avait besoin de s'excuser de la manière dont il vivait depuis neuf ans. Il aimait s'amuser, voilà tout. Rylann Pierce ferait peut-être bien d'essayer – en admettant qu'elle en trouve le temps dans son plan de carrière sur quarante-deux ans.

— Sérieusement, Kyle. Qu'as-tu ?

— Je réfléchis à des trucs, grommela-t-il. Rien de grave.

Il ne tenait pas du tout à ce que sa jumelle superparfaite et son petit ami super-parfait agent du FBI apprennent ce qui se tramait. La situation l'exaspérait déjà assez comme cela, pas la peine que Jordan s'en mêle. Il ramassa les quatre bouteilles que Jordan venait de sortir du carton.

— Où dois-je les mettre ?

— Dans ce bac vide, près des autres cabernets... Des trucs de quel genre ? insista-t-elle lorsqu'il revint.

— C'est quoi ce jeu des mille questions ?

— J'essaie simplement d'entamer le dialogue. Doux Jésus. Je m'inquiète pour toi car j'ai entendu dire qu'il était souvent difficile pour un ancien détenu de réintégrer la vie normale.

Kyle s'empara de deux autres bouteilles.

— Où as-tu entendu ça ? À la réunion des SEA, les « sœurs d'ex-taulards anonymes » ?

Elle le fusilla des yeux.

— Oui. Nous nous retrouvons toutes les semaines à la piscine, rétorqua-t-elle... Je ne sais pas... dans une émission de télé, ce week-end.

Ah ! Aussitôt, Kyle passa en mode « soupçonneux ».

— Jordan, ne me dis pas que tu as *encore* visionné *Les Évadés* ?

— Pfft ! Non.

Devant l'expression de son frère, elle céda.

— D'accord. Je zappais et le film passait sur une chaîne câblée. Mets-toi à ma place, c'est une œuvre fascinante.

Kyle se retint de sourire.

— Absolument. Mais je ne me sens pas meurtri et je n'ai pas l'intention de sauter dans le prochain bus pour la prison de Zihatanejo. Ce que j'ai subi n'a rien à voir.

— Vraiment ? Parce que je viens de lire dans les journaux qu'un détenu y avait été assassiné il y a deux semaines. Apparemment, le FBI mène l'enquête. Un certain Darius Brown... tu l'as connu ?

Kyle feignit la décontraction.

— Un peu… Donc, enchaîna-t-il, pressé de changer de sujet, tu voulais qu'on discute de mon business plan ?

Jordan était la première personne à qui il avait montré son projet. Diplômée d'un Master en administration des entreprises, elle pourrait lui donner de précieux conseils.

— Oui.

Elle s'empara d'un torchon pour s'essuyer les mains avant d'extirper le dossier de vingt pages qu'elle avait rangé sous le comptoir.

— Et ?

— Ça m'ennuie de le dire, vu que tu es mon frère mais cette idée me paraît… géniale.

Kyle se balança fièrement d'un pied sur l'autre.

— Géniale ? répéta-t-il. Je t'en prie, développe.

— Ne te méprends pas. Il se pourrait que tu échoues lamentablement. Toutefois, tu es couvert pour ce qui est des trois éléments principaux à savoir le revenu, le coût et l'autofinancement. Le marché potentiel est vaste, le service, unique en son genre. Intéressera-t-il quelqu'un ? Difficile de le savoir.

— Je vais me mettre à la recherche de locaux la semaine prochaine.

— Tu es pressé.

— J'ai croupi en prison pendant quatre mois. J'en ai profité pour réfléchir à ce que j'allais faire de ma vie après toute cette affaire. Le temps est venu de me lancer… Mais sois gentille, pas un mot à papa.

Jordan leva les yeux au ciel.

— Papa est un homme d'affaires réputé, Kyle. Il pourrait t'aider.

— Tu lui as demandé un coup de main, quand tu as ouvert cette boutique ?

— Bien sûr que non.

Tout était dit.

Une demi-heure plus tard, Kyle quitta le magasin de bien meilleure humeur. Mais très vite, alors qu'il regagnait sa voiture garée à une centaine de mètres, un sentiment de désarroi l'envahit. Il en connaissait la cause.

Pierce la Pinailleuse.

Au fond, peu importait la décision qu'il prendrait concernant l'affaire Darius Brown. Rylann avait raison : il ne mentirait pas sous serment. Il était donc libre de se comporter comme un crétin en l'obligeant à revenir avec un mandat. Il dirait ce qu'il savait et justice serait faite. En prime, il aurait la satisfaction de savoir qu'il avait obligé les membres du bureau du procureur fédéral – qui ne l'avaient pas comblé de cadeaux – à faire des pieds et des mains pour obtenir sa coopération.

Excellent.

Pourquoi, dans ce cas, plongeait-il la main dans sa poche pour s'emparer de son portable et de la carte de visite de Rylann ? Aucune idée.

Il composa son numéro, tomba sur la boîte vocale, lui laissa un message.

— Désolé, Maître, mais j'ai fouillé partout dans l'appartement et je n'ai trouvé qu'un seul Kyle Rhodes… Il sera à votre bureau à 14 heures demain.

12

À 13 heures 30 le lendemain, le bureau du procureur fédéral était en effervescence.

Ayant déjà un rendez-vous à 14 heures, Rylann avait dû se débrouiller pour modifier son emploi du temps afin de recevoir ce témoin particulièrement difficile qui s'imaginait pouvoir faire la pluie et le beau temps. Elle avait prié sa secrétaire de rajouter Kyle Rhodes à la liste des visiteurs et la nouvelle s'était propagée comme une traînée de poudre.

Cade passa la voir juste avant l'heure pour la féliciter.

— Bravo ! s'exclama-t-il en frappant dans ses mains au ralenti. Comment avez-vous réussi à décider le Terroriste du Web ?

— J'ai mes méthodes, répliqua-t-elle tout en se demandant si elle connaissait la réponse à cette question. À propos, il me semble que désormais, on pourrait se contenter de l'appeler Kyle Rhodes.

Cade haussa un sourcil.

— Vraiment ?

Un appel de la secrétaire interrompit la conversation.

— À moi de jouer, proclama Rylann, qui raccrocha et se leva.

Cade l'accompagna dans le couloir et Rylann remarqua que tous les regards se posaient sur elle.

— C'est à croire que j'ai convoqué Al Capone, grommela-t-elle.

— Vous allez devoir vous y habituer. Kyle Rhodes suscite la curiosité. Bonne chance ! conclut-il en s'engouffrant dans son bureau.

Rylann ralentit le pas en atteignant la salle d'attente. Kyle se tenait de profil, l'œil rivé sur une photo des gratte-ciel de Chicago. Contre toute attente, il était seul. Il avait opté pour une tenue professionnelle décontractée : costume, col de chemise déboutonné, mains dans les poches.

Rylann était impressionnée.

Clairement, Kyle Rhodes et le bureau du procureur fédéral se détestaient. Cinq mois auparavant, ses confrères avaient anéanti l'homme qu'il était. Pourtant, aujourd'hui, parce qu'on avait besoin de lui, il était là, tête haute, assuré, sans l'armée d'avocats dont il aurait été en droit d'exiger la présence.

Se retournant, il observa Rylann d'un air méfiant.

— On dirait qu'on a des spectateurs.

Rylann regarda par-dessus son épaule et constata que plusieurs secrétaires et juristes passaient « par hasard » par le hall de réception.

— Vous êtes venu seul ?

— Je n'ai rien à cacher, Ms. Pierce.

— Ça m'arrange. Je n'aurais pas eu les moyens de payer cinquante cafés.

— Nous ne restons pas ici ? s'enquit-il, surpris.

À l'origine, Rylann avait eu l'intention de l'interroger dans la salle de conférences. Craignant les regards appuyés et les chuchotements des membres du personnel, elle y avait renoncé. Il méritait qu'on lui fiche la paix.

— J'ai pensé qu'on pourrait discuter dans un endroit moins... suffocant... La situation est peu banale, Kyle. J'en conviens. Mais je fais des efforts.

Il l'examina un long moment comme s'il hésitait à accepter la perche qu'elle lui tendait.

— Cette coiffure vous va bien, commenta-t-il enfin.

Rylann sourit intérieurement. Bon début.

— Fin des hostilités ?

Kyle se dirigea vers les ascenseurs.

— Disons que j'y songe.

Toutefois, quand il l'observa à la dérobée en enfonçant la touche d'appel, son regard brillait d'une lueur diabolique et Rylann comprit qu'elle n'avait remporté que le premier round.

Assis en face de Rylann dans une alcôve, Kyle regarda autour de lui. Ils étaient dans un de ces restaurants d'un autre temps – minable, aux banquettes en skaï et menu en plastique – situé à un pâté de maisons du bureau, sous les rails du métro aérien.

— Comment avez-vous déniché ce lieu ? Ils servent même du pain de viande !

Rylann se débarrassa de sa veste et la posa à côté d'elle.

— Un confrère m'en a parlé. C'est l'annexe du palais de justice.

Un claquement sec retentit et toutes les lumières s'éteignirent. Rylann balaya l'espace d'un geste nonchalant.

— Un fusible. Ça arrive sans arrêt.

Elle posa la carte des boissons et contempla Kyle dans la pénombre.

— J'ai lu votre dossier.

— Qu'avez-vous appris sur mon compte ?

Elle sortit un bloc-notes de sa mallette.

— Eh bien, vous m'avez caché un élément important : la raison qui vous avait valu une ségrégation disciplinaire... Peut-être pourriez-vous m'expliquer ? suggéra-t-elle, son stylo suspendu au-dessus d'une feuille blanche.

Kyle arrêta de sourire. Savait-elle combien elle l'excitait quand elle se réfugiait derrière ses grands airs d'avocate ?

— Voulez-vous que je vous parle de toutes les fois où j'ai subi cette sanction, Ms. Pierce, ou uniquement de celle où j'étais enfermé dans la cellule voisine de Brown ?

— Combien de fois avez-vous subi cette sanction ?

— Six.

Elle écarquilla les yeux.

— En quatre mois ? Quel exploit.

Les lumières se rallumèrent et quelques convives poussèrent des hourras enthousiastes.

— Et voilà, murmura Rylann avec un sourire chaleureux. Ça fait partie de l'ambiance.

Hmmm...

Kyle n'avait jamais oublié ce sourire. Autrefois, il avait raccompagné une jeune fille chez elle qui avait arboré exactement le même. Et qui lui avait ensuite sérieusement rabattu son caquet.

— Je vous écoute, l'encouragea-t-elle.

Il se cala dans le fond de sa banquette et étendit un bras sur le dossier.

— Certains détenus s'imaginaient qu'un richissime génie de l'informatique serait une proie facile. De temps en temps, je devais me défendre pour dissiper tout malentendu.

Rylann nota quelques mots sur son bloc-notes.

— En somme, vous vous êtes battu.

— J'étais même assez doué. Mon problème, c'est que je me faisais prendre.

— Vous pouvez élaborer ?

— Un jour, j'ai poussé le visage d'un type dans une assiette de purée.

— Racontez-moi la vie en prison.

— Vous êtes procureure, vous en avez bien une petite idée.

Elle opina.
— J'aimerais l'entendre de votre bouche.
— Ah. Pour savoir ce que je dirai quand je témoignerai ?
— Exact.
Par où commencer ? Rylann était la première personne à lui poser directement la question au lieu de tourner autour du pot comme la plupart de ses proches.
— D'une façon générale, on s'y ennuie à mourir. Les journées se suivent et se ressemblent. Réveil à 5 heures, petit-déjeuner, appel. Un temps de loisir si on passe l'inspection. Déjeuner à 11 heures, deuxième appel, deuxième temps de loisir. Retour en cellule, troisième appel, dîner à 17 heures, temps libre jusqu'à 21 heures et enfin, dernier appel. Extinction des feux à 22 heures. Pas de quoi écrire un roman.
— Et la nuit ?
Il haussa les épaules.
— Les nuits sont interminables. Froides. On a tout le temps de ruminer.
— Vous avez évoqué des différends avec vos codétenus. Et avec les gardiens ?
— Hormis le fait qu'ils s'obstinaient à me sanctionner pour m'être défendu, je n'ai jamais eu de soucis avec eux.
— Leur en avez-vous voulu de leur attitude à votre égard ?
Kyle comprit où elle venait en venir. Elle envisageait déjà les arguments de son opposant en cas de procès.
— Je n'ai rien à leur reprocher. Je comprends qu'ils devaient faire respecter le règlement.
— Bien. À présent, parlez-moi de Quinn.
— Ce type-là est un salaud... Vous écrivez ça ? s'inquiéta-t-il.
— Oui. N'hésitez pas à l'affirmer sur ce même ton devant le jury.

Kyle était content qu'elle aborde le sujet. Elle semblait croire en sa cause mais lui avait des doutes.

— Vous pensez vraiment qu'il me croira ?

— Pourquoi pas ? Moi, je vous crois... Quoi ? Pourquoi me fixez-vous ainsi ?

Elle le croyait. Mais cela ne signifiait rien. Ce n'étaient que de belles paroles.

— À mon tour de vous interroger.

— Désolée, mais ce n'est pas ainsi que cela fonctionne.

— Cette fois, si, Maître, si vous tenez à ce que je reste ici, riposta-t-il d'un ton doucereux.

— Décidément, vous êtes aussi insolent et agaçant qu'il y a neuf ans.

— Oui, concéda Kyle, l'œil rivé sur ses lèvres. Et nous savons tous deux comment cela s'est terminé.

À la surprise de Kyle, elle s'empourpra.

Tiens ! Tiens ! Apparemment, l'imperturbable Pierce la Pinailleuse se laissait parfois... décontenancer. Intéressant.

Elle se ressaisit très vite.

— Bien. Que souhaitez-vous savoir ?

Kyle réfléchit un instant puis décida d'aller droit au but.

— Pourquoi avez-vous quitté San Francisco ?

— Comment savez-vous que j'ai vécu à San Francisco ?

— Sur une échelle de 0 à 10, quel serait le degré de votre colère si je vous avouais avoir piraté le site des fichiers du département de la Justice pour en savoir un peu plus sur vous ?

Devant son air furibond, il émit un sifflement.

— D'accord... je laisse tomber l'humour d'ex-taulard. Du calme, Maître. J'ai tapé votre nom sur Google. D'après ce que j'ai compris, vous meniez une carrière brillante en Californie.

— J'avais besoin de changement.

Et ?

— Vous croit-on quand vous avancez cet argument ?

— Bien entendu. C'est la vérité.
— Pas dans sa totalité.
— Peut-être pas, convint-elle... Et maintenant, revenons à nos moutons.
— Vous voilà de nouveau toute à votre affaire, la taquina-t-il.
— Oui. Si je me fie au passé, vous et moi ne pouvons discuter sans nous énerver que par tranches de huit minutes et... Aïe ! Aïe ! Aïe ! ajouta-t-elle en consultant sa montre. Le temps est presque écoulé.
Kyle s'esclaffa.
— Une dernière question. Ensuite, vous pourrez me cuisiner autant que vous voudrez.
Il marqua une pause, plongea son regard dans le sien.
— Avouez que ce baiser vous a plu.
— Ce n'est pas une question.
— Avouez-le malgré tout.
— Je vous l'ai dit à l'époque : c'était pas mal... Allez ! On s'y remet.

Le reste de l'entretien se déroula sans heurts. Rylann passa une bonne vingtaine de minutes à l'interroger sur la nuit au cours de laquelle Quinn avait menacé Brown. Avait-il *vu* Quinn lui parler ? – Oui ; était-il *certain* de l'avoir entendu intimider Brown ? – Oui ; ou avait-il inventé toute cette histoire parce qu'il mourait d'envie de se retrouver sous les projecteurs ?
Il se figea, sa tasse de café au bord des lèvres. Rylann lui adressa un sourire espiègle.
— Humour de procureure.
Quand le serveur leur apporta la note, tous deux voulurent s'en emparer en même temps. Les doigts de Kyle frôlèrent ceux de Rylann et leurs regards se rencontrèrent. Un malaise s'installa.
— Pardon. L'habitude, lâcha-t-il.
Elle régla et ils sortirent du restaurant pour se poster quelques instants sous le métro aérien.

— Je prévois de présenter cette affaire devant le grand jury la semaine prochaine, expliqua-t-elle en haussant la voix à l'approche d'un train. Je vous contacterai dès que j'aurai la date de l'audience et l'heure à laquelle vous témoignerez.

Elle lui tendit la main et Kyle la serra.

— Merci de votre coopération, Kyle. Et surtout…

Le vrombissement au-dessus de leurs têtes noya la suite et Kyle montra son oreille en secouant la tête. Elle s'avança d'un pas, posa une main sur son épaule et se hissa sur la pointe des pieds.

— Ne fichez pas tout en l'air.

Il tourna légèrement la tête, la bouche tout près de la sienne. Ils demeurèrent silencieux et il se rendit compte qu'elle retenait son souffle. Il fut pris d'une envie folle de la serrer dans ses bras. Il l'avait taquinée à propos de leur baiser d'antan mais, n'ayant rien perdu de sa lucidité en prison, il savait qu'elle exerçait sur lui cette même attraction. Il lui suffisait de se pencher très légèrement pour effleurer ses lèvres. Avaient-elles le même goût délicieux qu'autrefois ?

— Où en sommes-nous de notre période d'entente de huit minutes ?

Rylann ne bougea pas.

— Le temps est écoulé.

Sur ce, elle reposa les pieds à plat et tourna les talons.

De retour dans son bureau, Rylann ferma sa porte et poussa un long soupir.

Elle l'avait échappé belle.

Elle était l'avocate, il était le témoin. Elle refusait de franchir certaines lignes. Kyle et elle avaient beau se chercher, faire allusion à un baiser vieux de neuf ans, tant qu'elle aurait besoin de lui dans l'affaire Brown, ils en resteraient là.

Elle passa les mains dans ses cheveux, se forçant à chasser ces idées, et alla s'asseoir. Ravie de pouvoir s'immerger dans le travail, elle écouta les messages sur son répondeur puis se tourna vers son ordinateur. Elle parcourait la liste de ses mails quand l'un d'entre eux attira son attention.

Un courriel de Jon.

Il n'avait pas jugé utile d'en préciser l'objet, aussi hésita-t-elle. Pour commencer, elle avait besoin d'une minute pour digérer cet événement imprévu.

Jetant un coup d'œil sur son calendrier, elle réalisa que dans une semaine, cela ferait six mois qu'ils ne se parlaient plus. Par décision commune, ils avaient décidé d'éviter tout contact dans l'espoir de leur faciliter à tous les deux la rupture. Et voilà que Jon ne respectait pas leur accord.

Rylann, en général si réactive, s'interrogea. Elle était tentée de supprimer le message sans l'avoir lu. Mais ce serait faire preuve d'amertume. Et peut-être avait-il une mauvaise nouvelle à lui annoncer, auquel cas elle s'en voudrait terriblement de ne lui avoir jamais répondu.

Sans oublier qu'elle était curieuse. Lui manquait-elle ? Elle se targuait d'être pragmatique mais l'idée qu'un homme se morfondait peut-être pour elle, rongé par la culpabilité, la grisait.

Elle cliqua dessus.

Elle lut le message puis se balança dans son fauteuil, perplexe.

Après trois ans de rendez-vous galants, une année de vie commune et six mois de séparation, Jon lui avait écrit *un* mot.

Salut.

13

— « Salut. » C'est tout ?

Rylann prit un bâtonnet de carotte et le trempa dans le houmous qu'elle et Rae avaient commandé.

— Oui. C'est tout… Qu'est-ce que cela signifie ? *Salut*.

— Crétin.

Rae avait le don d'aller droit au but.

— Est-ce une façon de tâter le terrain ? Il m'envoie un « salut » pour voir si je vais lui répondre ?

— En tout cas, ça signifie qu'il pense à toi.

Le barman déposa leurs martinis devant elles. Entre l'entretien avec Kyle et le « salut » débile de Jon, Rylann avait décidé qu'un apéritif d'urgence après le boulot s'imposait. Elle avait retrouvé Rae dans un bar entre leurs bureaux respectifs.

Elle croqua dans son légume cru en réfléchissant aux paroles de son amie puis secoua la tête.

— Tu sais quoi ? Je refuse de ployer. J'ai passé assez de temps comme ça à analyser chaque mot de mes dernières conversations avec Jon.

C'était l'étape numéro 1 de son plan sur six mois pour se remettre de leur rupture – une étape qui ne l'avait menée nulle part.

— Félicitations ! approuva Rae en levant son verre. Alors ? Tu vas lui répondre ?

— Bien sûr. « Adieu. »

Rae rit aux éclats.

— Ce n'est sans doute pas ce qu'il espère. Toutefois, il me semble que depuis six mois, Jon a démontré une incapacité choquante à te comprendre. Le contenu sibyllin de ce message ne devrait sans doute pas nous étonner.

— Cela fait plus de six mois car, de toute évidence, nous n'étions déjà plus sur la même longueur d'onde quand il a demandé sa mutation en Italie.

— Comment a-t-il pu imaginer une seconde que tu approuverais ce projet ?

Rylann s'était souvent posé la question mais le ton de Rae l'incitait à y répondre haut et fort.

— Parfaitement. J'aurais été folle de tout plaquer pour suivre en Europe un type qui ne veut pas m'épouser.

— Absolument. En plus, il se doutait que tu n'irais jamais là-bas.

— *Jamais*, je ne sais pas...

— Je t'en prie. Toi, partir pour l'Italie ? Et ton plan de carrière ? Pourquoi me dévisages-tu ainsi ? Allons, Rylann, tu sais ce que tu veux.

— Certes, mais à te l'entendre dire, je me trouve tout à coup assez... lâche.

— Ma chérie, tu sais que je t'aime.

Rylann la dévisagea avec méfiance.

— C'est le genre de phrase qu'on emploie quand on s'apprête à dire à une personne quelque chose qui risque de lui déplaire.

— Dans ce cas, commençons par ce qui te plaira. Tu es une avocate remarquable, en partie grâce à tes dons de prévoyance – tu as toujours un métro d'avance sur ton adversaire et tu as résolu le problème avant même qu'il n'en découvre l'existence.

Rylann renifla, partiellement apaisée.

— Toutefois, soyons honnêtes : as-tu, ne serait-ce qu'une seconde, imaginé tout laisser tomber pour sauter dans cet avion avec Jon ?

— Non. C'eût été de la folie. Les coups de tête, ce n'est pas mon truc. C'est réservé aux jeunes de vingt ans.

— Ce n'était pas davantage ton truc à vingt ans.

— Donc, j'ai un métro d'avance, reprit Rylann en buvant une gorgée de son cocktail.

Rae était sa meilleure amie depuis des années, bien avant qu'elles ne s'installent à plusieurs milliers de kilomètres l'une de l'autre et Rylann lui faisait entièrement confiance.

— À ma place, serais-tu partie pour Rome ?

— Probablement pas. Moi aussi, je réfléchis avant d'agir.

— Alors pourquoi me harcèles-tu ?

— Je l'ignore. Peut-être parce que nous sommes toutes les deux encore célibataires à trente-deux ans. Pas une semaine ne s'écoule sans que le facteur ne me livre une invitation à un mariage ou un faire-part de naissance... Au fond, nous aurions peut-être intérêt à nous... lâcher.

— Merci infiniment, Mendoza. À présent, me voilà déprimée. Quoique... non. Zut, enchaîna Rylann en prenant la main de Rae. Ce n'est pas parce que nous n'avons pas rencontré le prince charmant que nous sommes en tort. Toi aussi, tu es belle et intelligente. Si j'étais lesbienne, je vivrais avec toi et on aurait plein de bébés FIV.

Comme elle l'avait espéré, Rae ébaucha un sourire. Rylann ne supportait pas de voir son amie si désemparée. Si elle n'arrivait pas à décrocher le gros lot avec son physique et son intelligence, que fallait-il pour séduire un homme ?

— T'ai-je dit à quel point je suis heureuse que tu sois venue à Chicago ?

— Moi aussi, j'en suis ravie.

En prononçant ces paroles, Rylann prit conscience que c'était la vérité. Certes, par moments, elle regrettait

San Francisco mais, en moins de deux semaines, elle avait retrouvé ses marques à Chicago.

— J'ai autre chose à te dire. Aucun rapport avec Jon.

— Une bonne nouvelle ? s'enquit Rae. Je le vois à ton expression. Laisse-moi deviner : un beau mec au boulot.

— Non… En fait, si, j'en ai même repéré deux. Mais ce n'est pas ça. Je ne peux pas te donner de détails, poursuivit-elle un ton plus bas, car l'affaire en est encore au stade de l'enquête mais figure-toi que Kyle Rhodes a accepté de témoigner pour moi. Nous avons bu un café ensemble aujourd'hui.

— Sans blague ! s'exclama Rae. De quoi s'agit-il ? Un piratage informatique ?

— Un drame qui s'est déroulé à la prison.

— Vous avez réussi à échanger plus de trois mots, cette fois ? la taquina Rae.

— Oui.

— Et ?

— Nous avons discuté autour d'un café. Il est évident que ça ne peut pas aller plus loin, vu les circonstances.

— En théorie, avoir une liaison avec un témoin n'est pas considéré comme une violation de l'éthique… Je dis ça comme ça.

— On se calme. Violation de l'éthique ou non, ce serait une *très* mauvaise idée.

— En effet.

— Tu imagines la situation s'il y a un procès ?

— Forcément. Je suis avocate de la défense. Je peux te décrire précisément ce qui se passerait si l'information m'était révélée : je le réduirais en miettes… Exemple : « Monsieur Rhodes, votre présence parmi nous aujourd'hui a-t-elle été influencée par le fait que vous couchez avec l'adjointe du procureur ? »

— C.Q.F.D., rétorqua Rylann.

— « Ms. Pierce vous a-t-elle fait des confidences sur l'oreiller, monsieur Rhodes ?… »

— Tu comprends donc mon…

— « Vous aimez satisfaire vos maîtresses, je suppose, monsieur Rhodes ? Vous raconteriez n'importe quoi pour aider Ms. Pierce à gagner ce procès, n'est-ce pas ? »

Consciente que ce manège risquait de se prolonger un bon moment, Rylann se cala plus confortablement dans son fauteuil.

— Qu'est-ce que je m'amuserais, conclut Rae en riant.

— Aucun risque.

Outre la réputation de Kyle, Rylann pensait à la sienne. Quelle humiliation ! Le juge manifesterait son indignation et la révélation ferait scandale au bureau.

Elle s'efforçait d'impressionner sa patronne et ses confrères et cherchait à se faire un nom à Chicago. Ce n'était pas en couchant avec un témoin qu'elle y parviendrait.

— Quel dommage, murmura Rae. C'est vrai. Sans vouloir remuer le couteau dans la plaie, il est franchement sexy.

Ce détail n'avait pas échappé à Rylann mais elle se contenta de hausser les épaules.

— Tant pis pour moi. De toute façon, j'ai horreur du milieu qu'il fréquente. Combien de fois ai-je vu son nom dans les magazines à potins, accolé à celui d'une top-modèle ?

— À toi de me le dire, rétorqua Rae d'un ton taquin. Attends une seconde… Aurais-tu par hasard tapé le nom de Kyle Rhodes sur *Google* au cours de ces neuf dernières années ?

Rylann devint écarlate.

— Non ! Enfin, il m'est arrivé de tomber sur des informations le concernant quand je parcourais les sites people mais… Si tu m'affirmes que tu n'as jamais recherché un vieux copain sur *Facebook*, je ne te croirai pas.

— Donc, tu avoues.

— Je n'avoue rien du tout sinon que cet homme est désormais mon témoin, se défendit Rylann.

— 90 % des poursuites criminelles fédérales se plaident dans les bureaux, Rylann, décréta Rae en la gratifiant d'un clin d'œil complice. Et puis Kyle Rhodes ne sera pas ton témoin indéfiniment.

Plus tard dans la soirée, Rylann s'assit en tailleur sur son lit, son ordinateur portable en équilibre sur les genoux. Elle redoutait ce moment depuis son retour à la maison. Comment répondre au mail de Jon ?

Pour finir, elle tapa :

Salut à toi.

Aussitôt, elle l'effaça.

Ravie d'avoir de tes nouvelles.

Bof… pas tant que cela.

« Ignore-le. Il comprendra. »

Mais en l'ignorant, elle lui donnerait l'impression de se dérober, comme si elle n'était pas encore remise de leur rupture. Or elle l'était. Complètement.

Ce constat chassa tous ses doutes et elle se fia à son instinct.

Salut ! J'espère que tout va bien à Rome et que tu y trouves ton bonheur. Si tu en as l'occasion, écris-moi un mot dans six mois. ☺

Là. Elle relut son message, satisfaite. Amical mais pas trop. Si l'objectif de Jon était de savoir où elle en était vis-à-vis de lui, ce mail suffirait à lui apporter la réponse : il était libre de mener sa vie à sa guise.

Elle en ferait autant de son côté.

14

Kyle gara sa voiture tout en s'efforçant de ne pas éclater de rire à la vue de Dex, sur le trottoir, la casquette de travers sur une masse de cheveux hirsutes.

Il arrêta le moteur et souleva la porte papillon de sa Mercedes. Dex sourit.

— Mon vieux, je ne m'en lasse pas. Cette bagnole est trop cool.

Kyle n'allait pas le contredire. Il appuya sur le bouton de sa clé pour enclencher le système de verrouillage et pointa son ami du doigt.

— Tu peux expliquer cette coiffure ?

— Une soirée qui s'est prolongée.

— J'espère que la demoiselle ne t'a pas vu sortir. On dirait qu'une famille d'oiseaux a élu domicile sur ta tête.

Ce n'était pas la première fois que Kyle voyait Dex dans cet état : ils avaient partagé un appartement pendant un an à l'université et passé deux étés ensemble.

— Très drôle.

— N'est-ce pas ? Le rendez-vous était réussi ?

— Suffisamment pour durer jusqu'à midi.

Dex se retourna alors pour désigner le bar devant lequel ils se tenaient.

— Prêt à visiter les lieux ?

— Prêt.

Huit ans auparavant, après avoir géré un café sur le campus de Urbana-Champaign, Dex s'était installé à Chicago où il avait ouvert un bar sportif au nord de la ville. Le succès de cette entreprise l'incitait aujourd'hui à en ouvrir un second, un établissement haut de gamme baptisé *Firelight*, au cœur du quartier de Gold Coast.

Il commença par montrer à Kyle la salle principale. Chaises et banquettes en daim couleur zibeline, immense comptoir en courbe, touches subtiles de rouge ici et là... Dex n'avait pas lésiné sur les dépenses.

Il conduisit ensuite son ami vers l'escalier menant au salon VIP.

— Nous ouvrons dans quatre semaines. J'ai entendu une rumeur selon laquelle la chronique gastronomie du *Tribune* va publier un article ce week-end. Il paraît que l'inauguration est l'événement le plus attendu de la saison. Tu viendras, j'espère ?

— Je ne manquerai cela pour rien au monde, répondit Kyle en admirant le plafond agrémenté de plaques de verre ondulé couleur corail et citrouille... Jolies, ces flammes, commenta-t-il.

— J'ai travaillé dessus pendant presque un mois avec l'architecte décorateur.

Dex remonta sa visière pour se gratter le front et Kyle s'esclaffa.

— Arrête de rigoler. Je ne suis pas si mal coiffé que ça.

— Tu te rappelles le duo de hip-hop Kid n'Play ?

Avant que Dex ne puisse répondre, le portable de Kyle sonna. Il sortit l'appareil de sa poche.

Rylann Pierce.

Intrigant.

— Je reviens dans un instant, annonça-t-il à Dex en quittant la pièce... Maître. Que me vaut ce plaisir ?

Rylann s'exprimait sur un fond sonore d'avertisseurs et de marteau-piqueur.

— C'est bon. Jeudi à 14 heures. Il n'y aura que vous, moi, un greffier et un jury composé de vingt-trois de vos concitoyens.

— Où êtes-vous ? demanda Kyle.

Elle semblait essoufflée.

— Devant le palais de justice. J'essaie de héler un taxi. J'ai une réunion au FBI dans vingt minutes.

Il l'imagina en imperméable et talons hauts, sa mallette à la main, gonflée à bloc à la perspective de brandir quelques menaces de mandats. Ultra-sexy.

— Jeudi, 14 heures, répéta-t-il. Où dois-je me rendre ?

— Salle 511. À des fins de confidentialité, rien d'autre n'est inscrit sur la porte. Patientez dans le salon le plus proche jusqu'à ce que je vienne vous chercher. Vous avez accepté de vous présenter seul mais j'ai l'obligation de vous rappeler que vous pouvez encore choisir de venir accompagné d'un représentant légal. Ceci étant, il ou elle devra rester dans le couloir. Personne n'est autorisé à pénétrer dans la pièce hormis les témoins, les jurés, le greffier et moi. C'est comme à Las Vegas : ce qui se passe dans le tribunal reste dans le tribunal.

— J'étais loin de me douter que les avocates de votre genre étaient au courant des pratiques en cours à Las Vegas, lança-t-il, incapable de résister à la tentation de la taquiner.

— Les mauvais garçons anciens détenus ne connaissent pas grand-chose aux avocates *dans mon genre*, riposta-t-elle.

Kyle haussa un sourcil. Il aurait juré qu'elle flirtait avec lui. Mais elle se ressaisit aussitôt.

— À jeudi.

— C'est noté.

Elle raccrocha. Kyle fourra son téléphone dans la poche de son jean et rejoignit Dex.

— J'ignore qui c'était mais tu rayonnes, mon vieux.

— Un projet sur lequel je travaille, éluda Kyle.

— Le projet en question a-t-il un nom ?
« Rylann Pierce, alias la Pinailleuse. »
— Ce n'est pas ce que tu crois. Cette personne appartient au bureau du procureur fédéral. Je… je donne un coup de main dans une enquête.
Cette nouvelle prit Dex par surprise.
— Ma foi, elle doit être sacrément belle pour que tu aies accepté… Attends une seconde… serait-ce l'adjointe que tu as croisée au tribunal l'autre jour ? Celle aux cheveux noirs dont tu fixes la poitrine sur la photo ?
Kyle s'adossa contre le bar et agita une main.
— Pas du tout. Je la regardais dans les yeux.
— Elle doit avoir des yeux magnifiques alors.
Kyle ouvrit la bouche pour protester et se ravisa.
Eh bien, oui. Elle avait des yeux magnifiques.

15

— Je n'ai plus de questions, agent Wilkins.

Rylann jeta un coup d'œil sur les vingt-trois personnes assises derrière elle. Toutes semblaient attentives, ce qui était bon signe.

— Les jurés ont-ils des questions à poser à ce témoin ?

Il y eut un silence. À l'avant, près de la barre, se tenaient le chef du jury et la greffière. Le premier secoua la tête et Rylann s'adressa à Sam.

— Vous pouvez disposer, agent Wilkins. Merci.

Elle le suivit du regard lorsqu'il quitta la salle puis observa de nouveau l'assistance. À en juger par leurs expressions, les jurés étaient conquis, ce qui n'avait rien d'étonnant. Aimable, professionnel, parfaitement préparé, Wilkins n'avait pas eu besoin une seule fois de consulter ses notes. Si l'affaire Quinn allait jusqu'au procès – ce qui était peu probable –, Sam ferait un excellent témoin.

Aujourd'hui, la mission de Rylann consistait tout simplement à raconter une histoire. Certes, dans la mesure où il s'agissait d'une procédure de grand jury et non d'un procès, elle pouvait se permettre d'omettre certains détails mais, par le biais de ses témoins, elle devait arriver à établir le QQOQCP du crime – qui, quoi, où, quand, comment, pourquoi. Elle avait prévu un scénario en trois actes : l'agent Wilkins, Kyle Rhodes et Manuel Gutierrez. Après les avoir interrogés, Rylann énoncerait aux jurés une proposition d'inculpation précisant les charges à l'encontre de Quinn – meurtre sans préméditation et conspiration de violation des droits civiques d'un détenu. La suite était entre leurs mains. Dans l'incapacité de prouver formellement que Quinn avait initié l'agression de Watts sur Brown, elle ne pouvait se baser que sur ses présomptions et convictions personnelles. Il lui suffisait de convaincre seize d'entre eux.

Quand la porte se referma sur l'agent Wilkins, Rylann porta son regard sur les membres du jury. En l'absence d'un juge, c'était à l'adjointe du procureur de mener la barque.

— Si nous nous accordions dix minutes de pause ? suggéra-t-elle.

Elle attendit que tout le monde fut sorti avant de se diriger vers le salon des témoins, de l'autre côté du couloir. Elle inspira profondément avant de pénétrer dans la pièce. Planté devant la baie vitrée, Kyle admirait la tour Willis – que la majorité des habitants de Chicago s'obstinaient à appeler de son ancien nom, Sears.

— Que le spectacle commence ! lança-t-elle.

Il se tourna vers elle, en costume à fines rayures gris foncé, chemise bleue et cravate club assortie à l'ensemble. Ses cheveux étaient lissés vers l'arrière et le bleu de sa chemise rehaussait celui de ses yeux. Superbe !

Le cœur de Rylann fit un petit bond mais elle mit cela sur le compte du trac. Kyle fourra les mains dans ses poches, visiblement prêt.

— Allons-y.

Kyle la suivit, sa curiosité piquée au vif. Il ne connaissait rien à la procédure de grand jury mais la nature confidentielle de la méthode lui conférait une aura de mystère. Il pénétra dans la salle d'audience. Elle était moins vaste qu'il ne l'avait imaginé – à peine la moitié d'une salle de tribunal. À sa droite, il vit la barre des témoins et une tribune semblable à celles derrière lesquelles président les juges. À l'opposé se dressait la table depuis laquelle Rylann l'interrogerait et derrière, trois rangées de chaises pour les jurés.

Des chaises vides.

— Maître, avez-vous prévu des jurés ? railla-t-il.

— Très drôle. Je leur ai accordé une pause. Je veux qu'ils voient le célèbre Kyle Rhodes assis face à eux lorsqu'ils entreront. Peu importe ce qu'ils ont entendu ou lu à votre sujet auparavant, aujourd'hui vous êtes un simple témoin… Si vous vous installiez ?

Kyle s'assit sur le fauteuil pivotant usé, se cogna les genoux contre la pièce en métal fixée sous la barre.

— Celui qui a conçu ce machin n'a pas pensé que certains pouvaient avoir de grandes jambes, marmonna-t-il.

— Désolée. C'est pour les menottes, expliqua-t-elle.

« Mais bien sûr ! »

— C'est donc à cela que j'ai échappé en plaidant coupable.

Rylann se rapprocha avec un sourire rassurant.

— Simple formalité. Pas de contre-interrogatoire, pas d'objections – ce sera une conversation entre vous et moi. Les jurés poseront peut-être des questions quand j'aurai terminé mais j'en doute. Si je fais bien mon travail, ils n'en éprouveront pas le besoin.

Elle était drôlement mignonne dans son rôle d'avocate.

— Merci pour le laïus d'encouragement, Maître, dit-il, touché par ses efforts pour le mettre à l'aise.

— De rien. Et vous ? Avez-vous des questions ?

— Une seule, rétorqua-t-il, l'œil rivé sur son tailleur beige. Avez-vous un seul pantalon dans votre garde-robe ?

— Mais encore ? riposta-t-elle sans ciller.

Ils furent interrompus par la greffière qui entra, suivie de deux jurés. Aussitôt, l'ambiance changea. Le trio aperçut Kyle, se figea. Ignorant leur réaction, Rylann regagna sa table d'un pas tranquille et fit mine d'examiner ses notes.

Deux minutes plus tard, l'assistance était au complet. Kyle fut étonnamment surpris de constater que quatre des nouveaux venus ne l'avaient pas reconnu. Tous les autres semblaient très intrigués par sa présence.

Rylann s'adressa au chef du jury.

— Vous pouvez assermenter le témoin.

— Levez votre main droite. Jurez-vous solennellement de dire toute la vérité, rien que la vérité ?

— Je le jure.

Rylann accrocha le regard de Kyle et lui sourit brièvement. Lui seul pouvait comprendre la signification de cet encouragement.

Ils en avaient parcouru du chemin depuis cette fameuse soirée à Urbana-Champaign !

— Veuillez décliner votre identité, je vous prie.

— Kyle Rhodes.

Kyle devait l'admettre, il était impressionné.

Rylann Pierce était remarquable.

Sans jamais quitter sa table, elle mena la séance de main de maître, posant des questions pertinentes pour obtenir le meilleur témoignage possible. Elle commença par l'interroger sur son passé, insistant sur ses études et son expérience professionnelle. Ceci permit d'une part à Kyle de se sentir à l'aise et d'autre part aux jurés de le considérer autrement que comme le Terroriste du Web. Elle évoqua brièvement les circonstances de son inculpation puis lui demanda de raconter sa vie en prison.

Kyle n'était pas fier de ces quatre mois derrière les barreaux et ne prenait aucun plaisir à se présenter en expert en la matière. Toutefois, il avait conscience de l'importance de son témoignage.

Un peu avant d'aborder l'incident au cours duquel Kyle avait entendu Quinn proférer ses menaces, Rylann ralentit le rythme de ses questions.

— Pouvez-vous nous expliquer ce qu'est la ségrégation disciplinaire ?

— On sépare certains détenus de la population générale. Une personne par cellule, dans un bloc spécial. On est privé de tous les privilèges, notamment le temps de loisir, et on mange dans son cachot.

— L'espace est tranquille ?

— Très, d'autant que les détenus ont l'interdiction de se parler entre eux. Quand l'estomac de l'un grondait, on l'entendait à trois box de là.

L'échange se poursuivit, mené de manière à captiver l'attention et l'intérêt des jurés. Peu à peu, ils en arrivèrent à l'élément essentiel – la menace de Quinn. L'assistance était tout ouïe. Rylann revint à deux reprises sur les paroles prononcées par Quinn, augmentant la tension et l'excitation dans la salle. Puis, tout à coup, ce fut fini.

Rylann se tut, hocha la tête.

— Merci, monsieur Rhodes. Je n'ai plus de questions... Vous pouvez disposer, ajouta-t-elle avec un sourire courtois.

Kyle se leva et quitta la salle sans se soucier des regards des jurés. Il se retrouva dans le couloir, à la fois satisfait et vaguement déçu.

Il ne s'était pas attendu à ce qu'elle bavarde avec lui pendant des heures mais tout de même... quelle frustration ! Quand se reverraient-ils ? Il prit conscience qu'il ne voulait pas s'arrêter là.

Kyle avait traversé le hall quand il se rappela qu'il pouvait rallumer son téléphone portable. Immédiatement, un message s'afficha.

Vous avez été formidable. Je vous appelle dès que j'ai des nouvelles.

Kyle remit l'appareil dans la poche de sa veste. Pour la première fois en six mois, il émergea du palais de justice, le sourire aux lèvres.

Plus tard dans la soirée, Rylann franchit ce même seuil, tout aussi enchantée.

Dans le cas d'un procès, les jurés peuvent délibérer pendant des heures, voire plusieurs jours. Au contraire, lors d'une procédure de grand jury, le vote s'effectue rapidement. Aujourd'hui, dieu merci, la règle s'était confirmée. Dix minutes après que Manuel Gutierrez avait quitté la barre, le chef du jury s'était prononcé. Rylann avait son inculpation. Ministère public contre Adam Quinn.

16

Le vendredi matin, Rylann eut droit à sa deuxième bonne nouvelle en vingt-quatre heures.

— Mon client plaide coupable, lui annonça Greg Bordan, adjoint de la défense pour le district nord de l'Illinois.

Tout au long de la semaine, Rylann avait négocié les termes d'un plaider coupable pour Watts. Lorsque Cameron lui avait confié le dossier, elle avait compris que cet aspect de l'affaire se réglerait rapidement. Watts était déjà condamné à deux peines de perpétuité consécutives. La procédure à son encontre était jouée d'avance. Deux hommes s'étaient trouvés enfermés dans la même cellule et l'un avait battu l'autre à mort – pas compliqué d'identifier le coupable. Watts n'avait même pas jugé utile d'invoquer l'autodéfense : il semblait presque fier de ses actes.

Restait un point sur lequel elle n'avait guère avancé.

— Avez-vous réussi à le convaincre de dénoncer Quinn ?

— Navré. Il répond systématiquement qu'il n'a rien à dire à ce sujet, répliqua Greg.

— Même si je réduis l'accusation à un homicide involontaire ?

— Cela ne changera rien et c'est pourquoi vous le proposez. Watts ne sortira jamais de prison. Il ne va pas cracher dans la soupe juste pour vous faire plaisir. Les autres gardiens n'apprécieront pas qu'il expédie l'un des leurs en taule.

Possible. Mais Rylann abaissa une dernière carte.

— Je peux obtenir son transfert dans un centre de d'incarcération au soleil. Je connais des institutions épatantes en Californie qui seraient enchantées d'accueillir M. Watts.

Greg rit tout bas.

— J'ai déjà évoqué cette solution. Malheureusement, on aura beau le mettre ailleurs, il restera le type qui a balancé un gardien. Je regrette mais si vous voulez épingler Quinn, vous allez devoir le faire sans Watts.

Rylann poussa un soupir. Ce n'était pas ce qu'elle avait espéré mais Greg n'y était pour rien.

— J'ai tenté ma chance, tant pis pour moi. On se voit au tribunal la semaine prochaine.

Tôt le lendemain matin, Rylann eut un premier aperçu de l'homme à abattre : Adam Quinn, le gardien véreux qui avait échafaudé et organisé l'agression brutale de Watts sur Brown.

Arrêté par le FBI la veille au soir, il était là pour son audience de comparution initiale. En franchissant les portes de la salle de tribunal, Rylann nota immédiatement deux détails : premièrement, Quinn paraissait plus jeune que ses vingt-huit ans ; deuxièmement, il semblait très nerveux.

Avec raison.

Avant de prendre place à sa table, Rylann se présenta au défenseur de Quinn.

— Rylann Pierce, annonça-t-elle en lui tendant la main.

— Michael Channing. J'aimerais vous voir une minute après la lecture de l'acte d'accusation, Ms. Pierce, déclara-t-il d'un ton sec.

— Bien entendu. Je peux même vous en accorder deux, répliqua-t-elle avec un sourire aimable.

Elle s'opposait depuis des années à des hommes comme celui-ci – des avocats qui avaient une fâcheuse tendance à confondre effronterie et autorité. Heureusement pour elle, elle avait cessé de se laisser impressionner par ce genre de stratégie dès son troisième procès.

Elle s'installa et peu après, l'huissier proclama l'ouverture de la séance. L'accusation ayant déjà été soumise au défenseur, le juge cumulerait la comparution initiale avec la lecture de l'acte d'accusation. Comme prévu, Quinn avait plaidé non coupable.

À la conclusion de l'audition, Michael Channing fonça vers Rylann.

— Meurtre au second degré ? Mon client n'a même pas touché la victime, s'indigna-t-il en la toisant. Je me suis renseigné sur vous. Vous êtes nouvelle.

— La loi au sein du septième circuit de l'Illinois est claire, monsieur Channing. Tout individu qui participe à la perpétration d'un crime peut être considéré comme coupable dudit crime. Je suis ici depuis suffisamment longtemps pour savoir au moins cela.

Il la fusilla des yeux.

— Je connais le Code pénal, Ms. Pierce. Mais cette affaire se résume à une bagarre qui a dégénéré entre deux détenus. À moins que vous ne puissiez me prouver le contraire.

Rylann comprit qu'elle allait prendre un plaisir fou à se battre contre Maître Channing.

Elle ouvrit sa mallette et en extirpa le dossier qu'elle avait préparé contenant tous les rapports de l'agent spécial Wilkins.

— Tenez. J'y ai ajouté une lettre dans laquelle je vous communique mon calendrier de demande d'informations. Preuves à décharge trois semaines avant le procès, liste complète des témoins quinze jours avant.

Il contempla la chemise cartonnée avec étonnement.

— Oui, eh bien... je me pencherai dessus dès aujourd'hui.

— Sachez que pour des raisons de sécurité, Manuel Gutierrez a été transféré dans le sud de l'État à la prison de Pekin.

— Je vois.

À son visage inexpressif, Rylann devina qu'il ne voyait rien du tout, justement. Sans doute n'avait-il pas la moindre idée de qui était Manuel Gutierrez. C'était la raison pour laquelle elle avait tenu à lui remettre les documents du FBI le plus rapidement possible. Le message était clair : la défense avait un temps de retard.

Comme elle s'y attendait, Channing n'insista pas.

Malheureusement, le goût exquis de la victoire ne dura pas.

— Je suis dans une impasse avec les autres détenus, lui avoua l'agent Wilkins au téléphone lorsqu'elle eut regagné son bureau dans l'après-midi.

Pour étayer son argumentation, Rylann avait demandé à Wilkins d'interroger quelques-uns des prisonniers du centre correctionnel au cas où l'un d'entre eux pourrait soutenir leur thèse concernant Quinn, à savoir qu'il accordait des traitements de faveur à ceux qui exécutaient ses représailles.

— Ils ont peur de se confier à vous ?

— Oh non ! ricana Wilkins, ils exigent tous des arrangements. Ils savent que Gutierrez a été transféré après nous avoir rencontrés. D'après les rumeurs, il joue au golf dans une institution de sécurité minimum à Miami.

— Logique. Un de ces jours, j'aimerais visiter cette prison fédérale unique où tout le monde se déplace à sa guise et déguste des repas gastronomiques.

— En toute franchise, je doute que ces gars soient au courant des traitements de faveur que Quinn accordait à Jones et à Romano, déclara Wilkins, faisant allusion aux deux autres détenus qu'il soupçonnait de s'être sali les mains pour Quinn. En revanche, je les crois tout à fait capables de clamer le contraire s'ils obtiennent en échange une réduction de peine et un voyage tous frais payés au sud de la Floride.

— Pourquoi ne pas vous adresser directement à Jones et à Romano ? Sont-ils prêts à parler ?

— Jamais de la vie. Dès que j'ai prononcé le nom de Quinn, ils ont réclamé un avocat. Ils savent exactement pourquoi nous souhaitons les interroger. L'inculpation de Quinn a fait le tour de la prison… Pardon de ne pas avoir été plus efficace.

Rylann fit pivoter son fauteuil de droite à gauche. Elle était déçue mais pas surprise.

— Je suis de votre avis. On peut difficilement faire confiance à des individus qui veulent à tout prix conclure un marché.

— Dommage que Manuel Gutierrez n'ait pas pu nous en dire davantage. Il était prêt à témoigner. Et Kyle Rhodes ? Où en êtes-vous avec lui ?

— J'ai été tellement accaparée que je n'ai pas eu le temps de le joindre.

— Voulez-vous que je m'occupe du suivi avec lui ? offrit poliment Wilkins.

— Non, merci. Je l'ajoute à l'instant à ma liste des choses à faire aujourd'hui.

Rylann s'emparait de son stylo quand la sonnerie signalant un double appel retentit, suivie presque aussitôt d'un bip annonçant l'arrivée d'un SMS sur son portable. Tout en gribouillant sur son agenda, elle vérifia l'identité des deux appelants.

— Vous en êtes sûre ? insista Wilkins en riant tout bas. Vous m'avez l'air un peu débordée.

En effet, elle croulait sous le boulot mais dans la mesure où c'était elle qui avait établi la relation avec Kyle Rhodes, elle rechignait à lui envoyer un agent du FBI à sa place. D'ailleurs, si Rylann Sans Peur voulait asseoir sa réputation au bureau du procureur fédéral, elle ne devait reculer devant aucun défi.

— Absolument certaine, le rassura-t-elle. Je m'en…

Elle s'arrêta brusquement en voyant ce qu'elle venait d'inscrire.

Se taper Kyle Rhodes.

De toute évidence, une conversation sérieuse s'imposait entre elle et son subconscient.

17

En lisant le bout de papier que venait de lui tendre sa sœur, Kyle faillit avoir une attaque.

— C'est ça ton mot de passe ? Il faut commencer par le modifier, décréta-t-il en branchant son ordinateur portable.

Jordan lui avait demandé de faire un saut à la boutique parce que sa connexion Internet avait brusquement cessé de fonctionner. Il redoutait le pire.

— Le nom de jeune fille de maman et les années de naissance de grand-mère et grand-père Evers. Qui pourrait imaginer une telle combinaison ? rétorqua-t-elle, perplexe.

— Autant opter pour « 1 2 3 4 ». Puisque de toute évidence, tu cherches à ce qu'on te vole ton identité... Écoute-moi attentivement : il faut quatorze caractères au minimum. Choisis des lettres au hasard, pas des mots. Je te donne un truc : pense à une phrase et utilise la première lettre de chacun des mots. Mélange les majuscules et les bas-de-casse. Ensuite, prends deux chiffres qui ont une signification pour toi – pas des dates – et insère-les parmi les lettres. Ajoute une marque de ponctuation au début et un symbole, celui du dollar, par exemple, à la fin.

— Oui, chef, concéda-t-elle en saisissant un stylo et une autre feuille de papier... Euh... tu peux répéter ce qu'il faut faire après avoir mélangé les majuscules et les bas de casse ?

Kyle lui prit le stylo des mains.

— Laisse-moi faire. Et maintenant, fiche le camp. Va vendre du vin. Je t'appellerai à la rescousse si j'ai besoin de quelqu'un pour appuyer sur un interrupteur... À propos, à quand remonte la dernière mise à jour de ton routeur ? D'accord, j'ai compris. Jamais, conclut-il devant son air effaré.

Peu après le départ de Jordan, le cellulaire de Kyle sonna. Rylann. Ils s'étaient couru après tout l'après-midi – et lui avait adoré le sérieux de sa voix sur sa boîte vocale.

Il savait, d'après le communiqué de presse divulgué le vendredi matin par le bureau du procureur, que le grand jury avait inculpé Adam Quinn. Depuis, la presse locale s'était intéressée à l'affaire mais Dieu merci, aucun des noms des témoins n'avait été révélé. Plus longtemps il pourrait éviter les projecteurs, mieux il se porterait.

— Il semble que les félicitations soient de rigueur, Ms. Pierce, déclara-t-il sans préambule. Vous avez obtenu votre inculpation. Vous aviez promis de me tenir au courant, je vous signale.

— J'attendais d'avoir plus de cinq secondes devant moi.

— Ah... J'en suis flatté.

— Car j'ai encore un service à vous demander.

« Ben voyons ! »

— Je crains fort, Maître, que votre carte « redevable en souvenir du bon vieux temps » n'ait officiellement expiré.

— Ah ! Euh... une seconde, je vérifie.

Un temps.

— Non, reprit-elle. Mai 2012. Nous sommes encore dans les temps.

Il s'obligea à ne pas sourire.

— De quoi avez-vous besoin ?

— J'ai quelques questions supplémentaires à vous poser, relatives à Quinn. Cela devrait prendre vingt minutes, trente au maximum. Le moment est-il mal venu ?

C'est le moment que choisit Jordan pour passer la tête dans le bureau. Le voyant au téléphone, elle pointa le doigt sur l'ordinateur.

— C'est réparé ?

Kyle secoua vigoureusement la tête. Il attendit que Jordan ait disparu pour reprendre la parole.

— Je suis à la boutique de ma sœur ; je dois finir quelque chose. Puis-je vous rappeler ?

— Vous en avez pour longtemps ? demanda-t-elle après une légère hésitation.

— Une demi-heure environ.

— J'ai des projets pour la soirée, je comptais partir après notre entretien. Vous étiez le dernier impératif de ma liste. Pourrions-nous nous voir demain ?

— Malheureusement, je quitte la ville et serai absent toute la semaine.

En effet, il devait se rendre à Seattle, à San Diego puis à New York pour s'entretenir avec trois candidats potentiels au poste de cadre supérieur dans sa nouvelle société. Avec sa réputation ternie par l'affaire *Twitter*, il avait eu un mal fou à les convaincre de le rencontrer.

— J'espérais clore le dossier dans les jours à venir, murmura-t-elle. Et si je vous rappelais plus tard, dès mon retour chez moi ? J'habite à Roscoe Village, j'en ai pour une trentaine de minutes de trajet. Qu'en pensez-vous ?

— Roscoe Village est tout près du magasin de ma sœur. *Les Caves Delavigne*, rue Belmont. Pourquoi ne pas vous y arrêter en chemin ? Nous pourrons discuter de vive voix.

Cette proposition s'était échappée de la bouche de Kyle avant même qu'il ne l'ait formulée dans son esprit.

Apparemment, Rylann en fut aussi surprise que lui.

— Je... euh... je n'avais pas envisagé cette possibilité.

Lui non plus mais plus il y réfléchissait, plus l'idée lui paraissait géniale. Ne serait-ce que pour découvrir la couleur de son tailleur du jour.

— Si vous êtes pressée, Maître...

— *Si* j'accepte, c'est uniquement parce que j'aimerais boucler cette affaire et que l'établissement de votre sœur renferme la meilleure sélection de vins de la ville, paraît-il.

Kyle sourit.

— Continuez à le penser, Maître. D'ici trente minutes, vous vous en rendrez compte par vous-même.

Trente-sept minutes plus tard, Rylann eut l'impression de se retrouver à San Francisco. Elle avait eu ses habitudes dans une petite boutique semblable à celle-ci, à la fois chaleureuse et sophistiquée, à une cinquantaine de mètres de son appartement.

Rylann scruta l'intérieur et vit des clients à deux des tables. Kyle, en revanche, brillait par son absence. Elle s'approcha d'une place libre dans un coin, déposa la bandoulière de sa mallette sur le dossier de la chaise et s'assit.

Elle lisait l'ardoise au-dessus du bar principal sur laquelle était inscrite la liste des vins vendus au verre quand une voix affable s'éleva à sa droite.

— Vous cherchez quelque chose en particulier ?

Une ravissante blonde aux yeux bleus vint vers elle. Quand bien même Rylann n'aurait jamais vu Jordan Rhodes en photo, elle aurait su immédiatement qu'elle était la sœur de Kyle. Elle était plus petite que son frère et avait les cheveux un peu plus clairs mais son regard la trahissait.

Jordan inclina la tête.

— Je vous connais ! C'est vous qui avez présenté la requête pour la réduction de peine de mon frère.

Rylann en déduisit que Jordan avait assisté à l'audience. À moins qu'elle n'ait vu la photo qui avait fait la manchette des journaux.

— Vous avez bonne mémoire. Je suis ici pour voir Kyle. Est-il dans le coin ?

Bizarrement, Jordan parut choquée.

— Vous avez rendez-vous avec mon frère ? Ici ? Vous en êtes certaine ?

— Oui. C'est même lui qui a suggéré ce lieu.

Jordan la dévisagea.

— Parlons-nous du même Kyle Rhodes ? Grand, méchamment élégant, cheveux dignes d'une pub pour shampooing, la manie de donner des surnoms à tout le monde ?

— Jordan, je t'ai entendue.

Kyle surgit en jean et pull bleu marine à col rond. Rylann nota sa barbe de deux jours. Terriblement sexy.

« C'est ton *témoin* », se réprimanda-t-elle.

— Je vois que vous avez eu le non-plaisir de faire connaissance avec ma sœur. Jordan, je te présente Rylann Pierce.

Jordan haussa un sourcil. Kyle lui coula un regard noir.

L'échange silencieux se poursuivit un instant.

Puis Jordan tendit la main à Rylann.

— Enchantée. Que voulez-vous boire ? En ce qui concerne les vins au verre, ce soir, j'ai un remarquable cabernet.

— En effet. Selon moi, tous les cabernets *Kuleto* sont excellents. L'*India Ink* est l'un de mes préférés.

— Vous êtes amatrice de bon vin, constata Jordan, impressionnée. Kyle, elle me plaît déjà.

— Jordan…

— Quoi ? C'est un compliment… Rylann, juste une petite question : vous n'êtes pas une croqueuse de diamants, j'espère ?

Kyle parut atterré.

— Jordan…

Rylan gloussa, amusée.

— Votre frère n'a rien à craindre de moi. Nous ne sommes pas ensemble, nous…

Elle se tut et regarda Kyle. Comment décrire leur relation ? Avait-il prévenu sa famille qu'il collaborait avec le bureau du procureur ?

— Nous sommes de vieux amis, bredouilla-t-elle enfin.

— Mais oui, bien sûr ! ironisa Jordan.

— Tu nous sers, espèce de peste ?

— Tout de suite ! claironna-t-elle en les gratifiant d'un large sourire avant de s'éloigner.

Kyle s'installa à côté de Rylann.

— Désolé. Depuis des années, ma jumelle se nourrit de l'illusion qu'elle est drôle. Mon père et moi adorons la taquiner.

— Inutile de vous excuser. Elle vous protège, voilà tout. Entre frère et sœur, c'est normal, non ?

— Vous n'en avez pas ?

— Mes parents m'ont eue très tard. J'ai demandé une petite sœur pour mon anniversaire jusqu'à mes treize ans, en vain. Heureusement, j'ai Rae. Que vous avez aperçu il y a neuf ans à mes côtés pendant la soirée.

— Quand vous êtes-vous rencontrées ?

— En première année d'université. Rae est… Quelle est cette phrase que les hommes emploient pour décrire leur meilleur ami ? Le coup de la prostituée et de la chambre d'hôtel.

— « Si je me réveillais un jour en compagnie d'une prostituée morte dans ma chambre d'hôtel, c'est lui que j'appellerais en premier. » Rien de tel pour tester une amitié entre deux hommes.

— C'est mignon. Un peu effrayant aussi d'imaginer que vous prévoyez d'avance ce genre d'événement. Bref… c'est exactement ainsi entre Rae et moi.

Kyle posa les bras sur la table et se pencha vers elle.

— Maître, vous êtes si à cheval sur vos principes que vous commenceriez par prévenir le FBI.

— En fait, j'alerterais la police. Les enquêtes pour homicides ne reviennent au FBI que lorsqu'il s'agit d'un crime fédéral.

Kyle s'esclaffa. Puis il replaça une mèche de cheveux tombée devant les yeux de la jeune femme.

— Vous êtes une véritable obsédée de la loi.

À cet instant, tous deux prirent conscience de son geste. Ils se figèrent, les yeux dans les yeux. La main de Kyle effleura la joue de Rylann.

Puis ils entendirent quelqu'un se racler la gorge.

— Et voici ! s'exclama Jordan, le regard pétillant. À présent, je vous laisse.

Elle tourna les talons et s'éloigna.

— À mon avis, elle va exiger des explications après mon départ, chuchota Rylann.

— Sans aucun doute. Elle va me harceler de questions.

Rylann remua son verre afin de libérer les arômes du vin. Elle en inspecta la couleur, prétexte idéal pour éviter de fixer Kyle.

Cette barbe de deux jours l'émoustillait dangereusement.

Le moment était venu de passer aux choses sérieuses.

— Bien. À propos de notre affaire…

Elle avait tout tenté pour s'en cacher mais Kyle avait senti son émoi quand il l'avait touchée.

À présent, elle avait recouvré ses esprits et l'interrogeait au sujet de Quinn. Mais il n'était pas idiot : il avait vu la lueur de désir danser dans ses magnifiques yeux ambre. L'alchimie de leur toute première rencontre existait toujours même si Rylann s'en défendait.

Il joua donc le jeu, répondant à toutes ses questions comme un ancien détenu modèle. Avait-il vu Quinn accorder des traitements de faveur à certains de ses camarades ? Avait-il entendu des rumeurs ? Si oui, savait-il qui les avait répandues ?

Au fur et à mesure de la conversation, Kyle devint de plus en plus... distrait. Peut-être était-ce la manière dont ses cheveux ondulaient sur son épaule quand elle se penchait pour prendre des notes. Ou ses joues qui avaient rosi après quelques gorgées de vin. Ou encore, la courbe gracieuse de son cou lorsqu'elle appuyait le menton sur sa main.

Mais ce qui le fascinait surtout, c'était son aptitude à soutenir son regard, à l'écouter, comme s'ils étaient seuls au monde.

— Je crains de ne pas vous avoir été d'un grand secours, marmonna-t-il.

— Qui ne risque rien n'a rien. L'agent Wilkins et moi sommes dans une impasse depuis une semaine.

Comme elle vidait son verre, Kyle comprit que la partie « interrogatoire » de la soirée arrivait à son terme. À lui d'intervenir.

D'abord, en douceur.

— Vous vous intéressiez au vin, à San Francisco ?

— Oui. Au départ, je n'y connaissais rien mais j'étais entourée d'amateurs éclairés. Petit à petit, j'ai appris à découvrir ce que j'aimais et ce que j'aimais moins.

Kyle décida qu'il pouvait monter d'un cran.

— Vous ne m'avez pas dit pourquoi vous aviez quitté San Francisco.

— En quoi cela vous concerne-t-il ?

— Juste retour des choses, non ? Vous savez presque tout sur moi. Un problème avec un homme ?

— Oui, avoua-t-elle à contrecœur.

— Vous vous êtes réconciliés ?
— Non.
Affirmer qu'il en était désolé eût été un mensonge.
— Le sujet ne vous inspire pas beaucoup, semble-t-il.
— On pourrait peut-être parler de votre rupture avec Daniela ?
— Quant à vous, peut-être pourriez-vous, juste une fois, vous retenir de transformer toutes nos conversations en un match de tennis verbal, gronda-t-il tout bas.
Elle détourna la tête.
— Mon ex-petit ami et moi nous sommes séparés quand il a décidé de s'installer à Rome. Avec ou sans moi.
— Votre ex-petit ami m'a tout l'air d'un imbécile.
Rylann sourit malgré elle. Puis, délibérément, elle consulta sa montre.
— Oh la la ! Quel événement ! Nous avons enfin réussi à battre notre record de huit minutes d'entente cordiale... Il faut que j'y aille.
— C'est vrai, vous m'avez dit que vous aviez des projets pour la soirée. Un rendez-vous galant ?
« Très subtil, espèce de crétin », se dit-il.
— Je vais au cinéma avec Rae. Nous allons voir *Hunger Games* à 20 heures 30.
— Vous avez tout votre temps ! s'exclama Kyle... Restez encore un peu, Rylann. Buvons un autre verre en souvenir du passé. C'est ce que font les vieux amis, non ?
Elle l'examina un moment.
Un moment de trop.
— Ce n'est pas une bonne idée. Je ne voudrais pas que l'on interprète à tort notre relation.
— Quelle relation ?
— Vous savez bien, la relation avocate-témoin, répliqua-t-elle d'un ton détaché mais les yeux rivés sur les siens. Je ne voudrais pas qu'on imagine... l'impossible.

Ah ! D'accord. « Aucune importance », se consola Kyle. Elle n'était qu'une femme parmi d'autres.

— Bien sûr. La vérité, c'est que c'était un bon prétexte pour éviter de résoudre les problèmes de connexion Internet de ma sœur qui m'attendent dans le bureau.

— Désolée de ne pas pouvoir vous aider, je n'y connais rien, déclara Rylann en se levant... Je vous contacterai en fonction de l'évolution de l'affaire Quinn.

— Vous savez où me trouver, Maître.

— Exact. Merci encore d'avoir accepté cette entrevue. Je vous promets de vous laisser tranquille. Du moins pour un temps.

Après son départ, Kyle fit tourner le pied de son verre.

— Elle n'a pas voulu rester ?

Jordan se tenait devant lui. Pour une fois – incroyable mais vrai ! – elle ne semblait pas avoir envie de le charrier.

— Elle avait des projets pour ce soir.

— Tu ne m'avais encore jamais présenté une femme.

— Ce n'est pas ce que tu crois, Jordan. Rylann n'est qu'une...

— Une vieille amie. J'ai compris, conclut Jordan en lui ébouriffant affectueusement les cheveux.

18

Au fond, Rylann n'était pas aussi perspicace qu'elle le pensait.

Depuis cinq ans qu'elle exerçait ce métier, elle excellait dans l'art de cerner la partie adversaire lors de la comparution initiale. Vu la nervosité de Quinn, elle avait prédit que son représentant l'appellerait dans les deux semaines pour négocier un accord.

Elle dut patienter deux semaines et trois jours.

— J'ai lu les rapports du FBI, déclara Michael Channing, d'une voix un tantinet moins assurée que lors de leur dernier échange. J'aimerais vous soumettre une proposition. En personne. Mon client a quelque chose à dire.

— Demain ? suggéra Rylann. Je suis au tribunal toute la matinée mais je peux me rendre disponible ensuite. Disons... 14 heures ?

— Quatorze heures trente, répondit brusquement Channing.

La discussion promettait d'être corsée.

Le lendemain après-midi, Rylann s'installa en face de Quinn – visiblement mal à l'aise dans son costume bleu marine mal taillé – et son avocat, revêche et querelleur. Elle avait réservé une salle de conférences pour l'occasion. Elle ne tenait pas à ce qu'ils voient la montagne de dossiers sur son bureau. Non, elle voulait leur donner l'impression que cette affaire était son unique priorité.

— Vous vouliez me parler ? attaqua-t-elle.

D'un regard, Channing encouragea son client à s'exprimer.

— Allez-y. Rien de ce que vous direz ici n'est admissible au tribunal si nous ne concluons pas un marché.

Quinn coula un regard méfiant vers Rylann. Apparemment, il souhaitait en avoir confirmation.

— C'est exact, déclara-t-elle. À moins que vous vous parjuriez lors du procès. Ce que je vous déconseille fortement.

Quinn se frotta la bouche avant de poser les deux mains à plat sur la table.

— En ce qui concerne toute cette affaire avec Darius Brown, vous êtes à côté de la plaque. Ce n'est pas ce que vous croyez.

Rylann demeura impassible.

— Expliquez-vous.

— Je n'ai jamais dit à Watts de tuer Brown. Je lui ai juste demandé de le malmener un peu. Histoire de lui donner une petite leçon.

— Et quelle leçon !

— Écoutez, Brown m'a agressé le premier. On ne peut pas tolérer ce genre de comportement en prison. À force, ce sont les détenus qui finiraient par gérer l'asile.

Quinn esquissa un sourire qui s'effaça devant l'air imperturbable de Rylann. Il haussa le ton, agacé.

— Vous êtes là, si fière de vous. Qui, d'après vous, surveille ces sauvages une fois que vous les avez inculpés ? Vous les voyez au tribunal pendant combien de temps ? Deux jours, une semaine ? Ensuite vous nous refilez le bébé. Je les fréquente tous les jours depuis des années. Vous devriez me remercier de faire mon boulot.

— Votre boulot ne consiste pas à tuer un détenu, monsieur Quinn.

— Je vous le répète, ça n'aurait pas dû arriver, s'emporta-t-il.

Un bref silence suivit tandis que les deux hommes échangeaient un regard.

— Nous acceptons l'homicide involontaire. Et nous vous demandons de laisser tomber la charge de violation des droits civils.

— N'y comptez pas, rétorqua Rylann d'un ton neutre. Vous avez délibérément mis Brown en danger, monsieur Quinn. Meurtre sans préméditation et violation des droits civils.

— Pas question ! aboya Quinn à l'intention de Channing. Je prends le risque d'un procès.

— Vous serez inculpé pour meurtre au second degré, lui fit remarquer Rylann.

— Ou alors, il sera relaxé, argua Channing. Tout ce que vous pouvez prouver à l'heure actuelle, c'est que mon client a transféré Brown dans la cellule de Watts. L'hypothèse des représailles n'est que pure spéculation.

— Faux. J'ai deux témoins qui peuvent confirmer que Quinn et Watts étaient complices.

— Deux témoins condamnés, grogna Channing. Le premier espère certainement conclure un marché avec vous et le second... Vous imaginez une seconde que le jury va croire le Terroriste du Web ?

— Assurément. Quand j'appellerai Kyle Rhodes à la barre, les jurés verront un témoin sans mobile ni intentions cachées – un homme qui est là uniquement par sens du devoir. Oui, il a commis une faute mais il a aussi eu le courage de plaider coupable et de reconnaître l'entière responsabilité de ses actes. Sincèrement, monsieur Channing, votre client devrait en faire autant.

— Ah ! Parce que le Terroriste du Web est un héros et moi, une merde ! brailla Quinn. Votre rapport précise-t-il ce que Darius Brown a fait avant que le FBI ne l'enferme ? Il a braqué une banque avec deux de ses copains et frappé un guichetier au visage avec la crosse de son pistolet. Figurez-vous que votre victime n'a rien d'un saint.

— Darius Brown a payé pour ses actes. Comme vous paierez pour les vôtres. Soyons sérieux, monsieur Quinn. Ce n'était pas une Première. À deux autres reprises, vous avez orchestré des agressions sur un détenu. Malheureusement pour vous, cette fois-ci, vous avez mal choisi l'individu qui devait se salir les mains à votre place. Watts a tabassé Brown à mort avec un cadenas attaché à sa ceinture et c'est *vous* qui avez tout manigancé.

Elle s'adressa à Channing, réitérant ses propos.

— Meurtre sans préméditation et violation des droits civils. Je n'irai pas plus loin.

Ces paroles restèrent en suspension dans les airs.

— Ce n'est pas ce que nous espérions, Ms. Pierce.

— Dont acte, répondit-elle en se levant et en rassemblant ses affaires. Transmettez-moi votre décision quand vous en aurez discuté avec M. Quinn. Si mon offre ne vous intéresse pas, nous nous préparerons pour le procès. Vous connaissez le chemin de la sortie, je suppose ?

Elle atteignait le hall de réception quand elle les entendit l'interpeller. Quinn et Channing se dirigeaient vers elle, en direction des ascenseurs. Quinn passa sans un regard et Channing ralentit à peine en lui lançant :

— Envoyez-moi l'accord par mail dès qu'il sera prêt. Je contacterai le secrétariat afin qu'on nous accorde une nouvelle audience pour changement de plaidoyer.

L'affaire était dans le sac.

Rylann les regarda s'éloigner en regrettant presque qu'ils aient cédé.

Elle aurait adoré leur botter les fesses au tribunal.

Le reste de la semaine passa à une vitesse fulgurante, un tourbillon de dépôts de requêtes, d'entretiens avec les témoins, de réunions avec les agents du FBI, de l'ATF et du département de la Justice. Le vendredi matin, Rylann se présenta au tribunal pour la requête de plaider coupable de Quinn.

Elle émergea de la salle, satisfaite et – cerise sur le gâteau –, vingt minutes plus tard, Cameron entra dans son bureau pour la féliciter.

— Je viens de lire le communiqué de presse rédigé par Paul, notre responsable des relations publiques, concernant le plaider coupable d'Adam Quinn. Bravo. Ainsi, le bureau du procureur fédéral donne à voir qu'il sanctionne sévèrement tout abus de pouvoir de la part des officiers chargés de l'application de la loi – même envers les incarcérés… Et ce, grâce à vous, conclut-elle avec un grand sourire.

— N'oubliez pas de remercier aussi l'agent Wilkins. Soit dit en passant, Kyle Rhodes nous a été d'une aide précieuse.

— Le Terroriste du Web se précipite à notre rescousse. Qui l'eût cru ? Cade m'a dit que Quinn et son avocat s'étaient comportés comme des goujats durant la négociation.

Rylann en avait parlé avec Cade pendant la pause chez *Starbuck's*. Il était rapidement devenu son confrère de confiance, un ami sur lequel elle pouvait compter.

— Quel moralisateur, ce Quinn. Heureusement que nous l'avons épinglé. Si cet agent infiltré du FBI ne nous avait pas filé le tuyau, il aurait pu continuer à abuser de son pouvoir pendant des années.

— J'imagine que son refrain va changer du tout au tout maintenant qu'il va se trouver de l'autre côté des barreaux, plaisanta Cameron.

— En effet.

Après le départ de Cameron, Rylann téléphona à Rae.

— Tu es libre ce soir ? C'est moi qui t'invite. J'ai envie de faire la fête.

— Excellente idée ! approuva Rae. Que célébrons-nous ?

— La fin d'une dure semaine de labeur.

— Parfait. Justement, je viens de lire dans le *Tribune* un article au sujet d'un nouveau bar, le *Firelight*, qui ouvre aujourd'hui. Il paraît que c'est *le* lieu où aller ce week-end. Qu'en penses-tu ?

— Tu crois qu'on pourra y entrer ?

— Si on se pomponne, oui.

Rylann éclata de rire.

— Mendoza, je t'adore. Je passe te chercher chez toi en taxi à 21 heures.

19

Kyle se tenait devant le bar en onyx du premier étage, entouré d'un groupe d'amis. Le *Firelight* était bondé. L'inauguration du club avait attiré du beau monde et Kyle se réjouissait pour Dex de ce succès.

Alors pourquoi ne se sentait-il pas dans son assiette ?

Au fond, Jordan avait peut-être raison. Il fallait du temps pour se réadapter à la vie normale après un séjour en prison. Autour de lui, on riait, on buvait, on s'amusait. Mieux encore, toutes les femmes étaient belles et nombre d'entre elles avaient tenté d'attirer son attention tout au long de la soirée. Pourtant, quelque chose n'allait pas.

Kyle s'excusa et se détacha du groupe. Il trouva Dex appuyé sur la rambarde de la mezzanine en train d'observer la salle principale. Il le rejoignit. Pour rien au monde il ne gâcherait le plaisir de son ami en lui confiant ses états d'âme.

— Comment te sens-tu ?

— Je ne vais pas te mentir… très bien. Il y a dix ans, je servais à boire dans un café au beau milieu des champs de maïs de l'Illinois. Aujourd'hui… Regarde ! Ça se passe de commentaire.

— Une réussite bien méritée.

— Oui, convint Dex en laissant son regard errer sur la foule.

Soudain, il se tut et lança un regard sous-entendu à Kyle.

— Tiens ! Tiens ! J'ai l'impression que je viens de trouver la solution à ton spleen de ces dernières semaines.

— Mon spleen ? Laisse tomber. Je vais bien.

— Si tu le dis. Tout de même, vise un peu le bar. Robe rouge à 2 heures.

Kyle regarda distraitement, s'attendant à découvrir une bombe en tenue ultra-sexy. Mais lorsqu'il trouva enfin la robe rouge et – plus important – la femme qui la portait, il écarquilla les yeux.

Apparemment, Pierce la Pinailleuse recelait autre chose que des tailleurs stricts dans son armoire.

Ses cheveux cascadaient en magnifiques vagues noires sur ses épaules nues et son audacieux décolleté. Elle était cachée par le comptoir et il ne voyait pas plus bas que sa taille mais son imagination s'enflammait déjà.

— Voyez un peu qui vient de s'illuminer comme un sapin de Noël maintenant qu'une certaine adjointe du bureau du procureur fédéral est apparue !

Kyle feignit la nonchalance.

— Et alors ?

— C'est ça. À ta place, j'effacerais ce sourire niais avant de l'aborder. Et tâche de ne pas fixer sa poitrine, cette fois-ci.

— Qui te dit que j'ai envie de lui parler ? rétorqua Kyle.

Vu leur « relation », le mieux serait de l'éviter.

— Si tu ne vas pas vers elle, quelqu'un te la piquera. D'ailleurs, il me semble que tu as déjà un concurrent. À 5 heures.

Kyle repéra le type en chemise blanche à l'autre bout du bar qui sirotait son cocktail en contemplant Rylann d'un air admiratif. Il avait remonté ses manches, révélant un tatouage sur son avant-bras. Prétentieux.

Tout à coup, Kyle prit conscience des raisons pour lesquelles il était si abattu ces derniers temps.

Pour la première fois de sa vie, ses désirs n'étaient pas assouvis.

Une chose était sûre : aucun homme – si prétentieux fût-il – ne draguerait Rylann Pierce ce soir. Elle avait instauré ses règles mais plutôt mourir que de laisser un inconnu flirter avec elle en *sa* présence.

— Dex, mon vieux, j'ai un service à te demander.

Une fois de plus, Rylann tenta d'attirer l'attention de la barmaid.

— Quand c'est comme ça, je regrette de ne pas avoir un pénis, confia-t-elle à Rae, alors que la serveuse s'arrêtait une nouvelle fois pour prendre la commande d'un client de sexe masculin.

Les deux amies patientaient depuis vingt minutes. Rylann avait pourtant revêtu sa robe au décolleté magique mais apparemment, cela ne servait à rien.

— Tu n'as pas fait l'amour depuis six mois. À ta place, je rêverais d'avoir un pénis toutes les nuits.

Rylann s'esclaffa.

— Ah ! Enfin ! Je crois qu'elle vient vers nous... S'il vous plaît ? Euh... loupé... Au fait, comment s'est passé ton rencart de mardi ?

Rae leva les yeux au ciel.

— Je crois que je vais clôturer mon compte sur Meetic. Tous ces types paraissent merveilleux en ligne mais quand on les rencontre, on tombe souvent de haut. Le dernier en date a commencé par arriver avec un quart d'heure de retard. Il portait un casque de vélo à la main. Il s'est assis et là, je me suis rendu compte qu'il suait à grosses gouttes et qu'il puait.

— De quoi tuer l'ambiance, convint Rylann en grimaçant. Comment as-tu réagi ?

— J'ai tenu le coup le temps d'un verre, payé la note et déclaré poliment que les ondes ne vibraient pas entre nous.

— Formidable. À la fois courtoise et directe. Une vraie pro.

— Tu parles. Une pro des premiers rendez-vous ratés, oui. J'ai lu quelque part qu'on pouvait discerner en moins de cinq minutes si le courant passait entre deux personnes. En ce qui me concerne, deux minutes me suffisent... Et je te signale que quelqu'un a le regard rivé sur toi. Le type en chemise blanche, à l'autre bout du bar. Tatouage sur l'avant-bras... Mmm. Pas mal !

Rylann l'observa à la dérobée. Mignon, en effet. Plus que mignon, même. Malheureusement – Dieu, que c'était agaçant ! – un regard bleu hantait son esprit.

— Il prend son verre, chuchota Rae. J'ai l'impression qu'il vient par ici. Ne t'inquiète pas, je m'éclipserai.

Certes, elle n'avait pas flirté depuis des années mais si sa mémoire était bonne, Rylann aurait dû être tout excitée. D'un autre côté, elle avait trente-deux ans, elle avait mûri.

Une voix masculine s'éleva derrière les deux amies.

— Mesdames, il semble que je vous doive des excuses.

Rylann se retourna et vit un homme en costume d'une trentaine d'années aux cheveux ondulés châtain clair.

— Gavin Dexter – appelez-moi Dex. Je suis le propriétaire des lieux. Je constate que vous attendez de passer commande depuis un bon moment. Pour compenser, je souhaiterais vous inviter au salon VIP. J'ai même pris la liberté de vous y réserver une table.

Rae dévisagea Rylann en haussant un sourcil puis s'adressa à Dex.

— Épatant. Merci.

Il leur indiqua l'escalier.

— Parfait. Suivez-moi.

Comme il leur tournait le dos, Rae se pencha vers Rylann et rit tout bas.

— On doit être encore plus belles que je ne l'imaginais ce soir.

Elles emboîtèrent le pas à Dex, croisant le videur qui montait la garde à l'entrée du salon VIP. Dex les conduisit jusqu'à une alcôve privée, fermée sur trois côtés par des rideaux en velours rouge.

Une fois les deux jeunes femmes installées, Dex ouvrit les mains d'un geste magnanime.

— Champagne pour commencer ? Prenez ce que vous voulez. Toutes vos boissons sont prises en charge.

Rylann était perplexe. Flattée, aussi, mais tout ceci lui paraissait un peu bizarre.

— Par qui ?

Une voix familière et taquine lui répondit.

— Ne vous a-t-on jamais reproché de poser trop de questions, Maître ?

Arrivé à la hauteur de Dex, Kyle sourit, plus beau que jamais en costume gris et chemise noire au col déboutonné. Comme le tout premier soir, un frémissement la parcourut.

Elle qui croyait avoir mûri…

— Handicap professionnel, répliqua-t-elle.

— J'ai pu le constater. Dex, enchaîna-t-il aussitôt, je te présente Rylann Pierce et Rae…

— Mendoza, compléta l'intéressée.

Dex gratifia Rae d'un sourire avant de se tourner vers Rylann, l'air intrigué.

— Rylann ? Depuis que j'ai vu la photo de vous et de Kyle dans le journal, je m'obstine à vous appeler Ry-*linn*, expliqua-t-il. C'est un prénom plutôt original, non ?

— D'origine irlandaise. En hommage à mon grand-père.

— Auriez-vous par hasard étudié le droit à l'université de l'Illinois ?

— Oui. Mon amie aussi. Pourquoi ?

Dex se balança d'un pied sur l'autre en riant aux éclats.

— Bon sang, j'aurais dû faire le lien. Vous êtes la fille des ailes de poulet grillées.

Rylann mit quelques secondes avant de se remémorer sa conversation de l'époque avec Kyle.

« J'ai un faible pour tout ce qui est piquant et épicé. Je trouve même cela très attirant chez une jeune femme. Et les ailes de poulet grillées. »

— Vous lui avez raconté cette histoire ? demanda-t-elle à Kyle en gloussant.

Dex se tourna vers son ami et lui donna une tape amicale dans le dos.

— Oh oui. Ce soir-là, je travaillais au *Clybourne* et après vous avoir raccompagnée chez vous, Kyle ici présent est revenu en souriant comme un imbécile heureux. C'est tout juste s'il ne s'est pas mis à chanter et à danser.

Kyle se racla la gorge, mal à l'aise.

— Je... tu exagères, Dex... Au fait, camarade, tu as peut-être du boulot ? Il y a un monde fou, ça nous ennuierait beaucoup de t'empêcher de profiter de ta soirée.

— Minute ! intervint Rae. L'un d'entre vous a intérêt à me raconter cette histoire d'ailes de poulet grillées.

Dex regarda Kyle qui regarda Rylann.

Elle hésita avant de se glisser le long de la banquette pour faire de la place.

— Cette perle étant de vous, allez-y, prononça-t-elle enfin.

Il parut surpris par l'invitation mais très vite, son regard brilla d'une lueur chaleureuse. Sans un mot, il s'assit auprès de Rylann. Rae et Dex discutaient carte des boissons quand Kyle s'exclama :

— Ah ! Parce que *maintenant*, vous avez décidé d'être sympa.

Rylann sourit avant de lui répondre, comme neuf ans plus tôt :

— J'y songe.

En d'autres circonstances – si cette fameuse « relation » n'avait pas existé –, Kyle aurait qualifié ce moment de meilleur premier rendez-vous galant de sa vie.

Il avait à ses côtés une femme intelligente, drôle, ravissante et ils discutaient depuis plus d'une heure. Rae avait disparu pour aborder un type au bar et depuis, Rylann le régalait d'anecdotes professionnelles, entre autres l'histoire d'un petit malin qui avait fourré un sèche-cheveux dans son blouson en guise d'arme puis tenté de braquer une banque, le cordon oscillant entre ses jambes.

Les boissons arrivaient sans qu'ils n'aient rien demandé, l'ambiance frisait la perfection – lumière tamisée diffusée par une bougie sur la table, rideaux de velours. Ils étaient tout près l'un de l'autre, Kyle avait donc une vue imprenable sur... tout. Cette bouche charnue, ces jambes, longues et fines, croisées dans sa direction. Cette peau laiteuse, la courbe de ses épaules nues. Quant à ce décolleté... il ne rêvait que d'une chose, abaisser les bretelles de sa robe et poser ses lèvres sur ces seins rebondis...

Oups ! À en juger par la façon dont elle le dévisageait, elle venait de lui poser une question. Kyle se ressaisit.

— Désolé. Je ne vous ai pas entendue avec tout ce bruit.

— Ah !

Rylann se glissa vers lui et leurs cuisses se frôlèrent.

— Je vous ai demandé quels étaient vos projets maintenant que vous ne travaillez plus pour votre père. J'ai la sensation d'être la seule à parler.

Il s'efforça de se concentrer. Dieu qu'elle sentait bon – un parfum légèrement citronné à moins que ce ne soit son shampooing. Il aurait volontiers enfoui le visage dans sa somptueuse chevelure, dans son cou pour découvrir la provenance de cette fragrance.

« Du calme, idiot. N'oublie pas la "relation". »

— J'ai quelques pistes, éluda-t-il car il rechignait à dévoiler son plan de monter une start-up tant qu'il ne serait pas certain d'y parvenir.

— Des pistes légales, j'espère ?

— Oui, Maître. Croyez-moi, je n'ai aucune envie de remettre les pieds dans un tribunal. Sauf dans le cas de l'affaire Quinn, bien entendu, ajouta-t-il précipitamment.

— Mmm.

Rylann contemplait son verre de vin comme si elle réfléchissait. Puis elle l'observa sans relever la tête.

— Pourquoi avez-vous envoyé Dex nous chercher ?

L'instant de vérité.

Kyle aurait pu suivre leur code tacite de comportement en imaginant une riposte du tac au tac, une plaisanterie ou un commentaire ironique. Mais la façon dont elle l'épiait l'incita à couper court à leur petit jeu.

— Parce qu'il y a neuf ans, j'ai raccompagné chez elle la plus jolie fille du bar et que ce soir, elle demeure la seule avec qui j'ai envie de bavarder.

Elle parut ébahie et l'espace d'un éclair, il crut qu'elle allait lui avouer qu'il n'était pas le seul à éprouver ce sentiment. Au lieu de quoi, elle tripota sa serviette en papier.

— Il y a un sujet que nous devrions aborder, énonça-t-elle enfin. J'ai passé une partie de ma journée au tribunal aujourd'hui.

Kyle s'écarta et secoua la tête, désabusé. Il lui tendait une perche et elle s'entêtait à discuter boulot.

— Vraiment, marmonna-t-il sèchement.

— C'était une procédure de routine. Toutefois dans la mesure où vous vous êtes impliqué dans cette affaire, j'ai pensé que vous seriez heureux d'apprendre que Quinn avait plaidé coupable. Il est donc inculpé pour meurtre au second degré et complicité de violation des droits d'un prisonnier.

— Qu'est-ce que cela signifie ?

— Meurtre au second degré ? lança-t-elle avec coquetterie. Il s'agit d'un type d'homicide sans prémédi…

Il l'interrompit en plaquant une main sur sa bouche.

— Qu'est-ce que cela signifie ? répéta-t-il tout bas.

Elle esquissa un sourire.

— Que vous n'êtes plus mon témoin. Il y aura une audience pour la lecture de l'accusation mais en pratique, le dossier est clos.

Kyle n'avait pas besoin d'en entendre davantage. Il glissa les doigts dans ses cheveux, lui caressa la nuque. Fini de jouer.

— Vous n'étiez pas obligée de me le dire maintenant.

— Non, admit-elle en le fixant droit dans les yeux.

Un aveu qui en disait long. Du pouce, Kyle effleura sa lèvre inférieure et laissa échapper un grognement.

— Fichons le camp d'ici.

20

À l'expression de Kyle, Rylann sut exactement ce qui allait se passer si elle quittait le *Firelight* avec lui. Son regard bleu brillait de désir.

Mille prétextes de refus l'assaillirent. Une seule raison la poussait à accepter.

Elle en avait envie, tout simplement.

Rylann agissait *toujours* comme il le fallait. Cela signifiait qu'elle devait se lever et fuir cet homme et la promesse contenue dans son injonction. Mais il était tellement attirant, intelligent, spirituel... et il y avait tellement longtemps qu'elle ne s'était pas abandonnée à une aventure aussi... excitante.

— Il faut que je prévienne Rae.

Le regard de Kyle se fit encore plus brûlant.

— Retrouvez-moi en bas de l'escalier. Je vais dire à Dex que je m'en vais.

Il s'éloigna et Rylann reprit son souffle. Non, elle n'avait pas l'habitude de quitter les bars en compagnie de tombeurs anciens détenus et fils de milliardaires. Cependant, cette perspective la réjouissait. Pour une fois, elle allait craquer.

Elle s'empara de son sac et se précipita vers le bar pour avertir Rae.

— Il était temps ! s'exclama son amie. Pendant un moment, j'ai cru que vous alliez mettre neuf ans de plus.

— Ça ne t'ennuie pas ?

— Mais non. Va. Et amuse-toi.

Oui, eh bien… c'était le plan. Non, ce soir, il n'y aurait aucun plan. Jusqu'au lever du soleil, elle allait improviser. Agir en toute spontanéité. Voire commettre des folies.

À condition de ne pas succomber à une crise de panique dans les deux secondes.

Elle descendit les marches jusqu'au rez-de-chaussée où Kyle l'attendait. Sans la quitter des yeux, il lui tendit la main.

— Prête ? s'enquit-il, le regard brûlant mais le sourire rassurant.

Autrefois, un seul baiser de cet homme avait fait battre son cœur. Le moment était enfin venu de savoir s'il allait le faire chavirer.

— Oui.

Kyle dut leur frayer un chemin à travers la foule dense qui se mouvait au rythme d'une musique techno-pop. À mi-parcours, il commença à dessiner des cercles sur le revers de sa main avec le pouce. Une bouffée de chaleur la submergea – au point qu'elle sentit à peine la fraîcheur de la brise lorsqu'ils sortirent de l'établissement.

— On va héler un taxi au carrefour, déclara Kyle.

D'un pas vif, il l'entraîna vers l'intersection la plus proche. Dix mètres plus loin, ils passèrent devant une allée étroite et sombre. Sans prévenir, il accentua la pression de ses doigts et la tira vers lui. Rylann savait pertinemment ce qui allait arriver. Elle y était préparée. Aussi se pendit-elle au cou de Kyle alors qu'il la plaquait contre un mur en brique pour réclamer ses lèvres.

Pressant son corps d'athlète contre elle, il happa sa bouche en un baiser ferme, possessif, puis un autre et encore un autre – jusqu'à lui en couper le souffle.

— J'en rêve depuis l'instant où vous êtes apparue dans la salle du tribunal pour venir me libérer, avoua-t-il en s'écartant enfin, haletant.

Puis il la saisit de nouveau par la main, la tira jusqu'à la rue où il héla un taxi.

Quand la voiture s'arrêta devant eux, Kyle ouvrit la portière et tous deux s'y engouffrèrent. Il donna au chauffeur l'adresse de son duplex. Comme ils étaient plus près de chez lui que de chez elle, Rylann ne protesta pas. Cinq minutes plus tard, ils atteignirent leur destination. Kyle jeta un billet de vingt dollars au chauffeur, aida Rylann à descendre et la poussa vers la porte tambour.

Saluant le portier au passage, il fonça vers les ascenseurs. Dès qu'ils furent dans la cabine – seuls – et que les portes se refermèrent, il l'étreignit avec fougue. Un moment plus tard, Rylann perçut le « bip » signalant leur arrivée à l'étage. Sans se lâcher, ils se précipitèrent vers l'entrée de son appartement. Elle enfouit les doigts dans ses cheveux pendant qu'il insérait la clé dans la serrure. Il poussa un râle et, de sa main libre, la saisit par la taille.

Après avoir claqué la porte derrière eux, il prit son sac, les clés, balança le tout par terre et l'enlaça tout en pénétrant plus avant dans l'appartement.

Ils ne reprirent leur respiration qu'en haut des marches de l'escalier, sur le seuil de sa chambre. Le décor était moderne et masculin, sans ostentation. Dans un coin, deux fauteuils en daim beige encadraient un guéridon en acajou. Sur le mur d'en face était suspendu un gigantesque écran plasma. À l'opposé trônait un lit recouvert de coussins moelleux.

Kyle l'embrassa avec une ferveur renouvelée. Quand elle gémit, se cambrant instinctivement vers lui, il se figea, le regard avide.

— Vous êtes sûre que c'est ce que vous voulez ?

— Oui.

— Tant mieux. Laissez-moi voir.

Il alla prendre place dans l'un des fauteuils.

— Commencez par la robe.

Et puis quoi encore ? Rylann inclina la tête.

— Si vous voulez voir ce qu'il y a en dessous, à vous de me la retirer.

— Navré, Maître. Nous ne sommes plus au tribunal. Ce soir, c'est moi qui impose les règles.

Dieu merci, elle était encore habillée et Fossettes Craquantes ne pouvait voir la pointe de ses mamelons durcir.

Avec nonchalance, elle vint se positionner entre ses jambes avant de passer les mains dans son dos pour abaisser la fermeture à glissière. Soutenant son regard, elle repoussa une bretelle, puis l'autre. Avec une lenteur étudiée, elle laissa l'étoffe glisser sur son soutien-gorge, son ventre, ses hanches. Kyle parut fasciné par son ensemble en satin ivoire.

— Vous êtes si belle, Rylann, souffla-t-il. Et maintenant, dévoilez-moi ces seins qui m'ont obsédé toute la soirée.

— Si vous insistez.

Avec un petit sourire, elle dégrafa le soutien-gorge qui tomba par terre, près de la robe.

Kyle demeura silencieux, se contentant de la contempler.

— Venez ici, ordonna-t-il enfin d'une voix rauque.

— Je n'ai pas terminé.

— Venez.

Rylann se débarrassa de ses escarpins et passa les jambes de chaque côté de ses cuisses musclées. Elle s'assit sur lui et cala son entrejambe sur son sexe dressé sous le pantalon. Il tressaillit.

— Embrassez-moi.

Rylann se sentait grisée, hautaine, provocante et sexy à la fois, nue devant cet homme encore habillé. Elle se pencha en avant. Lentement, elle lui mordilla la lèvre inférieure avant de passer la langue sur ses dents. Quand il voulut approfondir ce baiser, elle eut un mouvement de recul.

— Une jeune femme convenable ne devrait pas aguicher un homme qui a fait de la prison, prévint-il d'une voix rocailleuse.

— Je croyais que nous nous étions mis d'accord : ce soir, je ne suis plus une jeune femme convenable, lui chuchota-t-elle à l'oreille.

Elle esquissa un sourire coquin en sentant son sexe gonflé palpiter contre le sien. Lorsqu'il posa les mains sur ses seins, elle dut se retenir de crier.

— Voyons voir ça.

Il se mit à titiller ses mamelons avec les pouces en un rythme langoureux. Paupières closes, elle soupira. Quand elle sentit ses lèvres se refermer sur son téton, elle gémit de plaisir.

— Kyle...

Les doigts enfouis dans ses cheveux, elle se pressa contre lui.

— Je vais enfin pouvoir te donner du plaisir, bébé, murmura-t-il... Tiens-toi à moi.

Elle enroula les bras autour de son cou et noua les jambes autour de sa taille pendant qu'il se levait pour la transporter jusqu'au lit. Il la déposa délicatement sur les couvertures et, sans la quitter des yeux, entreprit de se dévêtir.

Au fil des années, se basant sur les sensations qu'elle avait éprouvées pendant leur brève étreinte, Rylann avait nourri quelques fantasmes dans lesquels Kyle Rhodes lui apparaissait nu. La réalité surpassait de loin la fiction.

Nullement décontenancée, elle s'attarda sur chaque centimètre carré de ce corps merveilleusement sculpté – pectoraux toniques, abdominaux fermes, hanches minces, cuisses musclées – et en arriva à la seule conclusion possible.

La prison sculptait les corps.

Elle baissa les yeux sur son membre dressé. Avec un sourire entendu, Kyle s'allongea sur elle et lui enleva sa culotte.

— Parfaite, murmura-t-il.

Il s'appuya sur un avant-bras pour l'embrasser. Tremblante, Rylann sentit une main s'aventurer entre ses cuisses et remonter jusqu'aux replis secrets de son intimité. Il caressa ses lèvres et son clitoris en fin connaisseur avant d'enfoncer un doigt en elle.

— Tu es toute mouillée. J'ai envie de m'enfoncer en toi.

— Kyle !

Instinctivement, elle se cambra vers lui.

— Touche-moi, Rylann.

Il roula sur le côté et elle se retrouva à califourchon sur lui, trop heureuse d'obtempérer. Avec ses paumes, elle savoura la fermeté de sa poitrine, de son ventre. Comme elle poursuivait son exploration, il retint son souffle.

Il ferma les yeux et geignit quand elle referma ses doigts sur son membre gonflé de désir.

— Oh oui…

Elle se pencha sur lui et happa ses lèvres tout en continuant de le caresser. Soudain, il la repoussa et immobilisa ses mains.

— Je veux te faire l'amour. Maintenant.

— Je t'en prie, dis-moi que tu as de quoi…

En réponse, il se contorsionna sur le côté et ouvrit un tiroir de la table de chevet. Il déchira la boîte, l'emballage et enfila prestement le préservatif. Puis il la fit rouler sur le côté et se positionna entre ses jambes. L'extrémité de son membre effleurait le sexe humide de Rylann. Il lui écarta un peu plus les cuisses avec ses genoux et la pénétra profondément. Plaisir et satiété les envahirent tous deux.

— Tu es si douce… Je vais passer la nuit en toi…

— Oui, souffla-t-elle en se soulevant vers lui.

Ensemble, ils trouvèrent leur rythme et juste avant qu'elle n'atteigne l'orgasme, il se mit sur les genoux.

— Je veux te voir jouir.

Rylann poussa un cri tandis qu'il continuait à aller et venir, de plus en plus fort, de plus en plus vite. Il la redressa et elle couvrit son visage de baisers pendant qu'il s'enfonçait de nouveau en elle. Tremblante, elle se laissa submerger par le plaisir.

Ils restèrent entrelacés de longues minutes, haletants. Rylann se résolut à s'écarter et retomba sur le lit ; Kyle bascula en arrière et reposa son poids sur sa main, le bras tendu. Il la contempla, une mèche de cheveux sur le front, les joues roses, une lueur de satisfaction dans les prunelles.

— Alors ?

Elle sourit.

— D'accord. Cette fois, c'était un peu mieux que « pas mal ».

— Décidément, tu es pénible.

Rylann rit aux éclats et prit son visage dans ses mains.

— Kyle Rhodes, ce que tu peux être charmant à tes heures.

21

L'espace d'un éclair, la sensation d'un corps ferme et chaud contre le sien, Rylann crut qu'elle était à San Francisco auprès de Jon.

Elle ouvrit les yeux et regarda autour d'elle – les stores baissés des baies vitrées, les couvertures de couleur taupe et les énormes coussins sur le lit, l'écran plasma géant suspendu au mur – ; les souvenirs affluèrent.

Kyle.

Elle avait couché avec un ancien détenu.

Et pas n'importe lequel – avec le Terroriste du Web, l'un des criminels les plus célèbres à avoir été inculpé par son propre bureau. Un homme qui, pas plus tard que la veille, avait été son témoin.

Elle qui avait voulu se lâcher, elle n'y était pas allée de main morte !

Allongée à ses côtés, elle ne se sentait pas coupable – juste un peu… désorientée. Rylann Sans Peur ne mêlait jamais travail et plaisir. Elle fuyait les romances au boulot, elle ne faisait pas l'amour avec les témoins, encore moins avec les ex-taulards. Trois points transgressés.

Elle se remémora en vitesse les événements de la soirée.

Elle chevauchant Kyle au cours du deuxième round, les mains sur son torse pendant qu'il murmurait son prénom encore et encore. Eux deux sous la douche, les jets multiples qui lui massaient les épaules tandis que Kyle, agenouillé devant elle, la faisait jouir avec sa langue, ses cris de plaisir qui résonnaient à travers l'immense salle de bains.

Rylann se ressaisit. L'épisode de la douche. Mince.

Elle passa une main dans ses boucles désordonnées.

Le moment était venu de s'éclipser.

Elle jeta un coup d'œil à Kyle qui dormait face à elle, un bras sous son oreiller. En voyant sa barbe naissante et ce sourire sur sa bouche, elle dut résister à la tentation de se blottir contre lui et de le réveiller pour le quatrième round. Malheureusement, une telle initiative irait à l'encontre de ses objectifs, à savoir *a)* s'assurer que ses batifolages – bien que spectaculaires – demeurent l'aventure d'une nuit, *b)* décamper avant que Kyle ne la voie, les cheveux en bataille.

C'est nue qu'elle descendit avec précaution du lit. Elle ramassa sa culotte abandonnée par terre et l'enfila. Sur la pointe des pieds, elle s'avança jusqu'au fauteuil devant lequel elle avait effectué son strip-tease pour Kyle – très amusant, très coquin mais le moment était mal choisi pour raviver ces souvenirs. Sur le sol, son soutien-gorge, ses chaussures, sa robe. Le dos tourné, elle agrafa son sous-vêtement et décida d'aller s'habiller dans le salon où la fermeture à glissière de la robe ne réveillerait personne... Elle se pencha pour ramasser ses effets.

— Joli petit cul.

Rylann se redressa, serra ses affaires contre son cœur et tourna la tête sur le côté pour l'avoir dans son champ de vision.

Hissé sur un coude, Kyle la contemplait d'un air amusé.

— On fuit la scène du crime, Maître ?

Décidément, par moments, ce type lisait dans ses pensées.

— Pas du tout, protesta-t-elle, sur la défensive.

Du moins, pas pour les raisons qu'il supposait sans doute. Ce n'était pas tant le fait d'avoir fait l'amour avec lui qui la gênait que celui d'avoir couché avec un ancien détenu.

— Je... j'ai un rendez-vous, balbutia-t-elle.

Il consulta le réveil sur sa table de chevet.

— À 7 heures 30 un samedi matin ?

— Justement, assura-t-elle en se retournant. Il faut que je passe chez moi prendre une douche.

— Bien entendu. Un petit conseil, Maître : les excuses pour les plans d'évasion, ça se prépare la veille.

Génial. Elle avait oublié que c'était un professionnel en la matière.

— J'y songerai la prochaine fois.

Comme elle ne risquait plus de le réveiller, elle chaussa ses escarpins et s'apprêtait à mettre sa robe quand elle remarqua la manière dont il l'observait, en talons et sous-vêtements.

— Tu devrais rester encore un peu.

Ses yeux d'un bleu limpide brillaient de désir. C'est alors qu'il remarqua sa tignasse.

— Aïe ! Qu'as-tu fait à tes cheveux ? s'enquit-il, visiblement fier de lui.

Rylann se promit d'emporter son fer à lisser dans son sac la prochaine fois qu'elle ferait l'amour sous la douche avec un ex-taulard milliardaire. Sauf que cela n'arriverait plus.

— Nous n'avons pas tous la chance de posséder une chevelure de rêve, digne d'une publicité pour shampooing. Voici ce qui arrive quand je me mouille.

Kyle eut un sourire goguenard.

— Je sais très bien ce qui arrive quand tu mouilles.

Bien envoyé.

— En général, tu soupires et tu gémis, poursuivit-il. Mais ce que je préfère, c'est la manière dont tu murmures mon prénom et…

— Kyle.

— Non, pas comme ça. Avec plus d'enthousiasme, rétorqua-t-il en tapotant la place vide dans le lit… Si on travaillait sur le sujet pour retrouver cette merveilleuse intonation ?

— Je m'en vais.

— Vraiment ? Parce que je vois bien que tu te retiens de sourire.

Possible. N'empêche qu'elle partirait.

— En parlant de cheveux, aurais-tu un élastique à me prêter ?

Déjà qu'elle allait devoir traverser le hall de l'immeuble dans sa robe rouge. Pas question de paraître les cheveux ébouriffés. « Oui, c'est moi que le milliardaire a mis dans son lit cette nuit ! »

— Je vais t'en chercher un.

Il rabattit les couvertures, lui offrant une vue exquise sur son corps, son érection évidente – non mais franchement, ce machin ne se mettait-il jamais au repos ? – et contourna le lit. Il s'empara de son caleçon et l'enfila.

— Je t'ai vue me reluquer.

Prise en flagrant délit.

— J'étais en train de m'esbaudir sur la puissance de… tes cuisses.

— Je cours beaucoup.

Rylann l'imagina en sueur, prêt à prendre une douche, au retour d'une séance de footing.

Hmmm…

— Si tu tiens à t'en aller, tu ferais bien d'arrêter de me fixer comme ça alors que tu es devant moi en sous-vêtements et escarpins.

Elle cligna des yeux. Ah oui. L'évasion.

— Désolée. L'élastique ?

Pendant que Kyle se dirigeait vers la salle de bains, Rylann enfila sa robe et quitta la pièce. En bas des marches, elle tomba sur son sac – une pochette contenant son portable, ses clés et, par chance, une boîte de bonbons à la menthe. Elle en goba un et s'inspecta dans la glace.

De mieux en mieux. Les cheveux en bataille et pas de maquillage.

— Essaie ça, proposa Kyle en arrivant derrière elle.

Rylann regarda le bandeau noir avec une moue dubitative.

— Un accessoire oublié par une de tes top-modèles ?

— Non, c'est le mien. La chevelure de rêve, digne d'une publicité pour shampooing me gêne si je ne l'attache pas pour courir.

— C'est drôle, j'ai du mal à t'imaginer avec une queue de cheval.

— N'importe quoi. Je me contente de repousser mes cheveux vers l'arrière.

— Ah ! Un chignon lâche.

— Tu te rappelles ce que je t'ai dit hier soir ? Que tu étais pénible ?

Elle s'en souvenait parfaitement. Il avait prononcé ces mots après lui avoir fait prendre son pied comme jamais. Et les deux étreintes qui avaient suivi n'avaient pas été en reste.

Chassant ces pensées de son esprit, elle s'empressa de s'attacher les cheveux sur la nuque.

— C'est sans doute moins sophistiqué que tes chignons mais tant pis.

Elle rencontra le regard de Kyle dans le miroir.

— Cette nuit a été merveilleuse.

Il demeura impassible quelques secondes.

— Normalement, c'est ma réplique.

Nul doute qu'il avait eu de nombreuses occasions de s'en servir. Aucune importance. Elle s'arma d'un sourire malicieux.

— Je t'en prie, plaisanta-t-elle.

Il la retourna et l'embrassa avec douceur.

— Cette nuit a été merveilleuse.

Tout était dit et Rylann se dirigea vers la porte d'entrée. Quand il était allé chercher un élastique, Kyle en avait profité pour passer un jean. Elle songea que c'était sans doute la dernière fois qu'elle le voyait ainsi – sexy, torse et pieds nus dans le vestibule de son duplex.

Elle posa la main sur la poignée quand il l'arrêta.

— Rylann… Attends.

Son cœur fit un bond. Il s'approcha d'elle, le regard sérieux, et tendit le bras pour… remonter la fermeture à glissière de sa robe.

— Je viens de m'en apercevoir, murmura-t-il.

— Merci… Alors… on s'appelle.

— Vous savez où me trouver, Maître.

Rylann sortit et se dirigea vers les ascenseurs. En appuyant sur le bouton d'appel, elle entendit le cliquetis de la porte qui se refermait derrière elle.

22

— Et là-dessus, tu es partie ? s'étonna Rae.

Rylann haussa les épaules.

— Que voulais-tu que je fasse ?

Elles avaient réussi à obtenir une table en terrasse au *Kitsch'n*, un restaurant célèbre pour ses brunchs, à quelques pâtés de maisons de chez Rylann. Bien entendu, celle-ci avait appelé son amie pour un débriefing post-sexcapade.

Rylann arrosa son pain perdu à la noix de coco de sirop de canne et poursuivit tandis que Rae buvait une gorgée de son mimosa.

— On n'allait pas se faire monter le petit-déjeuner. Nous nous sommes bien amusés et l'histoire s'arrête là.

— Amusés comment ?

Rylann lui adressa un sourire espiègle.

— Plusieurs rounds dont un sous la douche.

— Félicitations ! approuva Rae en riant. De toute évidence, il me reste à dénicher un ex-taulard. La prison est le seul endroit où je n'ai pas encore cherché mon prince charmant.

— Et le type du bar, hier soir ? Tu as discuté avec lui un bon moment.

— Il était gentil, soupira Rae, mais je ne sais pas... Je guette toujours cet instant magique où je vais rencontrer un homme et, en un clin d'œil, avoir la certitude que c'est le bon. Je me fourvoie sans doute. Laisse tomber. Je n'ai pas envie de parler de ma non-vie amoureuse aujourd'hui.

— Vraiment ? insista Rylann.

Car elle avait sa petite idée sur la question. Elle s'efforçait d'échafauder un plan diabolique pour présenter Rae à un certain confrère et ami du bureau du procureur, beau et cent pour cent américain. Malheureusement, elle n'avait pas encore osé mettre son plan à exécution. Elle devait procéder tout en délicatesse car Rae avait horreur des coups montés.

— Tout à fait, affirma Rae avec emphase. Revenons à nos moutons. Donc, tu t'es enfuie comme une voleuse de l'appartement d'un superbe héritier qui en pince sérieusement pour toi. Garce, plaisanta-t-elle. Oups ! J'ai dit ça tout fort ?

Rylann balaya ce commentaire d'un geste désabusé.

— Le superbe héritier est en pleine forme. Crois-moi, il ne se morfond pas dans son duplex luxueux. Kyle Rhodes consomme les femmes plus vite que moi les blocs-notes.

— Oui, mais tu as entendu son copain Dex. La manière dont Kyle était revenu avec un sourire imbécile heureux après t'avoir raccompagnée chez toi en dit long.

— C'était il y a neuf ans, Rae. L'eau a coulé sous les ponts depuis cette époque. Il n'est plus l'étudiant passionné et odieusement charmant d'autrefois.

Elle scruta les alentours et baissa le ton avant de continuer :

— Kyle Rhodes est le Terroriste du Web et moi, adjointe du procureur fédéral. Cette relation est condamnée d'avance. Mes confrères ont inculpé Kyle il y a six mois. Ils l'ont traité de « cyber-menace pour la société ». Tu te rends compte du scandale si quelqu'un apprenait que nous avions une liaison ?

— En effet, ce serait terrible.

— Exactement. Or je n'ai aucune envie d'être le sujet des journaux à scandale. Au contraire, j'ai l'intention de travailler dur et de me bâtir une réputation – pas celle de « la petite nouvelle qui a couché avec le Terroriste du Web ».

— Aïe ! grimaça Rae. Dans ce cas, je suis désolée mais j'ai une mauvaise nouvelle à t'annoncer : Kyle et toi figurez dans la chronique « Scènes et cœurs » de ce matin.

— Quoi ? *Non !*

— Ton nom n'est pas mentionné, s'empressa de préciser Rae en affichant le site du quotidien sur son iPhone. Je mourais d'envie de te le dire, pensant que ça te ferait rigoler. Apparemment, je me suis trompée.

Elle se mit à lire à voix haute :

— « Kyle Rhodes, le Terroriste du Web, citoyen de Chicago et fils de l'homme d'affaires milliardaire Grey Rhodes, a refait son apparition dans les cercles mondains à l'inauguration très attendue du *Firelight*, où il a été vu en compagnie d'une bombe à la chevelure brune, vêtue d'une robe rouge renversante. Selon certaines sources, le couple aurait bu plusieurs verres avant de quitter le night-club ensemble… »

Sidérée, Rylann demeura un moment silencieuse.

Fichue robe magique.

— La bonne nouvelle, c'est qu'ils te qualifient de bombe.

En d'autres circonstances, Rylann s'en serait réjouie pendant deux ou trois minutes mais pour l'heure, elle paniquait complètement. Au mois de mars, la presse avait déjà publié un cliché d'elle avec Kyle. Si jamais quelqu'un établissait le lien entre l'avocate et la « bombe »…

Quel pétrin !

— Il n'y a pas de photo de nous dans le bar, j'espère ?

— Juste une où il semble fasciné par ton décolleté. Mais non, je plaisante. Respire, Rylann. Tout va bien. Personne ne devinera que c'est toi. Chicago est une grande ville. Les belles brunes courent les rues.

— C'est ça, souffla Rylann.

Ouf ! Elle avait évité un désastre.

De très près.

Elle rentrait chez elle quand la sonnerie de son portable retentit. Fouillant dans son sac, elle se demanda si c'était Kyle qui l'appelait pour lui parler de l'article. Elle entendait d'avance sa voix grave, empreinte d'humour. « Je téléphonais juste pour prendre des nouvelles de ma bombe, Maître. Prête pour un nouveau round ce soir ? »

Rylann mit enfin la main sur l'appareil.

Ah ! Ce n'était que sa mère.

— Bonjour, maman.

— On dirait que j'avais raison de te mettre en garde contre ce Kyle Rhodes.

Rylann s'immobilisa au carrefour, décontenancée. Comment sa mère, au fin fond de la Floride, pouvait-elle être au courant de quoi que ce soit ?

— J'ignore de quoi tu parles, maman.

— Je viens de lire la publication en ligne du *Tribune*. Le Terroriste du Web est de nouveau cité dans les potins.

— Tu lis ce ramassis de bêtises ?

— Bien sûr ! C'est le seul moyen pour moi de savoir ce qui se passe à Chicago pendant l'hiver.

On était début mai.

— Je n'ai pas lu celle de ce matin, répliqua Rylann – ce n'était pas faux, elle l'avait seulement *entendue*... J'étais occupée, ensuite je suis allée déjeuner avec Rae et je suis sur le chemin de la maison.

— Il semble qu'il ait été vu à l'inauguration d'un bar branché. Et qu'il soit parti au bras d'une mystérieuse brune en robe rouge. Une traînée rencontrée au cours de la soirée, sans doute… Bref, enchaîna-t-elle d'un ton enjoué, changeant brusquement de sujet… Quoi de neuf, ma chérie ? Qu'as-tu fait d'intéressant hier soir ?

— Euh… rien de spécial. Rae et moi sommes allées boire un verre.

Autant éviter tout détail vu que sa mère venait de la traiter de « traînée ».

— Simple curiosité, maman. Pourquoi tant d'animosité envers Kyle Rhodes ? Tu ne le connais même pas.

— Je te l'ai dit. Je n'ai pas du tout apprécié la manière dont il te reluquait sur cette fameuse photo. Qui lorgne ainsi une inconnue au beau milieu d'une salle de tribunal, je te le demande ? La firme dans laquelle je travaillais autrefois représentait régulièrement des hommes comme lui. Riches, charmants, convaincus que le monde leur appartient et qu'ils peuvent tout se permettre.

— Il n'a tué personne, maman. Il a bloqué un site internet, rétorqua Rylann, sur la défensive.

Le jugement de sa mère la perturbait. En dépit des apparences, Kyle Rhodes était quelqu'un de bien. N'avait-il pas coopéré de son plein gré dans l'affaire Quinn ? Certes, il avait ses défauts mais il avait aussi des qualités. Et pas que physiques.

Rylann s'arrangea pour changer le cours de la discussion. Elle ne voulait plus entendre parler de Kyle Rhodes ni des ragots diffusés par le *Tribune*. En passant la nuit avec Kyle, elle avait commis une folie. Rylann Sans Peur ne commettait pas de folies.

L'exception confirmait la règle.

Elle raccrocha quand elle eut pénétré dans son appartement et jeta sa pochette dans un coin de la chambre. Gavée de pain perdu à la noix de coco, épuisée par une nuit de débauche, elle ôta ses chaussures et se glissa sous les draps le temps d'une petite sieste.

Trois heures s'étaient écoulées quand elle fut réveillée par la sonnerie de son portable. Elle s'assit dans le lit, l'esprit embrumé. En grommelant, elle se pencha pour ramasser son sac. On n'avait pas intérêt à la déranger pour rien. Si ce n'était pas un collègue, le FBI, le département de la Justice à l'autre bout de la ligne, des têtes tomberaient.

Extirpant enfin son cellulaire de la pochette, elle consulta l'écran : numéro masqué.

— Rylann Pierce.

— Rylann. Que c'est bon d'entendre ta voix !

Rylann se rallongea, incapable de dissimuler sa surprise.

— Jon.

23

Rylann jeta un coup d'œil au réveil et effectua un rapide calcul.

— Il est 2 heures du matin pour toi !

— Exact, répondit Jon d'un ton enjoué. Je viens de quitter une réception chez des amis. Une jeune femme du bureau de Rome, expatriée comme moi, m'a présenté à plusieurs personnes d'ici. Nous fêtions… à vrai dire, j'ignore ce que nous fêtions. C'est un groupe très sympathique.

— Je suis sûre que tu…

Il continua à parler.

— L'un d'entre eux a un frère qui possède un vignoble en Toscane. Nous nous y rendons le week-end. Tu adorerais cette propriété, bébé. La maison principale est superbe. C'est une villa du XVIIIe siècle magnifiquement restaurée, nichée dans les collines verdoyantes. *Molto bello*.

Rylann cligna des yeux.

Génial.

Hormis le fait que Jon babillait et ponctuait son discours de mots en italien, elle avait bel et bien entendu le « bébé » qu'il y avait glissé. Ils étaient sortis ensemble pendant trois ans et elle le connaissait par cœur. Cela ne pouvait signifier qu'une chose : il était soûl.

— On dirait que l'Italie est à la hauteur de tes espérances, murmura-t-elle en essayant de recouvrer sa lucidité.

Cette conversation lui paraissait surréaliste.

— Pas totalement, avoua-t-il avec un soupir de tragédien. La réception se déroulait dans un appartement tout près de la Piazza Navona. Je suis parti le premier et je me suis mis à marcher. Tout à coup, je me suis retrouvé devant la fontaine Bernini, en face de la trattoria à l'auvent jaune que nous avions tant appréciée. Tu t'en souviens ?

Bien sûr. Après deux jours de visites non-stop, du Forum au Vatican en passant par l'escalier de la place d'Espagne et le Colisée, ils avaient décidé de s'offrir une pause. Le lendemain, ils avaient fait la grasse matinée puis déniché ce restaurant où ils avaient déjeuné tranquillement en terrasse. Ensuite, ils étaient retournés à l'hôtel et avaient fait l'amour.

— Oui. Mais c'est loin.

— Mmm… Alors ? Comment vas-tu ?

D'abord un e-mail et maintenant, cet appel plus ou moins cohérent. Que se passait-il ?

— Jon, sans vouloir t'offenser… à quoi joues-tu ? Allons-nous poursuivre cette conversation à 2 heures du matin ?

— *Nous*, non. Il est 19 heures pour toi.

À quoi bon mâcher ses mots ? D'autant que ce coup de fil devait lui coûter une fortune.

— Jon, pourquoi m'appelles-tu ?

— Que je sache, prendre des nouvelles d'une vieille amie n'a rien d'un crime.

— Tu m'as déjà adressé un mail.

— Je voulais juste savoir où tu en étais. D'après ta réponse à mon message, tu sembles aller plutôt bien mais comment en avoir la certitude ?

Rylann passa une main dans ses cheveux. Dans la mesure où ils avaient décidé d'un commun accord d'éviter tout contact après leur rupture, peut-être était-il inévitable que cette discussion survienne à un moment ou à un autre. Histoire de faire le deuil.

— Je suis en pleine forme. J'ai trouvé mes marques à Chicago.

— Je communique régulièrement avec Keith, Kellie, Dan et Claire. Ils me disent que vous n'avez échangé que quelques messages électroniques depuis que tu as quitté San Francisco. Ça m'a inquiété.

Ah ! Elle comprenait mieux, à présent. Accaparée par sa nouvelle existence à Chicago, elle avait mis de côté – peut-être un peu vite – celle d'avant. Ce n'était pas tout à fait un hasard. Keith, Kellie, Dan et Claire avaient été leurs amis « en couple » et la séparation de Jon et de Rylann avait chamboulé les habitudes de la bande. Pendant les quatre premiers mois, Rylann avait accepté de rencontrer les filles de temps en temps autour d'un verre mais Kellie et Claire la harcelaient chaque fois de questions concernant Jon.

— Je suis débordée de boulot, voilà tout. Mais tu as raison, je devrais leur passer un coup de fil.

— Ils sont persuadés que tu te morfonds sur ton triste sort à Chicago, ricana Jon. Ils s'imaginent que tu passes ton temps à penser à moi. Je peux donc les rassurer ?

Le ton était léger mais Rylann crut y déceler une question malicieuse.

— Je vais bien. Sincèrement.

— Ils seront ravis de l'apprendre. Tu sais à quel point ils sont curieux. Évidemment, après cela, ils voudront savoir si tu as un nouvel homme dans ta vie. La réponse serait… ?

— Qu'ils se mêlent de leurs oignons.

— Forcément.

Il se tut un long moment. Lorsqu'il reprit la parole, ce fut avec une gravité qui changea brusquement le cours de l'échange.

— Et s'ils me confient que tu leur manques ?

Ah, la supercherie ! « Ils », c'était lui.

Rylann prit son temps. Que ressentait-elle ? De la nostalgie, un zeste de tristesse.

— Je leur dirai qu'ils vivent un instant très italo-sentimental et aviné devant la fontaine Bernini mais qu'à leur réveil demain matin, ils regretteront cet appel téléphonique, répondit-elle avec douceur.

— C'était une journée si réussie, Rylann.

Elle devina qu'il contemplait la *trattoria* à l'auvent jaune.

— En effet. Mais cette journée est finie, Jon.

— Je ne sais pas, je…

— Arrête, interrompit-elle. Je ne te souhaite que du bonheur. Vraiment. Mais ressasser le passé me perturbe. Je crois qu'il vaut mieux pour nous deux qu'on… aille de l'avant… Au revoir, Jon.

Elle raccrocha et souffla bruyamment. Puis elle éteignit son portable et le fixa.

Étrange week-end.

24

Le lundi matin, Kyle se planta au milieu de son nouvel espace de bureau en phase finale de rénovation.

— Ça me plaît, déclara-t-il à Bill, l'entrepreneur.

— Normal. C'est moi qui l'ai fait.

Bill lui avait été hautement recommandé par l'architecte qui avait pensé le *Firelight*. Il coûtait une fortune mais Kyle ne voulait reculer devant aucune dépense. Dès l'instant où ses futurs clients – qu'il espérait nombreux – franchiraient le seuil de la société Rhodes Network Consulting LLC, ils sauraient qu'ils étaient entre les mains de professionnels.

Pour l'essentiel, Kyle avait procédé à des modifications d'ordre esthétique. Il avait éliminé la moquette industrielle gris foncé et restauré le parquet en dessous. Il avait aussi banni les couleurs sombres et le mobilier en chêne affectionné par le locataire précédent, optant pour des fauteuils blancs et des bureaux en verre ou en marbre clair. Résultat : un lieu propre, moderne et sophistiqué.

Après avoir inspecté scrupuleusement le hall de réception et la salle de conférences, Kyle se rendit dans son propre bureau. Ici, l'on avait abattu un mur pour créer une vaste pièce dotée de deux côtés en baies vitrées. Peut-être était-ce légèrement excessif mais après quatre mois en cellule, Kyle éprouvait un dégoût profond pour les atmosphères confinées.

« Et puis, songea-t-il, on dirait le bureau d'un P-DG. Mon bureau. »

— Il ne vous reste plus qu'à embaucher votre personnel, décréta Bill.

— C'est la prochaine étape.

— Vous avez un plan ? En toute franchise, je suis curieux de savoir comment vous allez vous en sortir.

— Vous n'êtes pas le seul.

Le mardi matin, Kyle fit le plein d'essence et prit la route au volant de sa Mercedes. À 7 heures du matin, la circulation était plutôt fluide et il mit une trentaine de minutes seulement à sortir de la ville. Puis il s'engagea sur la I-57 pour un trajet de deux heures.

Il se dirigeait vers le sud, destination Urbana-Champaign. La matinée se prêtait à merveille à cette escapade : le soleil brillait, le ciel était bleu et la température agréable. Il baissa sa vitre de quelques centimètres, aspira une bouffée d'air frais puis alluma la radio. Quel bonheur d'échapper au brouhaha de Chicago, ne serait-ce que le temps d'une journée.

Malheureusement, la route dégagée, la vitesse et la bonne musique ne suffisaient pas à le distraire. Rylann hantait ses pensées.

Il avait été accaparé par le travail ces deux derniers jours et pourtant, elle l'obsédait. Dans l'ascenseur, pendant sa séance matinale de footing, sous la douche – tout à coup, vlan ! Elle était là.

Surtout sous la douche.

L'image de Rylann nue sous les jets resterait gravée à jamais dans sa mémoire. De même que le souvenir de son joli petit cul quand elle avait fui le duplex samedi matin.

La situation était idéale. Une nuit d'ébats exceptionnelle, sans lendemain. Il aurait dû s'en réjouir. C'était exactement ce qu'il lui fallait. Désormais, il pouvait enfin clore ce curieux chapitre qui avait débuté neuf ans plus tôt entre Rylann Pierce et lui.

Pourtant, l'histoire avait… un goût d'inachevé.

Kyle secoua la tête, résistant à la tentation de se cogner le front sur le volant afin d'émerger de cette torpeur dans laquelle il vivait depuis deux jours. Un célibataire endurci ne devait pas râler quand une femme intelligente et sexy lui offrait une nuit d'amour inoubliable et s'en allait sans rien demander le lendemain matin. S'en plaindre allait à l'encontre du Code de conduite de l'homme.

Kyle essaya de se concentrer sur la tâche significative qu'il s'apprêtait à accomplir. C'était la première fois qu'il retournait à Urbana-Champaign depuis la mort de sa mère. Il n'avait pas évité intentionnellement de s'y rendre. Pendant les mois qui avaient suivi son décès, il avait dû prendre la direction de la société de son père et n'avait pas eu l'occasion de sortir la tête de l'eau. Au point que c'était Dex qui avait dû emballer ses affaires et les lui rapporter à Chicago.

Au fil du temps, la relation avec son père s'était améliorée et Kyle avait entrepris de gravir les échelons au sein de la Rhodes Corporation. Peu après, Dex s'était installé à Chicago pour ouvrir son premier bar à Wrigleyville. Tous les copains avaient eux aussi sombré dans une routine de semaines harassantes et de week-ends consacrés aux loisirs – night-clubs, femmes, beach-volley, yachting pendant l'été, football à Lincoln Park et matchs de basket amateur à l'East Bank Club dès l'automne.

Pas de quoi s'apitoyer sur son sort. Au contraire. Toutefois, à l'approche de la trentaine, cette existence avait paru à Kyle de plus en plus superficielle.

À présent, il avait trente-trois ans et un casier judiciaire – mais aussi, une chance de redémarrer à zéro. Grâce à sa start-up Rhodes Network Consulting LLC, il espérait pouvoir prouver qu'il était capable d'autre chose que de pirater un site de réseau social. Il ne regrettait en rien son passage dans l'entreprise paternelle et n'avait pas à en rougir. Mais le moment était venu de voler de ses propres ailes.

En priant pour ne pas s'écraser par terre.

Lorsqu'il avait élaboré sa stratégie, Kyle avait adressé un mail au professeur Roc Sharma, son ancien tuteur de doctorat et chef de la division des sciences informatiques de l'université de l'Illinois, pour solliciter un rendez-vous. Sharma lui avait répondu qu'il était disponible ce jour-ci, sans plus.

Quand Kyle avait abandonné le programme de doctorat suite au décès de sa mère, Sharma avait fait preuve de compréhension et de compassion. Ils avaient échangé des courriels de temps en temps au fil des années. Mais l'incarcération de Kyle pour cyber-crime avait mis un terme à cette correspondance.

À la division des sciences informatiques, commettre un délit de ce genre était très mal vu.

Kyle ne savait pas du tout à quoi s'attendre en pénétrant dans le bureau de son mentor. Le fait que Sharma ait pris la peine de lui répondre était encourageant. D'un autre côté, le professeur était réputé pour ses sermons intarissables. Peut-être avait-il saisi l'occasion d'en délivrer un au Terroriste du Web.

C'est donc avec appréhension que Kyle quitta l'autoroute pour se diriger au nord-est du campus. Le bâtiment était un complexe impressionnant, digne de son statut de meilleur établissement du pays.

Il se gara devant l'édifice principal de l'avenue Goodwin, une somptueuse structure ultramoderne en verre, cuivre et acier. L'ouvrage avait reçu plusieurs récompenses pour sa capacité à exploiter la lumière naturelle, ses espaces ouverts, son intérieur en métal rouge et ses terrasses internes – le tout grâce à un don de 65 millions de dollars offerts par l'homme dont le nom ornait fièrement l'entrée.

CENTRE DE SCIENCES INFORMATIQUES
GREY RHODES.

Kyle franchit le seuil d'un pas vif. Il savait précisément où aller pour avoir passé des heures innombrables en ces lieux au cours de ses six années d'études. Le bureau de Sharma se trouvait au troisième étage.

C'était la dernière semaine avant les examens de fin d'année et l'endroit grouillait de monde. Kyle gravit l'escalier central, une construction en verre, brique et acier. Il croisa plusieurs étudiants sur son passage et se demanda combien de temps il faudrait avant que l'un d'entre eux ne le reconnaisse.

Dix secondes.

Un jeune d'une vingtaine d'années en jean et tee-shirt avec l'inscription « je ne suis pas antisocial, je suis juste anticonvivial » fut le premier à l'identifier. Il stoppa net devant lui.

— Ô mon Dieu, c'est vous ! s'exclama-t-il d'un ton révérencieux.

Il agrippa la chemise de l'étudiant juste derrière lui.

— Regarde !

L'autre toisa Kyle avant de se fendre d'un large sourire.

— Bon sang ! Le Terroriste du Web en chair et en os !

Kyle les salua d'un bref signe de tête et poursuivit son chemin.

— Hé ! Attendez !

Tous deux se lancèrent à sa poursuite. Déjà, les murmures s'amplifiaient au fur et à mesure qu'on remarquait Kyle.

Épatant.

Ses deux « fans » le rattrapèrent.

— On a étudié votre cas en cours de sécurité informatique II, claironna le second avec enthousiasme.

— Incroyable, votre attaque du site *Twitter*, renchérit le premier. On dit que c'est le piratage le plus subtil jamais exécuté. Même le FBI n'a rien pu faire pour l'arrêter.

— C'est quoi, votre secret ? Attaque smurf ? Ping de la mort ? SYN flood ?

— Une dose trop importante de whisky, rétorqua sèchement Kyle.

— Cool ! Vous savez que vous êtes une *légende* ! décréta Anticonvivial.

Le moment était venu de remettre les pendules à l'heure. Parvenu en haut de l'escalier, Kyle se tourna vers eux.

— Bon, les enfants, écoutez-moi bien. Le cyber-crime, ce n'est pas cool, c'est stupide. Ça peut vous valoir une peine de prison. Croyez-moi, le jeu n'en vaut pas la chandelle. Bande de crétins.

Les deux copains échangèrent un regard.

— On dirait une de ces pubs minables des services publics.

— Sauf pour le « crétins ». Vous ne devriez pas nous parler ainsi. Nous sommes des jeunes très impressionnables, ajouta Anticonvivial.

— À dix-huit ans, vous n'êtes plus des mineurs aux yeux de la loi. D'après moi, ajouta Kyle, vous ne tiendriez pas plus d'une semaine derrière les barreaux.

Il se frotta le menton, faisant mine de réfléchir.

— Vous vous imaginez prendre votre douche en compagnie de vingt gars tatoués, aux muscles hypertrophiés, dont la plupart sont membres d'un gang, assassins ou trafiquants de drogue ?

Anticonvivial ravala sa salive.

— On vous prête des tongs, j'espère ?

Kyle le fusilla du regard.

— Je rigole… Le piratage, c'est nul. La prison, c'est nul. Compris ?

Anticonvivial scruta la foule d'étudiants et enchaîna tout bas, d'un ton conspirateur.

— Ping de la mort, n'est-ce pas ? Allez. Entre nous.

— Ne vous salissez pas les mains, gronda Kyle entre ses dents en s'éloignant au plus vite.

Le bureau de Sharma était situé dans la partie sud-est du bâtiment. Kyle s'y était rendu à de nombreuses reprises à l'époque où il travaillait sur sa thèse de doctorat. Arrivé dans le couloir, il ralentit, se préparant à une cruelle déception.

Il frappa, vit que Sharma était au téléphone. À l'approche de la soixantaine, les cheveux grisonnants, il était resté le même homme. Il arborait sa tenue de prédilection, chemise et gilet en laine. Rien n'avait changé, les haut-parleurs nichés dans les étagères derrière lui diffusaient du Vivaldi.

Il raccrocha et fixa Kyle à travers ses lunettes à monture métallique.

— C'est le deuxième appel que je reçois en moins de deux minutes d'un membre de la faculté, me demandant si je suis au courant que le Terroriste du Web est dans nos murs.

— Que leur avez-vous répondu ?

Sharma se leva et vint vers lui.

— Que j'envisageais de vous embaucher en tant que professeur adjoint. Pour enseigner les règles de l'éthique.

Il sourit et lui tendit la main.

— Heureux de vous revoir, Kyle.

— C'est réciproque, Professeur, lança Kyle, rassuré.

— Asseyez-vous. J'ai suivi votre affaire, naturellement. J'ai toujours pensé que vous seriez aussi célèbre que votre père un de ces jours. Toutefois, je ne vous imaginais pas emprunter ce chemin-là.

Kyle prit place dans un fauteuil devant le bureau.

— J'ai commis une erreur.

— Vous trouvez ?

Kyle inclina la tête, perplexe.

— J'ai du mal à comprendre. J'ai suivi quatre de vos cours, Professeur. Quelle est la suite du sermon ?

— Comme vous n'êtes plus étudiant, vous avez droit à une version abrégée. Je préciserai simplement que je compte sur vous pour mettre votre talent à profit en toute légalité à l'avenir. On n'a pas toujours droit à une deuxième chance.

— En effet. Je crée ma propre entreprise.

— Quelle en serait la spécificité ?

— La sécurisation des réseaux. Je vise les grosses sociétés. Je me déplace, j'évalue les faiblesses du système du client et je développe les outils nécessaires pour prévenir toute menace interne et externe.

— En d'autres termes, vous voulez leur apprendre à se protéger de gens comme vous.

— Exact. Je compte utiliser ma notoriété.

— Le Terroriste du Web met ses dons au profit du bien plutôt que du mal.

— En résumé, oui.

Sharma le dévisagea d'un air dubitatif.

— En quoi puis-je vous être utile ?

Kyle se pencha en avant, ravi d'en venir aux choses sérieuses.

— C'est très simple, Professeur. J'aimerais que vous me fournissiez les noms de vos deux meilleurs hackers.

Devant l'expression de Sharma, il éclata de rire et écarta les bras.

— Je vous le jure – je respecterai la loi.

Après avoir rassuré Sharma sur l'honorabilité de ses intentions, Kyle obtint les noms et coordonnées de deux de ses étudiants que le professeur considérait comme les plus aptes à remplir les conditions requises. Puis Sharma leur adressa un mail en leur demandant s'ils seraient intéressés d'en savoir plus sur une « opportunité à saisir ».

— La balle est dans votre camp, dit-il en lui serrant la main. Bonne chance. Et la prochaine fois, n'attendez pas neuf ans avant de venir me voir.

Comme par magie, Kyle pensa aussitôt à Rylann. Une fois de plus. Sinon que cette fois, au lieu de se la représenter nue sous la douche, il vit ses yeux ambre s'illuminer quand elle le taquinait.

Ce n'était pas qu'une histoire de sexe. Il adorait son sens de la repartie, son intelligence, sa capacité à entretenir une conversation pendant des heures. Il aimait l'avoir auprès de lui.

Imbécile.

— Merci pour tout, Professeur.

Deux heures plus tard, il patientait dans une petite salle de classe vide, admirant la vue sur le campus en attendant l'arrivée du premier candidat. La porte s'ouvrit et il se retourna.

Un jeune homme d'un peu plus de vingt ans aux boucles rousses, en pantalon kaki et chemise, entra. En reconnaissant Kyle, il s'immobilisa.

— Ah ! Je ne m'attendais pas à ça.

— Bonjour. Kyle Rhodes.

— Gil Newport.

— Je vous en prie, prenez place, dit Kyle en indiquant la table. Vous savez qui je suis, je suppose ?

Gil scruta la pièce. Dieu seul savait ce qu'il cherchait.

— Oui.

— J'ai demandé au professeur Sharma de me mettre en contact avec vous car je suis en train de créer une équipe de spécialistes pour une nouvelle start-up.

— De quel genre ? s'enquit Gil, méfiant.

— Conseil en sécurisation des réseaux.

— Forcément. Une société de *conseil*, railla Gil en mimant des guillemets. J'ai compris.

— Les guillemets sont inutiles. Il s'agit d'une affaire sérieuse, insista Kyle. Selon le professeur Sharma, vous allez obtenir votre master à la fin du semestre et faites votre thèse sur la détection des intrusions et la vérification de systèmes sécurisés et de protocoles.

Gil haussa un sourcil.

— Vous en savez long sur moi, monsieur Rhodes, ironisa-t-il.

Kyle retint un sourire.

— Navré de vous décevoir, Gil, mais tout ceci n'a rien d'une plaisanterie. Je monte mon entreprise et j'ai un poste pour une personne possédant vos qualités. Si vous êtes intéressé, c'est avec plaisir que je développerai mon concept.

— Sans blague, souffla Gil... Au risque de vous offenser, vous êtes une sorte d'électron libre plutôt inquiétant. Et j'ai déjà six propositions d'embauche, toutes très lucratives.

Kyle éluda cet argument d'un geste de la main.

— Si vous décidez de venir chez nous, je vous paierai davantage.

— Vous ignorez les salaires que les autres me proposent.

— Peu importe. Je suis prêt à mettre la main à la poche. À condition que vous le valiez.

Gil parut presque offusqué.

— Oh oui.

Kyle le regarda droit dans les yeux.

— Alors prouvez-le-moi.

Une heure plus tard, Kyle s'apprêtait à rencontrer le deuxième candidat recommandé par Sharma, un garçon de vingt et un ans nommé Troy Leopold « brillant et l'esprit inquisiteur ».

Il débarqua à l'heure pile, cheveux noir de geai dressés en épis, jean déchiré, bracelets en cuir cloutés et les yeux ourlés d'eye-liner. Il fonça droit sur Kyle, pas du tout intimidé.

— Bonjour. Troy Leopold. Pardon pour ma tenue décontractée. Si j'avais su que j'allais avoir un entretien d'embauche aujourd'hui, j'aurais opté pour un pantalon kaki et un polo.

Kyle sourit, conquis d'avance.

— Je tâcherai de passer outre.

Ils s'attablèrent et Troy alla droit au but.

— Autant être franc avec vous. J'ignore ce que vous avez à me proposer mais je suis très flatté que le professeur Sharma ait pensé à moi. Cependant...

Il se tut, craignant de s'être montré trop offensif. Kyle le rassura en riant.

— Croyez-moi, je ne suis pas né de la dernière pluie.

— Je m'imagine mal dans le monde des affaires. Au service d'un patron.

Kyle cligna des yeux. Neuf ans plus tôt, il s'était trouvé dans la position de Troy – avec une chemise en flanelle et des bottes d'ouvrier. Aujourd'hui, il était *le patron*. Il croisa les mains.

— Au secours ! Me voilà devenu mon père... Écoutez, avant de prendre la moindre décision, peut-être aimeriez-vous au moins savoir ce que j'attends de vous. En admettant que je vous recrute.

Troy opina poliment.

— Entendu. Qu'attendriez-vous de moi ?

— D'autres membres de l'équipe, moi y compris, créeront des systèmes de sécurisation pour nos clients. De toute évidence, le seul moyen de confirmer que lesdits systèmes sont efficaces est de les tester.

Troy ne put masquer son étonnement.

— Vous voulez engager un hacker ?

— Je pensais plutôt à un « analyste de sécurité » mais en un mot, oui – vous seriez un hacker professionnel.

Encouragé par la lueur d'intérêt dans les yeux de Troy, Kyle poursuivit :

— Le professeur Sharma me dit que vous êtes brillant et ambitieux. Il y a neuf ans, j'ai eu la chance de travailler parmi les cracks de l'industrie. À l'époque, je ne me voyais pas emprunter cette voie mais je ne l'ai jamais regretté. À présent, je vous offre à mon tour cette chance. Vous découvrirez peut-être que cela ne vous convient pas mais vous ne pouvez pas l'affirmer tant que vous n'aurez pas essayé.

Troy s'exprima précautionneusement.

— Et si je m'aperçois que ce n'est pas pour moi ?

— Engagez-vous pour six mois. Si ça ne fonctionne pas, vous vous en irez. Sans rancune d'un côté ni de l'autre. Vous savez comme moi que des centaines de génies de l'informatique se jetteraient sur cette offre... Après tout, enchaîna-t-il, sachant exactement quel argument avancer, ce sont *mes* systèmes que vous auriez à pirater. Tenter de battre le Terroriste du Web à son propre jeu, n'est-ce pas excitant ?

Troy demeura silencieux un moment puis il esquissa un sourire.

— Je peux venir au bureau habillé comme ça ?

— Troy, il y a quelques semaines, je portais encore une combinaison orange et des baskets sans lacets. Je crois pouvoir affirmer sans me tromper que chez Rhodes Network Consulting LLC, on travaillera dans la simplicité. Évitez tout de même d'abîmer mes claviers avec ces bracelets cloutés.

Le sourire de Troy s'élargit.

— Marché conclu.

En fin d'après-midi, Kyle reprit la route pour Chicago après une journée couronnée de succès.

Il n'était pas encore prêt à se lancer. Deux experts en informatique ne suffisaient pas. De surcroît, ils n'avaient aucune expérience professionnelle ; Kyle devait recruter au moins un cadre dirigeant avec plusieurs années de métier dans le domaine – l'individu qu'il avait rencontré à Seattle avait refusé son offre – et un ou une assistant(e) de gestion. Et il devait d'abord impulser les phases une et deux de sa stratégie de marketing. Il disposait d'un capital confortable pour démarrer et il était prêt à vendre son duplex, le cas échéant, mais l'argent partirait vite.

Ce soir, cependant, il n'avait qu'une envie : savourer le bonheur du devoir accompli. Il y avait bien longtemps qu'il ne s'était pas senti aussi euphorique. Pendant des années, il avait envisagé de se lancer, de sortir de l'ombre de son père. Enfin, il allait sauter le pas.

Le soleil venait de se coucher lorsque Kyle atteignit les limites de la ville, la superbe ligne des gratte-ciel de Chicago lui souhaitait la bienvenue. D'humeur festive, il envisagea de faire un saut au *Firelight* pour célébrer sa victoire avec Dex.

Curieusement, il loupa la sortie d'autoroute.

Il avait une vague idée de là où il allait puisque Rylann lui avait signalé qu'elle habitait à Roscoe Village. Au feu rouge de l'avenue Belmont, il sortit son portable et consulta sa liste de contacts. La magie des SMS, songea-t-il, résidait dans sa simplicité. Inutile de s'expliquer, de se lancer dans des échanges alambiqués dans l'espoir de deviner ce qu'*elle* souhaitait.

J'aimerais te voir.

Il appuya sur la touche « envoi ».

En attendant sa réponse, il roula en direction de la boutique de sa sœur. Il pourrait toujours s'y arrêter, histoire de l'embêter.

Cette fois, Jordan prit les devants.

— Qui est la bombe ? voulut-elle savoir dès qu'il eut franchi le seuil du magasin.

Merde. Il avait complètement oublié la chronique « Scènes et cœurs » du *Tribune*. Se perchant sur un tabouret, il s'empara d'un biscuit salé et d'un cube de fromage.

— Disons… Angelina Jolie. Non, pardon – Megan Fox.

— Megan Fox a vingt-cinq ans.

— Où est le problème ?

Jordan tapa sur la main qu'il plongeait de nouveau dans la coupe de biscuits salés.

— C'est pour les clients, gronda-t-elle. Tu sais, après avoir lu cet article, j'ai vaguement espéré qu'il s'agissait de Rylann. Et que peut-être – *peut-être* – mon vaurien de jumeau avait enfin décidé de se poser pour séduire une femme de qualité.

— Ce serait tout un événement.

Elle secoua la tête.

— Je me demande pourquoi je m'obstine. Un de ces jours, tu vas te réveiller et…

Le téléphone de Kyle bipa et il fit la sourde oreille – il connaissait le discours par cœur – pour lire le message entrant.

3418 rue Cornelia, appartement n° 3.

Simple et succinct. Il avait son adresse.

Avec un sourire, il releva les yeux et coupa court au sermon de sa sœur.

— Épatant, Jordan. Au fait, il te reste quelques bouteilles d'*India Ink* ?

Elle se tut et lui coula un regard noir.

— Oui. Pourquoi ?… Une seconde… Rylann a dit que c'était un de ses vins préférés.

— Vraiment ? Drôle de coïncidence.

Jordan posa une main sur son cœur.

— Ô mon Dieu ! Tu cherches à l'impressionner. Comme c'est mignon !

— Ne sois pas ridicule. J'ai entendu tant de gens s'extasier en parlant de ce breuvage que j'ai envie d'y goûter, voilà tout.

— Kyle. Elle sera enchantée.

Bon, d'accord, peut-être cherchait-il à impressionner Rylann Pierce. *Un peu*.

— Tu crois qu'elle va me trouver excessif ?

— Ma foi, on dirait Bambi qui fait ses premiers pas.

— Jordan !

Avec un sourire, elle lui serra affectueusement l'épaule.

— Pas du tout. Crois-moi, tu ne pouvais pas mieux choisir.

25

Rylann inspecta son appartement tout en se dirigeant vers le vestibule. Il était beaucoup moins chic que le duplex de Kyle, mais joli, chaleureux et par bonheur, impeccable. Ce qui, en soi, n'avait pas grande importance : Kyle ne resterait pas longtemps. Ce qui s'était passé vendredi soir ne se reproduirait plus – entre l'alcool, la lumière diffuse et le regard qu'il avait posé sur elle en sous-entendant qu'elle était la plus jolie femme dans le bar, elle s'était laissé emporter par la magie de l'instant. À présent, le moment était venu d'affronter la réalité.

C'est dans cet état d'esprit qu'elle lui ouvrit. Une lueur d'appréciation dans les yeux, il examina sa blouse paysanne et son jean.

— Miracle ! Tu possèdes un pantalon !

Rylann ouvrit la bouche, prête à le sommer de ne pas compliquer la situation, si merveilleuse avait été leur *sexcapade*. Mais il agita la main pour qu'elle le laisse s'exprimer.

— Avant de te lancer dans ton discours moral ou de prendre tes jambes à ton cou, sache qu'il s'agit d'une visite « sans engagement ». Je t'ai apporté quelque chose.

Il lui présenta un sac argenté à paillettes.

— Oh ! Ah !

Elle ne s'était pas attendue à ce qu'il se présente avec un *cadeau*. Surtout dans un emballage aussi éblouissant.

Il se balança d'un pied sur l'autre, mal à l'aise.

— La pochette paraissait moins clinquante dans la boutique.

— Qu'est-ce que c'est ? demanda-t-elle en lui prenant le paquet des mains, touchée par son air intimidé... Voyons, voyons... Un de mes vins préférés ! Tu t'en es souvenu. Merci.

Il feignit la nonchalance.

— Pas de quoi. Jordan en avait quelques bouteilles dans un bac, j'en ai pris une au passage.

Rylann s'adossa contre le chambranle de la porte.

— Je t'en prie, ne le prends pas mal, Kyle, car j'ai vraiment un faible pour ce vin. Mais... où est le hic ?

— Pas de hic, répondit-il en haussant les épaules. Je ne sais pas, j'ai pensé qu'on pourrait... bavarder.

Il parut aussi sidéré qu'elle à cette idée.

— Bavarder ? Tu es sûr que tu te sens bien ? Parce que tu ne te comportes pas... comme d'habitude.

— Que veux-tu dire ? s'indigna-t-il. Que je ne peux pas passer un moment en compagnie d'une fille sans lui faire l'amour sur la table ?

Bonne question.

— Je... Cela t'est-il déjà arrivé ?

— Évidemment.

— Années de lycée non incluses, précisa-t-elle.

Son expression de culpabilité le trahit. Rylann ébaucha un sourire.

— Tu voudrais peut-être plaider le Cinquième amendement contre l'auto-accusation.

Kyle contempla le plafond en secouant la tête.

— Plus jamais une spécialiste du droit. Je le jure. À partir de maintenant, je ne m'intéresserai qu'aux filles simples et accommodantes *qui n'ont pas* pour but essentiel dans la vie celui de me rendre fou.

Il croisa les bras avant de continuer :

— Je t'explique. J'ai passé une excellente journée et curieusement, c'est à toi, Rylann Pierce, que j'ai eu envie de la raconter… La balle est dans ton camp.

Plus tard, Rylann se dirait qu'elle avait été émue par le geste de Kyle et son énervement. Mais pour être franche, le fait qu'il l'ait choisie pour parler de sa journée avait *un tantinet* ébranlé son cœur de femme rationnelle, pragmatique et lucide.

Sans un mot, elle s'effaça pour qu'il puisse entrer. Affichant un sourire victorieux, Kyle s'avança, s'arrêtant tout près d'elle tandis qu'elle refermait la porte.

Rylann pointa un doigt sur lui.

— N'oublie pas : bas les pattes.

— Bien entendu, Maître… Sauf contre-indication.

L'air était doux, la nuit claire. Rylann proposa qu'ils s'installent sur la terrasse située à l'arrière de son appartement. Elle posa la bouteille d'*India Ink* ouverte sur la table bistrot en bois qu'elle avait chinée la semaine précédente. Elle s'était aussi offert des jardinières et des fleurs, transformant les lieux en un minuscule jardin urbain.

— Très agréable, approuva Kyle en s'asseyant. C'est le seul défaut de mon duplex – pas de balcon. Crois-moi, on s'en aperçoit vite quand on est condamné à rester enfermé chez soi deux semaines d'affilée.

— J'ai vu où tu habites, Fossettes Craquantes. Je ne vais pas pleurer sur ton sort.

— Pierce la Pinailleuse, toujours aussi en verve.

— Pierce la Pinailleuse ? C'est ainsi que tu m'appelles ? s'exclama-t-elle en pouffant.

— Ce surnom a une résonance autoritaire qui te sied… Quoi ?

— En quel honneur, cette tenue d'homme d'affaires décontracté ? Je meurs d'impatience d'entendre ce que tu as fait de ta journée.

— J'ai eu deux entretiens d'embauche.

Rylann leva son verre, enchantée pour lui.

— Félicitations. C'est formidable, Kyle. Comment ça s'est passé ?

— Nickel. J'ai engagé les deux types.

Rylann inclina la tête, perplexe.

— Attends une seconde… *Tu* les as engagés ?

Kyle savoura une gorgée de vin, visiblement fier de lui.

— Tu ne t'attendais pas à ça, n'est-ce pas ?

— Non. À présent, ma curiosité est piquée au vif… Qu'est-ce que tu mijotes ?

Il lui décrivit son projet de long en large. Rylann n'en comprit que la moitié, l'autre étant ponctuée d'acronymes et de termes techniques mais quelle importance ? Le sujet le passionnait et son enthousiasme rendait la conversation fascinante.

Ils s'étaient tellement focalisés ces dernières semaines sur le statut d'ancien détenu – puis de témoin – de Kyle que Rylann le découvrait sous un nouveau jour. Elle le voyait, *lui*, un génie de l'informatique métamorphosé en dirigeant d'entreprise décidé à conquérir le monde de la technologie.

Un défi qu'il relèverait sans le moindre doute.

Quand il eut terminé, Rylann remplit leurs verres.

— Bon, je l'avoue. Je suis impressionnée.

Il plaqua une main sur sa poitrine, mimant l'effarement.

— Non, je rêve. Serait-ce un compliment ?

— Je t'en prie, ne gâche pas un aussi bon moment. Ils sont si rares entre nous.

— C'est la deuxième fois que tu me dis cela, constata-t-il. La première fois, c'était il y a neuf ans quand je t'ai dit que j'avais passé mon examen d'entrée en doctorat.

Il croisa les mains derrière sa nuque.

— Toi qui te refuses à caresser mon ego.

Rylann le dévisagea avec étonnement. Elle n'était donc pas la seule à se rappeler les détails de leur première rencontre.

— Tu t'en souviens encore ? Après toutes ces années ?

— Je n'ai rien oublié de cette soirée... C'est un week-end profondément gravé dans ma mémoire, ajouta-t-il.

Rylann décida d'en profiter pour lui poser une question qui la tracassait depuis qu'ils s'étaient retrouvés.

— Quand tu me vois, est-ce que tu repenses au malheur qui t'a accablé le lendemain ?

— Non, murmura-t-il. Quand je te vois, je repense à la seule chose de bien que j'aie vécue ce fameux week-end.

Rylann eut l'impression qu'un étau serrait son cœur.

« Courage, fuis ! »

Une partie d'elle-même l'y incitait vivement. Un ancien détenu avec une adjointe du procureur ? Impossible en dehors de chez elle.

Justement, ils étaient chez elle. Seuls.

Elle se leva et s'approcha de lui.

En silence, elle s'assit à califourchon sur ses cuisses. Aussitôt, le regard de Kyle s'embrasa. Elle pencha la tête.

— Bas les pattes, répéta-t-elle dans un souffle avant de plonger les doigts dans sa chevelure et de réclamer ses lèvres.

Ils s'embrassèrent un long moment, tels deux adolescents enlacés sous les étoiles. Lentement, Kyle s'écarta.

— Tu n'aurais jamais dû te présenter dans cette salle de tribunal, Rylann Pierce. Je vais être franc avec toi. Tu me plais. Énormément. Mais après le fiasco avec Daniela, je me suis promis d'éviter toute relation durable avant un bon bout de temps.

Il guetta sa réponse, le corps tendu comme s'il se préparait à... à quoi ? Que craignait-il, au juste ?

Rylann glissa les mains sur son torse.

— Je parie que ce passage du discours de non-engagement de Kyle Rhodes est plutôt mal accueilli par tes conquêtes.

— Est-ce à dire que tu t'en fiches ?

— Es-tu en train de me demander si j'envisage d'avoir une liaison sérieuse avec toi ?

— Oui. Et cela ne fait aucunement partie du laïus habituel de Kyle Rhodes.

Rylann tripota un des boutons de sa chemise en réfléchissant au meilleur moyen de lui répondre. Kyle lui plaisait aussi. Énormément. Mais elle les imaginait mal former un couple sur le long terme. Pour leur bien à tous les deux, le plus sage serait de s'en tenir là.

— Vu ton passé avec mon bureau, ce serait... compliqué. Une adjointe du procureur avec un ancien détenu, c'est assez mal vu. Surtout quand ladite adjointe cherche à s'imposer dans son nouvel environnement de travail.

— Où cela nous mène-t-il ?

— Honnêtement, je n'en ai pas la moindre idée, avoua-t-elle.

Il réfléchit un instant puis la serra contre lui.

— C'est toi, la championne des plans.

— Bizarrement, j'ai tendance à les oublier quand je suis avec toi, chuchota-t-elle en fermant les yeux pour savourer son baiser... Il ne faut plus qu'on nous cite dans les chroniques mondaines, enchaîna-t-elle en reprenant son souffle. Nous devrons être plus prudents. Ce qui se passe chez moi doit à tout prix y rester.

— C'est noté, Maître. Maintenant, tais-toi.

Avant qu'elle ne puisse protester, il l'embrassa, explora sa bouche, remontant les mains sous sa tunique pour caresser son dos. Elle eut un mouvement de recul et le regarda droit dans les yeux.

— Hé ! On s'était mis d'accord : pas touche !

— Désolé, ça ne marche pas comme ça, rétorqua-t-il avec un sourire.
— Quoi ? Tu romprais ta promesse ?
Les doigts de Kyle s'aventurèrent jusqu'à l'agrafe de son soutien-gorge.
— Tu en as envie autant que moi et tu le sais.
Contre son torse, il sentit les tétons de la jeune femme se durcir et une lueur de satisfaction dansa dans ses prunelles.
Rylann ne dit rien et Kyle se figea.
— Tu ne plaisantais pas ?
— Non.
Elle baissa la tête, dissimulant un sourire et l'entendit pousser un soupir théâtral.
— Alors... où en étions-nous ? reprit-il d'un ton taquin. À peu près ici, me semble-t-il.
Il pressa sa bouche contre celle de la jeune femme et sentit sa langue s'insinuer entre ses lèvres. Alors il perdit la tête, la dévorant d'un baiser qui les enflamma. Elle laissa échapper un soupir et se pressa contre lui. Il jura entre ses dents et s'agrippa aux accoudoirs.
— Mmm, ça me plaît, affirma-t-elle.
— Demande-moi de te toucher. Crois-moi, je te ferai toutes sortes de choses qui te transporteront.
— Je ne manquerai pas de considérer cette proposition.
En attendant, elle prenait un plaisir fou à mener la barque. Avec une lenteur délibérée, elle déboutonna sa chemise, en écarta les pans puis explora avec ses paumes les muscles d'acier de sa poitrine.
— Tu as soulevé de la fonte en prison ?
— Tous les jours.
Elle se demanda tout à coup si elle était la première avec laquelle Kyle avait couché depuis sa libération. Mais au fond, elle n'avait pas envie de connaître la réponse. L'idée qu'une autre femme ait pu le cajoler ainsi l'agaçait. Bien plus qu'elle ne voulait l'admettre.

« Attention, Pierce ! »

Elle chassa ces pensées de son esprit. Pour l'heure, seule sa présence comptait. Elle avait l'intention d'en profiter au maximum.

Se penchant en avant, elle déposa une pluie de baisers dans son cou. Il gémit, son membre palpita. Tout doucement, elle se frotta contre lui.

— Rylann, tu me tues.

Exactement ce qu'elle voulait. Mais pas ici, sur sa terrasse.

— Suis-moi.

Elle se leva et l'entraîna jusqu'à sa chambre. S'asseyant sur le bord du lit, elle s'apprêtait à l'inviter à l'y rejoindre quand il se plaça face à elle et se plia en deux pour happer sa bouche en un baiser brûlant. Elle gémit et se cala sur les coudes, l'entraînant sur elle.

— Tu as dit « sans les mains » mais pas « sans la langue ». Si tu ôtais ce jean que je puisse te lécher jusqu'à ce que tu cries ?

— Tricheur.

Il ricana et se redressa pour enlever sa chemise. Le reste de ses vêtements suivit puis il s'allongea sur le dos, nu comme un ver, le membre dressé, et croisa les mains derrière sa nuque.

— Que comptes-tu faire de moi maintenant ?

Un défi. Rylann se releva, quitta son jean et sa blouse. En culotte et soutien-gorge, elle l'enfourcha de nouveau.

— J'ai plus d'un tour dans mon sac, promit-elle.

Sans le quitter des yeux, elle s'humecta les lèvres.

— Maître… je suis tout à vous.

L'abdomen de Kyle se contracta violemment tandis que Rylann se calait entre ses jambes. Il en tremblait d'émoi. Elle le rendait dingue avec sa règle de « sans les mains ».

Calé sur les oreillers, la tête sur les mains – puisqu'il avait promis de ne pas s'en servir –, il la fixait, sa chevelure noire tombant comme un rideau devant son visage.

— Dégage ton visage. Je veux te voir quand tu me prendras dans ta bouche.

Elle s'exécuta, l'œil pétillant, avant de dégrafer son soutien-gorge et de le jeter à terre.

— Rylann. Viens ici.

Elle refusa d'un signe de tête et referma ses doigts sur son sexe.

— Comme c'est doux, s'extasia-t-elle.

Le regard rivé au sien, elle s'inclina et taquina son gland du bout de la langue.

— Plus loin, bébé, chuchota-t-il d'une voix rauque. Prends-le tout entier.

Elle l'enfonça dans sa bouche, centimètre par centimètre, léchant et suçant avec avidité ce sexe gonflé de désir.

— Oh, Rylann… c'est divin, articula-t-il, grisé par le plaisir.

Il aurait voulu entremêler les doigts dans ses cheveux, guider sa tête. Mais il ne pouvait que la contempler tandis qu'elle le soumettait à la plus exquise des tortures.

— Assez ! supplia-t-il, au bord de l'explosion.

Elle le libéra pour s'étendre sur lui.

— Tu as apporté un préservatif ?

Il en avait même prévu trois. Mais il n'était pas encore prêt.

— Enlève-moi cette culotte et assieds-toi sur moi.

— J'en connais un qui redevient autoritaire.

Parfaitement. Car il était décidé à enfreindre sa règle du « sans les mains » avant que celle-ci ne le tue.

— Je veux un de ces jolis petits seins dans ma bouche.

— Très autoritaire, renchérit-elle.

Toutefois, elle s'exécuta et lâcha un cri quand il lui mordilla le mamelon. Elle se pencha plus en avant. La chaleur de son sexe contre le sien attisa son excitation. Il était presque en elle mais il voulait reprendre le contrôle.

— Je veux te sentir en moi.

— Demande-moi de te toucher.

Elle poussa un grognement de frustration et il aurait volontiers souri s'il n'avait pas été lui-même au bord de la jouissance.

— Touche-moi, Kyle. Maintenant.

Enfin !

Il plongea les mains dans sa chevelure et l'embrassa avec une ardeur possessive.

— Retourne-toi. Sur le ventre.

Elle obéit, le suivant des yeux tandis qu'il cherchait son pantalon à terre. Il extirpa un préservatif de son portefeuille, déchira l'emballage, enfila la fine membrane en latex.

— Tu aurais intérêt à en avoir une réserve dans chaque pièce. J'ai l'intention de faire ça très souvent quand nous serons ici.

Sur ce, il se positionna entre ses cuisses et lui souleva légèrement les hanches.

— Sur les genoux.

Elle s'exécuta et il plongea en elle.

— Mmm !

Les mains sur sa taille, il se mit à aller et venir, d'abord en douceur puis de plus en plus vite, de plus en plus loin, résolu à la faire sienne. Lorsqu'il était ainsi en elle, la « relation », les complications se volatilisaient, il n'y avait plus qu'eux.

— Kyle…

— Je suis là.

Il glissa une main entre eux pour lui masser le clitoris. En appui sur les coudes, elle se cambra, s'abandonnant totalement à l'orgasme. Ses spasmes s'amplifièrent jusqu'à ce qu'il jouisse lui aussi, si fort qu'il dut ralentir le rythme, les dents serrées, avant de s'affaisser sur elle.

— Alors ? Était-ce mieux que… pas mal ? s'enquit-il, haletant.

Le visage enfoui sous la couverture, elle lui répondit d'une voix étouffée.

— Pour ça, oui.

Avec un sourire, il posa le front sur son dos.

Il était temps.

26

Trois jours plus tard, Rylann retrouva Rae chez *Starbuck's* pour une pause café. Elle avait une mission ultrasecrète à mener, qu'elle avait baptisée opération Coup monté. S'inspirant des agents du FBI avec lesquels elle avait souvent eu l'occasion de travailler, elle avait concocté le prétexte parfait, prétendant vouloir son avis au sujet de sa relation avec Kyle. La vérité, c'était qu'elle avait échafaudé tout un plan. Elle n'avait pas eu le choix et Rae ne devait pas flairer le piège, sinon elle l'enverrait paître en moins de deux secondes.

La beauté de l'affaire, c'était que dans l'hypothèse d'un échec, personne n'en saurait rien. Rylann côtoyait Cade depuis six semaines et connaissait désormais ses habitudes. À moins d'être au tribunal ou en rendez-vous, il se rendait systématiquement chez *Starbuck's* à quinze heures pile chaque jour. Rylann consulta sa montre. Il serait donc là dans onze minutes.

Les deux amies étaient à une table visible depuis le comptoir. Cade les apercevrait forcément. Il viendrait les saluer et Rylann en profiterait pour lui présenter Rae, « mine de rien ».

Pour le reste, ce serait à eux de jouer.

Autour d'un café, Rylann raconta sa relation avec Kyle – en prenant soin, bien sûr, de baisser le ton dès qu'elle prononçait son nom.

— La dernière fois que tu l'as vu, c'était mardi ?

— Plus précisément mercredi matin, répliqua Rylann.

Depuis, Kyle était parti pour Silicon Valley interviewer le jeune dirigeant d'une entreprise de logiciels qu'il voulait recruter.

— Tu rayonnes, commenta Rae.

— C'est la caféine. Ça stimule la circulation du sang.

— Il te plaît.

Rylann haussa les épaules.

— On s'amuse beaucoup ensemble. Pour l'heure, ça ne va pas plus loin... Quoi ?

— Je ne voudrais pas que tu souffres.

— Pourquoi ne dit-on jamais cela à un homme quand il refuse tout engagement ? Les femmes ont le droit de prendre du bon temps aussi, non ?

— Naturellement. Cependant, voici une loi empirique : si tu te balades avec un sourire jusqu'aux oreilles trois jours après avoir vu le type en question, c'est que les choses sont plus sérieuses qu'elles n'en ont l'air.

Très drôle.

— Je gère, Rae. Nous en avons discuté tous les deux. Nous sommes d'accord. Il ne tient pas à s'embarquer dans une relation durable et... je ne souhaite pas vivre une liaison sérieuse avec lui.

— Si tu le dis, marmonna Rae, sceptique. Quand est-ce que tu le revois ?

— Euh... ce soir.

— Deux fois en une semaine ? Intéressant.

— Il doit assister au match des Bulls avec le petit ami de sa sœur et m'a proposé de passer chez moi ensuite. Pas de quoi en faire un fromage.

— Mais c'est un rendez-vous prémédité.

— Oui.

— En d'autres termes, un *tête-à-tête*.

Rylann jeta un coup d'œil sur sa montre. 14 heures 59. Si tout se déroulait comme prévu, la Cible B s'apprêtait à quitter son bureau et serait bientôt en route pour son point de rencontre avec la Cible A. Dès lors, l'opération Coup monté serait en marche.

Sauf que le plan fut déjoué.

Rae vérifia l'heure à son tour.

— Il faut que j'y aille. J'ai une montagne de boulot, annonça-t-elle en se levant.

— Attends ! s'écria Rylann, l'esprit en ébullition. Tu as peut-être raison. Je devrais sans doute éviter de voir qui tu sais ce soir.

Rae éluda le problème.

— Tu sembles maîtriser la situation.

— On devrait probablement peser tous les « pour » et les « contre ».

— Primo, rétorqua Rae, vous couchez ensemble et c'est génial. Deuzio, il t'apporte du bon vin. Tertio, je n'ai rien à redire.

Évidemment, vu sous cet angle… Refusant d'accepter l'échec de l'opération Coup monté, Rylann changea de stratégie.

— Nous n'avons pas parlé de toi.

— Parce que je n'ai rien à raconter.

— Eh bien, parlons-en.

Rae la dévisagea d'un air soupçonneux.

— Pourquoi tant d'insistance ? Nous nous voyons régulièrement… D'ailleurs, ajouta-t-elle en inclinant la tête, qu'est-ce que tu as à consulter ta montre toutes les deux minutes ? On dirait que tu attends quelqu'un.

Elle écarquilla les yeux, lâcha un petit cri et pointa l'index sur son amie.

— Non ! Ne me dis pas que c'est un coup monté.

— Du calme, du calme. Ce n'est pas un piège, juste une sorte de… rencontre improvisée. Mon confrère ne sait même pas que tu…

— Pas question, trancha Rae en ramassant son sac et sa boisson. Tu sais que j'ai horreur de ce genre de mise en scène.

— Allez ! Après tous les stratagèmes de marieuse que tu as imaginés pour moi depuis l'époque de nos études, tu m'es redevable.

— Sans doute. Malgré tout, je m'en vais.

Comme dans un film au ralenti, Rylann vit ce qui était sur le point de se passer.

— Rae, écoute-moi…

— Bien essayé, Pierce. Mais il va falloir être plus finaude la prochaine fois.

Avec un sourire satisfait, elle pivota sur elle-même et… heurta de plein fouet un certain agent spécial Sam Wilkins.

Dont la veste était maintenant maculée de cappuccino.

— Ô mon Dieu ! Je suis désolée !

Il poussa un soupir.

— Comme par hasard, il faut que ça tombe sur mon costume Varvato… Bonjour.

Rae le fixa, apparemment fascinée par son sourire éclatant.

— Vous voulez une serviette en papier ? bredouilla-t-elle en brandissant la sienne, complètement détrempée.

Il l'accepta.

— Agression au cappuccino. C'est nouveau.

Rae se ressaisit juste à temps.

— Autodéfense, rétorqua-t-elle. Vous avez déboulé sans prévenir.

— Je suis un homme discret… Agent spécial Sam Wilkins, ajouta-t-il en lui tendant la main.

— Rae Ellen Mendoza.

Restée assise, Rylann observait la scène avec intérêt. Rae *Ellen* ? L'affaire devenait sérieuse.

— Heureuse de vous revoir, Sam, lança Rylann.

— Vous vous connaissez ? s'inquiéta Rae.

— Bien sûr. Nous travaillons ensemble, expliqua Wilkins en essuyant ses vêtements.

— Passionnant, railla Rae. Et je suppose que vous êtes entré ici tout à fait par hasard ?

— À vrai dire, oui. Je viens de passer trois heures de mon après-midi devant le grand jury et j'avais besoin d'un remontant avant de regagner mon bureau. J'ai aperçu Rylann et décidé de venir lui dire un petit bonjour.

— Ah, murmura Rae… Navrée que vous soyez obligé de retourner travailler dans cet état.

— Dans la mesure où je suis de loin l'agent le mieux habillé de mon agence, vous mettez ma réputation en péril. Par chance, je sais comment vous allez pouvoir vous rattraper.

Il plongea une main dans la poche intérieure de sa veste, révélant en partie son harnais et en sortit une carte de visite.

— Voici mes coordonnées. Téléphonez-moi afin que je sache où adresser la facture du teinturier, suggéra-t-il, une lueur amusée dans ses yeux bruns.

— J'y réfléchirai.

— Je compte sur vous. Ne tardez pas trop à m'appeler, Rae Ellen Mendoza, sous peine de ruiner une adorable histoire de rencontre fortuite.

— Depuis quand les agents du FBI s'intéressent-ils aux rencontres fortuites ? gloussa-t-elle.

Wilkins la gratifia d'un clin d'œil avant de se détourner.

— Vous découvrirez bientôt que je ne suis pas un agent du FBI comme les autres. À plus tard, Rylann !

Sur ce, il disparut.

— Très amusant, dit Rylann en s'emparant de son café.

Elle n'avait plus rien à faire ici. Les deux amies se dirigèrent en silence vers la sortie. Une fois dehors, toutefois, Rae céda à la tentation.

— D'accord. Dis-moi tout.

— Diplômé de Yale. Études de droit, a intégré le FBI l'année dernière. Affecté à la division criminelle, spécialisé dans les homicides.

Rae digéra cet afflux d'informations.

— Il est un peu jeune. Mais ce sourire – dévastateur ! Finalement, ça s'est plutôt bien passé.

Rylann devrait emporter dans sa tombe les véritables détails tactiques et l'identité de la cible B de son opération Coup monté.

— Normal. Tu n'es pas la seule à avoir des dons de marieuse.

Elles se séparèrent sur le trottoir. Tout allait pour le mieux dans le meilleur des mondes.

— Rylann ! Salut !

Se retournant, elle vit Cade Morgan qui venait vers elle.

— Je viens de croiser Sam Wilkins, inondé de cappuccino. Il a évoqué une adorable histoire de rencontre fortuite… Qu'est-ce que j'ai loupé ?

Rylann lui sourit. Pauvre Cade. Il avait raté le coche de très peu.

Peut-être aurait-il plus de chance la prochaine fois.

Pour divertir ses clients, la société Rhodes Network Consulting LLC – alias Kyle – s'était offert une loge de luxe au United Center. L'abonnement comprenait quatre fauteuils privés avec une vue imprenable sur le terrain, un service personnalisé pour les boissons et une table de choix dans le bar-restaurant du stade.

La société Rhodes Network Consulting LLC n'ayant pas encore de clients, il n'en profitait guère. Par conséquent, quand Jordan avait décrété que lui et Nick devraient passer une soirée ensemble afin de mieux se connaître, Kyle avait offert deux billets à ce dernier en lui proposant d'amener un copain. De son côté, se fiant à l'adage « plus on est de fous, plus on rit », il avait invité Dex.

Il s'en mordait les doigts.

D'un œil méfiant, il vit les deux agents du FBI – oui, maintenant ils étaient deux, apparemment ils se multipliaient comme des gremlins mouillés – pousser le rideau pour pénétrer dans la loge.

— Sympa ! s'exclama-t-il. Vous êtes venu avec le type qui m'a massacré la cheville en y fixant un bracelet électronique.

Nick se tourna vers l'homme aux cheveux noirs et aux yeux bleus à ses côtés.

— J'avais complètement oublié.

Le deuxième agent – l'agent spécial Jack Pallas, si sa mémoire était bonne – parut tout aussi surpris.

— Tu m'as dit que tu avais un billet en plus, Nick. Tu ne m'as pas précisé qui serait là.

Nick porta son regard de Jack à Kyle avec embarras.

Une serveuse apparut et le sauva de cet imbroglio.

— Souhaitez-vous boire quelque chose ?

Quatre mains se levèrent d'un coup.

— Bière pour tout le monde, lança Kyle.

La serveuse partie, Nick et Jack s'installèrent derrière Kyle et Dex.

— Pour ma défense, expliqua Jack à Kyle, à l'époque, vous flirtiez avec ma petite amie. Et vous m'avez appelé Wolverine.

Kyle sourit intérieurement. Il avait oublié ce détail. Le soir où on l'avait libéré de prison, la procureure fédérale Cameron Lynde et l'agent Pallas étaient venus le voir pour lui expliquer qu'il allait pouvoir purger la suite de sa peine à domicile. C'était le pacte que Jordan avait conclu avec le bureau du procureur et le FBI dans le plus grand secret.

Cameron Lynde était la première femme autre que Jordan à se présenter devant lui depuis quatre mois et il ignorait qu'elle et Pallas étaient ensemble. Flirter avec elle ? Possible qu'il l'ait fait.

— Un point partout, ça vous va ? intervint Nick.

Jack haussa les épaules et se tourna vers Kyle.

— Je n'ai pas franchement le choix. McCall ici présent vient d'être promu agent spécial en chef. Je ne tiens pas à ce qu'il m'expédie au diable Vauvert sur une mission minable sous prétexte que j'ai offusqué son futur beau-frère.

Kyle dévisagea Nick avec effarement.

— Beau-frère ?

À ses côtés, Dex lui tapa sur l'épaule.

— Tu vois ? Toi qui craignais qu'on n'ait rien à se dire.

Par bonheur, le match commença. Kyle n'avait pas choisi l'événement au hasard : Nick étant originaire de la « grosse pomme » et fan de basket, il avait opté pour une rencontre entre les Knicks de New York et les Bulls de Chicago.

Ainsi les limites se fixèrent-elles d'emblée. La rivalité entre supporters l'emporta sur la dissension entre l'ancien détenu et l'agent du FBI, les dérapages verbaux fusèrent. Entre hommes, on oublie vite ses conflits au sein d'une arène sportive.

Quelques instants avant la mi-temps, cependant, ils s'accrochèrent au cours d'un temps mort.

— Où en es-tu avec Rylann ? lui demanda Dex d'un ton nonchalant.

Kyle faillit s'étrangler.

Quelle façon *idiote* de se faire prendre !

Absent depuis mercredi, il n'avait pas eu le temps de mettre Dex au courant de la nature clandestine de sa relation avec Pierce la Pinailleuse. Il n'avait pas non plus imaginé une seule seconde que Nick viendrait en compagnie du petit ami de la patronne de Rylann.

Pas question pour lui de revenir sur sa promesse. Rylann lui avait demandé de garder le secret et il en avait la ferme intention. Car si jamais elle pressentait que sa supérieure avait flairé le pot aux roses, elle mettrait une croix sur tout rendez-vous futur.

Et Kyle n'était pas encore prêt à l'abandonner.

Il se vautra dans son siège, feignant l'indifférence.

— Nulle part, malheureusement. Elle m'a laminé l'autre soir au *Firelight*. Le fameux coup du « je ne mêle jamais travail et plaisir ».

Dex fronça les sourcils, perplexe – avec raison puisque Kyle lui avait dit qu'il passerait chez Rylann après le match.

Kyle secoua discrètement la tête.

Dex marqua une pause, porta son regard vers Jack et Nick et comprit qu'il y avait anguille sous roche.

— C'est nul. J'étais sûr que tu l'avais ensorcelée ce soir-là.

— Tu n'étais pas le seul, ricana Kyle. Le destin en a décidé autrement, je suppose.

— C'est de Rylann Pierce que vous parlez ?

La question venait de Jack. Se tournant légèrement, Kyle constata que l'agent l'observait d'un air curieux.

— Bien deviné.

— Pas tant que ça. Le prénom est original. De surcroît, je sais que vous avez coopéré avec elle. Mon partenaire est Sam Wilkins. Il m'a dit que Rylann vous avait entendu dans le dossier Quinn.

Au diable ces agents du FBI et ces adjoints du procureur ! Apparemment, le téléphone arabe fonctionnait à merveille dans ces milieux.

— Ah. D'accord.

Jack but une gorgée de sa bière.

— Quand vous collaboriez avec elle, vous a-t-elle raconté l'histoire de Rylann Sans Peur ?

Kyle hésita, décontenancé. Que lui valait ce brusque revirement d'attitude ? Il nota aussi que Nick les observait avec intérêt.

— Pas que je sache.

— L'anecdote est amusante et a fait le tour de toutes les agences du FBI. Apparemment, il y a quelques années, votre amie Rylann a travaillé sur une grosse affaire de trafic de drogue à San Francisco – un clan de mafieux qui avait dissimulé un labo clandestin quelque part dans les bois. Bref, elle explique à mes collègues qu'elle est sur l'enquête et veut visiter les lieux. Le jour « J », un incident quelconque au tribunal la met en retard et elle déboule au rendez-vous en tailleur et talons hauts.

Kyle sourit. En tailleur et talons hauts. Forcément.

— Sans rien dire, les deux agents la conduisent dans la forêt devant un trou d'un mètre de diamètre recouvert d'une plaque en fonte – un peu comme la trappe supérieure d'un sous-marin. Ils l'ouvrent et là, il n'y a rien d'autre qu'une échelle rouillée.

— On se croirait dans *Les Disparus*, fit remarquer Dex.

— Absolument, convint Jack... Au fait, vous a-t-on jamais dit que vous ressembliez à...

— Seulement mes codétenus, vu que la série a pris fin il y a deux ans, gronda Kyle. Continuez.

— Rylann montre le trou : « C'est là qu'on va ? » Ils lui répondent que oui en s'imaginant qu'elle va se dégonfler. Pas du tout. Elle enlève ses escarpins et les coince dans la ceinture de sa jupe en claironnant : « Si je passais la première ? Ainsi, vous serez moins tenté de reluquer mes fesses. » Ni une ni deux, elle descend.

Kyle rit aux éclats. Décidément, cette fille n'avait de cesse de l'étonner.

— Vous avez raison, l'anecdote est amusante, concéda-t-il. Dommage que ça n'ait pas collé entre nous. Elle me l'aurait peut-être relatée et on aurait bien rigolé.

— Peut-être que oui, peut-être que non, argua Jack. Il paraît qu'elle et Cade Morgan s'entendent à merveille.

Cade Morgan.
Son bourreau.
Kyle agrippa si fort les accoudoirs de son fauteuil qu'il fut surpris de ne pas les casser.
— Tant mieux pour lui, murmura-t-il.
À cet instant, le gong de la mi-temps retentit. Nick se leva.
— Le tableau des scores ne ment pas, mes amis, déclara-t-il, enchanté que les Knicks aient huit points d'avance. Ce qui signifie, si je ne m'abuse, que l'un d'entre vous me doit un verre... À vous l'honneur, Sawyer, ajouta-t-il en serrant l'épaule de Kyle. Rejoignez-moi au bar.

Dès que Kyle et Nick furent dans le salon privé, l'expression de l'agent devint grave.
— Vous êtes conscient que c'était un interrogatoire, j'espère ?
— Parfaitement.
Et cela ne lui plaisait pas du tout.
— Pallas a tenté de vous amadouer en vous narrant l'incident du labo clandestin, puis il vous a asséné ce commentaire à propos de Morgan uniquement pour jauger votre réaction. Un truc vieux comme le monde... Deux whiskys sur glace, s'il vous plaît, lança-t-il à l'intention du barman.
— Votre ami Jack aurait intérêt à se mêler de ses oignons.
— Jack est un type bien. Et un agent exceptionnel. Toutefois, sa priorité numéro un est et sera toujours de protéger le procureur fédéral. S'il estime que Cameron doit être au courant d'un détail – que l'une de ses principales adjointes fricote avec le Terroriste du Web, par exemple, il ne se gênera pas.
Le serveur glissa deux verres devant eux. Nick en tendit un à Kyle.

— Tenez. Vous avez l'air d'en avoir besoin.

Kyle but une gorgée d'alcool.

— Est-ce la vérité ? Des rumeurs courent-elles au sujet de Rylann et de Morgan ?

— Simples ragots. À votre place, je ne m'inquiéterais pas.

Trop tard. L'idée que Rylann et Cade « s'entendent à merveille » l'insupportait.

— Permettez-moi de vous poser une question. Si vous soupçonniez un homme de draguer ma sœur, comment réagiriez-vous ?

— J'en ai déjà flanqué un hors de sa boutique parce qu'il flirtait avec elle… Un crétin. Il portait toujours une écharpe, même à l'intérieur… J'ignorais qu'entre vous et Rylann, c'était du sérieux.

— Ça ne l'est pas.

— Dans ce cas, pourquoi vous soucier de ce qu'elle fait avec Morgan Cade ?

Kyle changea de position, mal à l'aise.

— Quoi ? Encore un interrogatoire ?

— Désolé. Mauvaise habitude.

Un silence les enveloppa puis Nick s'éclaircit la gorge.

— Écoutez, Kyle, je sais que nous avons pris un mauvais départ. Mais je vais vous répéter ce que j'ai dit à votre père le jour où j'ai fait sa connaissance : votre sœur Jordan est tout pour moi. Je viens d'un milieu où la famille prime sur tout le reste. Sachant cela… j'aimerais beaucoup que nous puissions oublier le passé et aller de l'avant, conclut-il en lui offrant sa main.

Kyle accepta le geste.

— Vous aussi, vous avez eu droit à un sermon ?

Le visage de Nick se fendit d'un sourire.

— J'ai reçu l'ordre de « faire un effort ». Et ensuite, de glaner tout ce que je pouvais à propos de vous et de Rylann. Je pense que je me contenterai de lui dire que vous vous êtes illuminé comme un phare en entendant l'histoire du labo clandestin.

— Épatant. Désormais, vous êtes deux à vous mêler de ma vie.

Nick posa un bras sur ses épaules, visiblement enchanté.

— Autant t'y habituer, Sawyer. C'est ça, la famille.

27

En lui ouvrant, Rylann découvrit un Kyle de fort mauvaise humeur.

— J'ai entendu une rumeur intéressante, ce soir, proclama-t-il sans préambule en entrant.

Rylann ferma la porte derrière lui, perplexe.

— Ah ! Moi aussi, je suis ravie de te voir.

Planté au milieu de son salon, l'air sévère, il croisa les bras.

— Il se passe quelque chose entre Cade Morgan et toi ?

Sa question prit Rylann de court. Elle inclina la tête, sidérée. Quelle idée !

— Non. Pourquoi ?

— Jack Pallas prétend avoir entendu dire que vous étiez très proches.

Rylann marqua une pause.

— Je me demande bien pourquoi Jack Pallas et toi parliez de Cade et de moi.

— Nick l'a amené avec lui au match des Bulls. Dex m'ayant interrogé à ton sujet, Pallas est allé à la pêche aux informations. Ne t'inquiète pas, ajouta-t-il précipitamment devant son expression de panique. Personne ne sait que tu couches avec le Terroriste du Web. Enfin si, Nick est au courant par l'intermédiaire de Jordan.

Rylann souffla bruyamment. Cette aventure, censée être simple et divertissante, se révélait plus complexe que prévu.

— Nick McCall est l'agent spécial en charge du bureau du FBI de Chicago. Il collabore régulièrement avec ma supérieure, Cameron.

— Il ne dira rien. Désormais, nous sommes copains.

— Épatant. Voilà l'avenir de ma carrière suspendue à une « amitié » forgée le temps d'un match de basket.

— La conversation sur Cade Morgan et toi n'est pas finie.

— Il ne se passe *rien* entre Cade et moi, s'indigna Rylann. Si c'était le cas, crois-tu que je serais ici ?

Le menton de Kyle tressaillit.

— Sans vouloir vous offenser, Maître, ce ne serait pas ma première déconvenue du genre.

Aussitôt, Rylann s'en voulut. Elle avait momentanément oublié que la conquête précédente de Kyle l'avait trahi de la manière la plus odieuse qu'il soit. Ils n'avaient jamais évoqué Daniela. Rylann concevait que Kyle ne veuille pas s'étendre sur le sujet. Toutefois, cette sombre histoire qui l'avait conduit en prison et avait laissé des traces. Forcément.

Elle s'approcha de lui. Elle ne pouvait pas guérir les plaies infligées par Daniela mais elle pouvait lui assurer que rien de tel n'arriverait avec elle. Elle décroisa ses bras, s'avança tout contre lui et le regarda droit dans les yeux.

— Il n'y a rien entre Cade et moi. Nous travaillons ensemble, nous sommes amis, rien de plus.

Il ne bougea pas.

— Tu es copine avec le type qui m'a traité de terroriste ?

Eh... merde ! Quelle maladroite.

L'attitude de Kyle était parfaitement compréhensible. Certes, il ignorait que l'ancien procureur fédéral, soucieux de faire passer un message à la presse, avait donné l'ordre à Cade de laminer Kyle. N'empêche que

Cade l'aurait tout de même poursuivi – avec acharnement – parce que c'était son métier.

Que lui répondre, vu les circonstances, sinon la vérité ?

— Euh... oui, soupira-t-elle. Et moi qui trouvais déjà la situation compliquée.

— Est-ce à dire que tu as des doutes quant à notre relation ?

Comme elle se taisait, il lui prit le menton, l'obligeant à lever la tête vers lui.

— Tu veux que je m'en aille ?

Elle réfléchit une seconde.

— Non, murmura-t-elle.

— Tu en es certaine ?

— Absolument.

Elle noua les bras autour de son cou. Une chose était sûre : elle n'était pas encore prête à dire au revoir à Kyle Rhodes.

— Vois-tu, enchaîna-t-elle, j'ai un petit souci : depuis quelques nuits, mes oreillers sont imprégnés du parfum de ton shampooing pour cheveux de rêve et je n'arrive plus à m'endormir sans penser à toi.

Kyle glissa les mains dans son dos, la pressa contre lui.

— Tu devrais peut-être laver tes taies d'oreillers. Te débarrasser de toute trace de ma personne.

— Ou alors, je pourrais t'inviter à passer la nuit avec moi, chuchota-t-elle en se hissant sur la pointe des pieds pour frôler ses lèvres d'un baiser... D'autant que nous ne trouvons jamais vraiment le temps de dormir.

Comme leurs bouches se rencontraient, le monde cessa de tourner. Sans doute attisée par leur petite querelle, leur étreinte fut passionnée. Soutenant les hanches de Rylann, Kyle la plaqua contre la porte d'entrée. Rylann lui arracha son tee-shirt et caressa son torse musclé en murmurant son prénom, une envie irrépressible de se donner à lui, là, tout de suite.

Mû par un désir tout aussi brûlant, Kyle lui enleva son tee-shirt puis baissa d'un geste brusque son pantalon de jogging et sa culotte. Pressée, Rylann l'aida, envoyant balader ses vêtements d'un coup de pied pendant qu'il déboutonnait la braguette de son jean.

Un frisson d'excitation la parcourut quand son membre dressé effleura la peau de son ventre. Tremblant, il extirpa un préservatif de la poche arrière de son pantalon.

— Vite ! le supplia-t-elle, le souffle court.

Il déchiqueta le paquet, enfila la capote, puis agrippa ses fesses pour la soulever légèrement et se positionner entre ses jambes. Une mèche sur le front, le regard luisant, il accrocha son regard.

— Tant qu'il en sera ainsi, peu importe combien de temps, il n'y aura que toi. Compris ?

— Je ne veux que toi.

Apparemment satisfait de la réponse, il s'enfonça en elle. Renversant la tête, Rylann laissa échapper un râle.

— Mon Dieu ! Que c'est bon.

Kyle se mit à aller et venir en elle.

— C'est parfait, marmonna-t-il d'une voix rauque.

Plus tard dans la soirée, Kyle se retrouva un moment seul sur le canapé de Rylann, à tripoter distraitement le pied de son verre de vin. Elle était « d'astreinte » ce jour-là – un peu comme un médecin – et avait dû répondre de toute urgence à la requête d'une équipe du FBI sollicitant un mandat de perquisition.

Blottis l'un contre l'autre, ils feignaient de regarder un film tout en se pelotant furieusement comme deux adolescents de seize ans quand le bip de son pager avait retenti. Aussitôt, elle avait consulté le message, s'était excusée en déposant un baiser sur le bout du nez de Kyle et s'était réfugiée dans la chambre.

Frappé par la normalité de ce moment, Kyle avait pris conscience que leur relation pouvait mener à cela – des soirées à deux, une bonne bouteille, une pause pendant que l'un ou l'autre s'éclipsait pour répondre à un coup de fil important. Rien à voir avec son passé de play-boy.

À cet instant précis, bercé par le murmure de la voix de Rylann dans la pièce voisine, il songea que pour rien au monde il n'aurait voulu être ailleurs.

Affirmatif.

Il était en train de tomber amoureux.

Un sentiment de panique le submergea et il s'imagina prendre ses jambes à son cou et disparaître.

À moins qu'il n'opte pour la solution numéro deux.

Rester et tenter de convaincre une certaine avocate effrontée que leur histoire n'avait rien d'une aventure sans lendemain.

La proposition était risquée. Lui-même n'était pas sûr à cent pour cent de vouloir s'engager mais surtout, il ignorait comment – et si – il pourrait se faire une place dans la vie de Rylann. De toute évidence, elle adorait son métier. Qu'on l'appelle à 22 heures un vendredi soir en pleine séance de câlins ne semblait pas la déranger outre mesure. Pierce la Pinailleuse ne dérogeait jamais à son devoir.

— Désolée, dit-elle en réapparaissant avec un sourire contrit...

— Tu as obtenu ton mandat de perquisition ?

— Oui.

— Quel genre d'affaire ?

Elle ramassa son verre et but une gorgée de vin.

— Terrorisme. Le FBI a eu un tuyau au sujet d'un type qui doit être déporté demain aux aurores. Il est soupçonné d'avoir des liens avec un groupe de fondamentalistes en Tchétchénie. Les agents veulent fouiller son appartement et ses effets personnels mais il refuse.

— Tu me sidères, Rylann. Sincèrement.

C'est alors qu'il prit sa décision.

Elle pourrait imposer ses règles à sa guise – mais ce duel, c'est lui qui l'emporterait.

28

Le dimanche soir, après un vol de quatre heures et demie, Kyle tendit son bagage au porteur et se dirigea vers le comptoir de réception du *Ritz Carlton* de San Francisco.

— Je me rends sur ton ancien terrain de jeux, avait-il annoncé à Rylann le samedi matin alors qu'ils se disaient au revoir sur le seuil de son appartement.

— Tu vas à San Francisco ? En quel honneur ?

— Tu le sauras bien assez tôt.

Elle l'avait dévisagé d'un air perplexe.

— Dans quoi t'es-tu encore lancé ?

Elle avait eu beau insister, Kyle avait refusé de lui révéler quoi que ce soit. Ce voyage était d'une importance capitale pour lui car des vingt-quatre heures à venir dépendait le lancement de la société Rhodes Network Consulting LLC. Soit on louerait son génie, soit il se ridiculiserait complètement.

— Bienvenue au *Ritz Carlton*, monsieur. Que puis-je pour vous ? s'enquit l'hôtesse d'accueil avec un sourire chaleureux.

— J'ai une réservation au nom de Kyle Rhodes.

Reconnaissant le nom, elle leva un instant les yeux de son clavier et se remit aussitôt à taper.

— En effet, vous avez demandé une suite Club pour une nuit.

— Est-il possible de la libérer un peu plus tard que prévu demain ? J'ai une réunion qui risque de se prolonger.

Ou pas. Pour l'heure, il misait à 80 contre 20.

— Certainement, monsieur Rhodes.

Le portable de Kyle vibra. Il s'en empara et vit que Rylann venait de lui envoyer un SMS.

J'ignore ce que tu fabriques mais épate-les tous, Fossettes Craquantes.

— Avez-vous besoin d'autre chose ? s'enquit l'hôtesse.

Avec un sourire, Kyle rangea son appareil.

— Non, merci. J'ai tout ce qu'il me faut.

Peu avant 10 heures le lendemain matin, Kyle monta dans un taxi.

— 795 rue Folsom, annonça-t-il au chauffeur.

Quelques minutes plus tard, la voiture s'immobilisa devant un édifice moderne de six étages. Il paya la course, descendit, rajusta sa cravate.

Ce n'était plus le moment de reculer.

Son portfolio à la main, il pénétra dans le bâtiment et prit l'ascenseur jusqu'au dernier étage. L'œil rivé sur l'indicateur, il trouva l'ascension interminable. Les portes s'ouvrirent sur un espace de réception au décor minimaliste.

Assise à son bureau en marbre blanc et gris, l'hôtesse écarquilla les yeux en voyant Kyle. Derrière elle, le mur n'était orné que du logo en bas-de-casse de l'entreprise :
twitter

— Vous êtes là ! s'exclama-t-elle, incrédule. Pendant toute la semaine, nous nous sommes demandé si vous maintiendriez votre rendez-vous. Beaucoup d'entre nous ont cru à une blague.

Kyle avait passé des heures à discuter avec les avocats de la société avant d'obtenir satisfaction. Sous aucun prétexte il ne se serait désisté après avoir subi un tel martyre.

— J'en déduis que je n'ai pas besoin de me présenter ?

— Oh non ! Ici, on vous connaît.

Elle décrocha son combiné et appuya sur une touche.

— Kyle Rhodes est arrivé… Asseyez-vous, je vous en prie. M. Donello va vous recevoir d'ici peu.

— Merci.

Il s'attendait plus ou moins à ce que Donello le fasse mariner toute la matinée avant de l'envoyer paître mais le téléphone de l'hôtesse sonna à peine quelques minutes plus tard.

— M. Donello vous attend. Suivez-moi.

Pratiquement tout était blanc sauf les parquets. L'espace principal se composait de plusieurs rangées de quatre postes de travail chacune.

Toutes les têtes se tournèrent sur son passage.

— Bonne chance, murmura la jeune femme avec un sourire, en atteignant un vaste bureau au bout du couloir.

Rick Donello, P-DG de *Twitter*, ne bougea pas d'un iota, confortablement installé dans son fauteuil. Relativement jeune – trente-cinq ans environ –, cheveux épars et lunettes sur le nez, il contempla Kyle avec un mélange d'incrédulité et de mépris.

— En tout cas, vous avez de sacrées couilles, Rhodes.

D'un geste, il l'invita à prendre place.

— Vous avez soixante secondes pour m'expliquer pourquoi je devrais faire autre chose que de vous jeter dehors.

Tant mieux. Kyle n'avait aucune envie d'échanger des mondanités.

— Comme la moitié de la planète a pu s'en rendre compte il y a sept mois, votre système comporte des failles à travers lesquelles je pourrais passer en camion. Ma société peut vous aider à y remédier.

Donello émit un rire sans humour.

— Je ne suis pas idiot, Rhodes. Nous avons tout remis à jour après votre sabotage. Je doute que vous parveniez à pirater notre site aussi facilement aujourd'hui.

— Quel montant des revenus en provenance de vos sept cents annonceurs êtes-vous prêt à miser là-dessus ?

Donello demeura impassible.

— Il ne vous reste que quarante secondes. Dépêchez-vous de me dire ce que vous aviez à me dire. À défaut d'autre chose, cela me procurera un sujet amusant pour un *tweet*.

Kyle se pencha en avant.

— J'ai lu toutes les interviews, Donello. Quand vous avez repris les rênes de cette entreprise il y a un an, vous avez transformé ce qui était un réseau massif de communication en une plateforme massive de publicité. Vous avez souligné la nécessité de la fiabilité et pourtant, j'ai réussi à arrêter le fonctionnement du site pendant quarante-huit heures à partir d'un simple ordinateur et alors que j'étais imbibé d'alcool.

Donello posa les bras sur son bureau.

— Vous voulez donc que je vous embauche, vous qui nous avez fait passer pour des crétins et que je vous donne une somme exorbitante pour résoudre nos problèmes de sécurité ? Est-ce bien votre proposition ?

— Oui. Sauf que je le ferai gratuitement.

— Gratuitement.

— Je vous bâtirai une véritable cyber-forteresse sans que cela vous coûte un cent. Il me semble que je vous dois bien cela.

Donello l'examina longuement.

— Ce qui vous intéresse, c'est la publicité qui en découlera, devina-t-il.

Kyle esquissa un sourire. Il avait franchi l'obstacle des soixante secondes.

— Oui. Et vous aussi.

Deux heures plus tard, le P-DG de la Rhodes Network Consulting LLC émergeait de l'édifice moderne de six étages en ayant décroché son premier client.

Certes, l'affaire ne lui rapporterait rien mais Kyle n'en était pas moins un homme heureux. Comme il l'avait espéré, Donello s'était comporté en homme d'affaires avisé et avait saisi cette opportunité unique d'améliorer la sécurité de son site tout en s'assurant une abondante publicité. Ils avaient même rédigé ensemble un communiqué de presse qui serait envoyé aux médias new-yorkais dès 8 heures le lendemain matin.

Le temps était maintenant venu pour Kyle de mettre en œuvre la deuxième phase de sa stratégie de marketing. Après son inculpation, puis de nouveau après sa libération de prison, il avait été littéralement bombardé de demandes d'interviews – qu'il avait toutes refusées.

Cependant, il avait conservé les coordonnées d'un journaliste en particulier.

Sur le trottoir devant le siège de *Twitter*, Kyle composa le numéro d'un certain David Isaac, correspondant du magazine *Times*. Il laissa un message sur sa boîte vocale.

— David, ici Kyle Rhodes. Un communiqué de presse sera diffusé demain matin – vous comprendrez tout de suite. Si vous pouvez m'obtenir la couverture, je vous accorde l'exclusivité. L'histoire dans tout ce qu'elle a de plus sordide, de la bouche même du Terroriste du Web. Croyez-moi, vous ne voudrez pas louper l'épisode du cactus à Tijuana.

29

Pour la deuxième fois depuis l'arrivée de Rylann à Chicago, le bureau du procureur fédéral était en effervescence. Kyle Rhodes avait encore frappé.

Bien sûr, Rylann connaissait l'histoire qui avait mis le feu à l'Internet en ce mardi matin : le Terroriste du Web et *Twitter*, enfin réconciliés ! Elle était dans sa cuisine en train de manger ses céréales tout en consultant les informations sur son iPad quand elle était tombée sur le communiqué de presse. Elle avait éclaté de rire puis immédiatement envoyé un SMS à Kyle.

C'était donc ça !

Contre toute attente, il lui avait répondu au bout de quelques minutes.

J'ignore à quoi vous faites allusion, Maître... Te tél. à mon retour ce soir.

On frappa à sa porte. Levant les yeux, elle découvrit Cade sur le seuil, l'air désabusé.

— J'ai reçu une vingtaine de coups de fil de journalistes curieux de connaître mon avis sur le fait que le Terroriste du Web vient de lancer sa propre entreprise de sécurisation de réseaux. Moi qui espérais enfin être débarrassé de ce type ! ajouta-t-il en hochant la tête.

Il avait prononcé ces paroles d'un ton désinvolte. Pourtant, Rylann se sentit vaguement... coupable. Sa vie personnelle ne concernait qu'elle mais elle détestait décevoir les gens. Elle collaborait avec Cade depuis bientôt deux mois et le considérait comme un ami. Ils prenaient leur café ensemble chez *Starbuck's*, discutaient stratégie et elle avait même tenté de lui présenter Rae. Et voilà qu'elle s'apprêtait à lui mentir.

« Tu ne mens pas. Tu omets de dire la vérité. »

Apparemment, son subconscient avait beaucoup plus de facilité qu'elle à résoudre les cas de conscience.

« Dans ce cas, peut-être le moment est-il venu de faire tes adieux à Kyle. »

Chassant ces pensées, Rylann afficha un sourire.

— Une vingtaine d'appels ! s'exclama-t-elle. Tu as dû t'amuser à faire le tri.

— Tu n'imagines pas à quel point. Rhodes est une sorte de boomerang – il revient encore et encore. Je parie que tu es soulagée de ne plus avoir à traiter avec lui.

« C'est ça. »

— Pour être franche, travailler avec lui n'a pas été désagréable. Au fond, ce n'est pas un mauvais bougre.

Cade leva les yeux au ciel.

— Ne me dis pas qu'il t'a ensorcelée, toi aussi ? Qu'est-ce qu'il a de si merveilleux ? Sa fortune ? Ses cheveux ? Sais-tu que des femmes folles de rage m'ont adressé des menaces, me surnommant l'Antéchrist et exigeant la libération immédiate de Rhodes ?... Je te le jure ! renchérit-il en levant une main.

— L'Antéchrist n'oserait jamais, riposta-t-elle.

Cade s'esclaffa.

— Vis ton béguin si ça t'amuse, Pierce mais selon moi, c'est perdu d'avance. J'ai lu dans « Scènes et cœurs » que le Terroriste du Web en pinçait pour une bombe à la chevelure brune.

Rylann dut faire appel à tout son talent d'actrice pour ne pas paraître coupable.

— Oui. J'en ai entendu parler, moi aussi.

À partir de ce moment-là, sa journée – qui avait si bien commencé après avoir appris la grande nouvelle – alla de mal en pis. Elle se présenta au tribunal pour une requête d'irrecevabilité dans une affaire de fraude de cartes bancaires qui a priori ne serait jamais accordée. Les services secrets avaient mené l'essentiel de l'enquête mais la fouille du domicile du défendeur avait été effectuée par deux officiers de police de Chicago appelés sur les lieux pour un problème de violence conjugale. À leur arrivée – et avec le consentement de l'épouse maltraitée – ils avaient inspecté la maison de fond en comble et découvert dans une armoire plus d'une centaine de cartes bancaires sous des noms divers.

Du moins était-ce la version sur laquelle s'était basée Rylann.

Malheureusement, face au juge, les flics avaient flanché, avouant que – oups ! – peut-être l'épouse était-elle revenue sur son consentement alors qu'ils pénétraient dans la chambre mais qu'étant déjà sur les lieux, ils avaient voulu finir ce qu'ils avaient commencé.

Rylann n'avait rien pu faire et le juge avait accordé la requête d'irrecevabilité à la défense.

Nul.

Ensuite, dans le fol espoir de sauver la mise, elle avait passé le reste de sa journée à écouter les diatribes des deux agents des services secrets qui avaient pris le relais. Elle avait quitté son travail à 18 heures 30 avec une migraine, le cœur au bord des lèvres et les yeux piquants.

Chez elle, elle enfila son pantalon de jogging et un tee-shirt, goba deux cachets et s'allongea sur le canapé.

Une heure plus tard, elle fut réveillée par la sonnerie de son portable. Elle s'assit brusquement, poussa un gémissement de douleur en portant la main à sa tempe et se pencha vers la table basse. Kyle.

— C'est l'homme du jour ! s'exclama-t-elle en s'efforçant d'adopter un ton enjoué avant de retomber sur le dos… Aïe ! J'ai mal.

— Où ? s'enquit Kyle, inquiet.

— L'homme invisible s'amuse à enfoncer des aiguilles dans mon crâne.

— Ah ! Tu pourrais peut-être le zapper avec un pistolet à impulsion électronique invisible ?

Rylann rit, geignit de nouveau.

— Interdiction de me faire rire. J'ai la migraine.

— Je m'en doutais. Je suis en route pour le *Firelight* où j'ai rendez-vous avec Dex. Nous allons boire un verre pour fêter mon partenariat avec *Twitter*. Je peux t'apporter quelque chose ?

— C'est gentil mais non, ça va aller. J'ai eu une rude journée. Amuse-toi bien. Tu le mérites. Quel coup de génie !

— Une fois de plus, je t'ai impressionnée, constata-t-il avec satisfaction. C'est la troisième fois que vous caressez mon ego, Maître.

— Imagine une réplique cinglante. Pour l'heure, je souffre trop pour réfléchir. Je suis officiellement hors-service.

Vingt minutes plus tard, on frappait à sa porte.

En découvrant Kyle sur le seuil de son appartement, elle pointa un doigt sur lui.

— Va-t'en. Tu as un événement à fêter.

L'ignorant, il entra.

— Dex peut patienter un peu. Il est au bar tous les soirs. Ce n'est pas comme s'il s'y rendait exprès pour moi... Ainsi, tu es officiellement hors service ? Comment est-ce possible ?

— Eh bien, je...

Mais elle était à court d'inspiration. Elle s'affaissa sur le canapé.

— Vas-y, moque-toi de moi, je suis sans défense.

Le sourire aux lèvres, Kyle brandit un gobelet *Starbuck's*.

— Bois ça. Ma mère avait souvent des migraines. Elle prétendait que la caféine l'aidait à surmonter la douleur.

— Tu es vraiment adorable.

En effet, le remède s'était avéré efficace à plus d'une reprise, malheureusement, Rylann n'avait pas eu le courage de faire un saut chez *Starbuck's* en rentrant du boulot.

— Exact. À présent, détends-toi pendant que j'exerce ma magie.

Il s'installa derrière elle et entreprit de lui masser la nuque.

— As-tu envie de me raconter ta journée ? lui demanda-t-il d'un ton doux, ses doigts de fée dissolvant les nœuds dans ses épaules.

— J'ai perdu une requête d'irrecevabilité qui a fait chavirer mon affaire... Et toi ? Comment s'est passé ton rendez-vous chez *Twitter* ? J'imagine l'expression des employés quand ils t'ont vu débarquer.

Peut-être était-ce la caféine ou le massage ou encore, la voix riche et apaisante de Kyle... toujours est-il que, peu à peu, Rylann se sentit mieux. L'homme invisible avait troqué ses aiguilles contre un objet contondant. Lorsqu'elle eut bu la moitié de son café, Kyle s'installa à ses côtés, les jambes étendues devant lui.

— Allonge-toi. Pose ta tête sur mes genoux... Du calme, ça n'a rien de sexuel, ajouta-t-il en la voyant hausser un sourcil.

Rylann posa son gobelet sur la table basse pendant qu'il s'emparait d'un coussin et le plaçait sur ses cuisses. Elle se mit sur le côté.

— Non, ordonna-t-il. Sur le dos.

Elle obéit, se calant confortablement entre les jambes de Kyle.

— Ferme les yeux, chuchota-t-il.

Elle s'exécuta. Il commença par lui effleurer le front puis massa ses tempes. Son corps entier fondit et elle laissa échapper un gémissement.

— Mmm… c'est divin, souffla-t-elle. Je t'en supplie, n'arrête pas. Jamais.

— Tu peux compter sur moi, bébé. Jusqu'au petit matin s'il le faut.

Quand elle se réveilla quelques heures plus tard, lovée contre lui, Rylann comprit qu'elle avait dû s'assoupir pendant que Kyle lui insufflait sa magie.

Il avait changé de position et se tenait allongé près d'elle. Il avait aussi pris la peine de les recouvrir du plaid posé sur le dossier du canapé.

Une fille pouvait tomber amoureuse d'un type capable de telles attentions.

Elle souleva la tête et scruta son visage dans la pénombre. Le clair de lune diffusait des ombres sur ses traits virils. Soudain, il bougea, respira profondément, souleva les paupières et cligna des yeux, amusé.

— Comment va ta migraine ?

— Mieux. Tu aurais dû me secouer, murmura-t-elle. Tu as vécu une si belle journée. Tu devrais être en train de fêter ton succès avec Dex.

— Je peux voir Dex quand je veux. J'ai envie d'être ici, Rylann. Tu le sais, n'est-ce pas ?

— Je sais. Je suis heureuse que tu sois là. Je m'habitue à t'avoir dans les parages, Fossettes Craquantes.

— Tant mieux car demain soir, je t'invite à dîner.

— Kyle, je ne sais…

— Ne t'inquiète pas, coupa-t-il. Je m'arrangerai pour que personne ne l'apprenne… Je t'en prie, Rylann, accepte.

Peut-être était-ce la migraine qui avait affaibli ses défenses. Peut-être était-ce tout simplement lui.

Avec un soupir d'aise, elle posa la tête sur sa poitrine.

— J'accepte.

30

Rylann passa l'essentiel du lendemain à réviser les rapports relatifs à une nouvelle affaire qu'on venait de lui confier – onze individus de la banlieue mêlés à un sombre trafic d'armes – tout en essayant de ne pas se demander où Kyle comptait l'emmener ce soir-là. Il avait refusé de lui dévoiler ses plans – une manie, chez lui – et l'avait priée de se libérer pour 16 heures 30.

— Ooohh ! Je parie qu'il va t'emmener en jet privé dans un lieu aussi romantique qu'exotique ! s'exclama Rae au téléphone.

Rylann était dans son bureau, enfermée à double tour pour pouvoir déjeuner en toute tranquillité. Bien entendu, elle s'était empressée d'appeler son amie pour lui annoncer la grande nouvelle.

La perspective d'une escapade en avion lui paraissait surréaliste. Certes, elle avait vu le duplex et les costumes taillés sur mesure mais la fortune de Kyle était le cadet de ses soucis.

— Ça m'étonnerait, répliqua-t-elle. Voyage aérien rime avec contrôle de sécurité et liste de passagers. Pour l'heure, nous tenons à rester incognito.

— N'importe quoi ! éluda Rae. Les hommes riches ont leurs méthodes. Tu t'imagines peut-être qu'ils volent en classe économique sur United Airlines avec leurs maîtresses ?

— Tiens ! Tiens ! Suis-je la maîtresse dans cette situation ?

— Non, juste la veinarde qu'un séduisant milliardaire emmène dîner en un lieu secret… Que vas-tu mettre ?

Bonne question, d'autant qu'elle ignorait où ils allaient. Après mûre réflexion, Rylann avait opté pour la simplicité.

— Robe noire et talons hauts. S'il a organisé une partie de rafting ou de rodéo, je suis fichue.

Rae s'esclaffa.

— Le rodéo, génial ! Je te vois d'ici, à cheval en escarpins, faisant tournoyer un lasso au-dessus de ta tête tout en proclamant une assignation à comparaître sur ton portable.

— Le cas échéant, ce sera ma première et ma dernière sortie avec Kyle Rhodes.

— Tu parles ! Un seul sourire et tu seras à ses pieds.

Le plus effrayant, c'était que Rae avait raison.

Respectant les « consignes » reçues par SMS un peu plus tôt, Rylann émergea de la tour à 16 heures 30 précises, sa mallette en bandoulière, et se dirigea vers le nord.

Son portable sonna alors qu'elle atteignait le premier carrefour.

— Et maintenant ?

— Avance jusqu'à la rue Monroe et tourne à gauche. Il y a une allée derrière l'*Italian Village*. J'y serai.

— Un point pour toi. On se croirait dans un film de gangsters.

— N'avez-vous donc encore jamais rencontré un ex-taulard dans une allée sombre, Ms. Pierce ? la taquina-t-il.

Certainement pas. Après avoir raccroché, Rylann poursuivit son chemin puis traversa la rue. Elle repéra le restaurant, l'*Italian Village*, le contourna… et stoppa net.

Une élégante limousine noire l'attendait.

Un chauffeur la salua poliment et lui ouvrit la portière arrière droite.

— Je vous en prie.

— Merci.

Penchant la tête, elle vit Kyle à l'intérieur, en jean et chemise blanche aux manches remontées.

— Les fenêtres sont teintées pour plus d'intimité. Quant au chauffeur, n'aie aucune inquiétude : il est au service de ma famille depuis des années. Ton secret sera bien gardé…

Il lui tendit la main. L'acceptant avec un sourire, elle se glissa sur la banquette et posa sa mallette à ses pieds.

— Bon. Et maintenant, tu vas enfin me dire où nous allons ?

Elle attacha sa ceinture tandis que la voiture démarrait.

— J'hésite. J'aime bien entretenir le mystère.

— J'espère que ma tenue est convenable.

Il examina son décolleté et ses jambes nues, croisées.

— Plus que convenable, Maître.

— Ouf !

Il ébaucha un sourire et lui caressa délicatement le genou.

— En ce qui concerne cette soirée… peut-être ai-je eu une fausse bonne idée. J'espère que tu ne seras pas déçue.

— Si c'est le cas, je feindrai si bien l'enthousiasme que tu n'y verras que du feu.

— Merci. Alors voilà : tu l'as peut-être oublié mais il y a neuf ans, jour pour jour, le 16 mai pour être précis, j'ai repéré une jolie brune en première année de droit à l'autre bout d'un bar bondé. Vu que c'est une sorte d'anniversaire, j'ai pensé que l'on pourrait retourner sur la scène du crime.

Rylann mit quelques secondes à comprendre.
— Tu m'emmènes à Urbana-Champaign ?
— Oui. J'ai loué l'étage du *Clybourne*. En te laissant devant ton immeuble cette fois-là, je t'avais promis un dîner. J'ai peut-être une décennie de retard mais... mieux vaut tard que jamais.
Rylann était si émue qu'elle en eut les larmes aux yeux. Et lui qui avait craint de la décevoir !
Elle s'inclina vers lui pour effleurer ses lèvres d'un baiser.
— C'est parfait.

Deux heures et demie plus tard, la limousine se garait dans l'allée derrière le *Clybourne*. Kyle sortit son portable de sa poche et composa un numéro.
— Nous sommes là.
Il raccrocha et constata que Rylann l'observait d'un air amusé.
— Encore des mystères ?
— Tu tenais à ce qu'on fasse profil bas. Voici comment nous allons procéder. Dex était le gérant autrefois et il connaît le type qui lui a succédé. Nous allons emprunter l'escalier réservé aux employés et nous aurons tout l'étage pour nous.
— C'est la dernière semaine de cours - normalement, le bar du haut doit être plein à craquer. Comment t'es-tu débrouillé ? Ai-je seulement envie de le savoir ?
— Disons que le directeur et moi-même avons conclu un arrangement.
La vérité, c'était que Kyle lui avait promis la moitié des revenus prévisibles plus vingt pour cent, *plus* cinq mille dollars supplémentaires pour qu'il arrange le décor selon ses instructions. Mais ce n'était pas le problème de Rylann.
La porte de service s'ouvrit et un jeune homme d'un peu plus de vingt ans agita la main en direction de la voiture. Kyle se tourna vers Rylann.

— Prête pour un retour dans le passé ?

Elle se laissa prendre la main.

— Si jamais j'oublie de le dire plus tard, sache que c'est le meilleur premier rendez-vous que j'aie jamais eu.

— Ma foi, quand tu le veux, tu peux être charmante.

— Je m'efforce de le cacher pour ne pas entacher ma réputation d'adjointe du procureur dure à cuire.

Il la tira légèrement vers lui.

— J'ai déjà vu ta coiffure à la Bozo le Clown, ma chère. Il n'y a plus de secrets entre nous.

Il déposa un baiser sur son front, poussa la portière et descendit. Après avoir vérifié que l'allée était déserte, il aida Rylann à descendre.

Le gérant les accueillit avec un sourire. Dès qu'ils furent à l'intérieur, il tendit la main à Kyle.

— Joe Kohler. J'ai frémi d'excitation toute la semaine. En toute franchise, votre coup sur *Twitter* m'a réjoui.

Il s'adressa à Rylann.

— Ainsi, voici la femme mystère… J'ignore qui vous êtes mais vous avez intérêt à mieux traiter cet homme que celle qui vous a précédée… Suivez-moi.

Devant l'expression médusée de Rylann, Kyle haussa les épaules puis ils emboîtèrent le pas à leur hôte.

— J'ai demandé à l'une de mes serveuses de dresser la salle selon vos indications. Je me suis dit qu'une femme s'en chargerait mieux. J'espère que cela vous plaira.

Plus d'une centaine de bougies blanches disséminées sur les tables et le bar diffusaient une lumière chaleureuse, romantique à souhait. Dans le fond, le couvert était dressé pour deux personnes : nappe blanche en lin, verres en cristal, seau de glace contenant une bouteille fraîche de Perrier-Jouët Fleur de Champagne Rosé – recommandé par Jordan, l'experte.

Stupéfaite, Rylann reprit son souffle.

— C'est… incroyable !… C'est la table où j'étais assise ce soir-là.

Opinant, Kyle s'avança.

— Je t'avais observée un bon moment avant d'oser t'aborder. Je me demandais si le rouquin en face de toi était ou non ton petit ami.

— Ah ! Shane ! se remémora-t-elle avec un sourire nostalgique. Je ne lui ai pas parlé depuis des années.

Elle se rapprocha et lui serra le bras.

— Merci, chuchota-t-elle.

— C'est un plaisir, Maître.

Rylann lorgna le plat de Kyle.

— J'aurais dû choisir les frites bouclées à la place des classiques.

— Tu aurais dû, en effet.

Kyle en ramassa une et la posa avec générosité sur son assiette. Elle prit un air offensé.

— Une seule ?

— Il faut assumer les conséquences de ses décisions, riposta-t-il en riant.

Le Perrier-Jouët commençait à faire son effet et les joues de Rylann avaient viré au rose. Kyle n'était pas un grand amateur de champagne mais force lui était d'admettre que celui-ci était excellent. Certes, on sélectionnait rarement un vin à trois cents dollars la bouteille pour accompagner un cheeseburger-frites mais question gastronomie, le *Clybourne* n'avait rien d'autre à offrir.

Le portable de Kyle bipa, annonçant l'arrivée d'un nouveau message.

— Excuse-moi, je dois vérifier que ce n'est pas Sean, le directeur que j'ai recruté à Silicon Valley. Depuis que le communiqué de presse a été divulgué, ma ligne professionnelle est saturée. J'ai chargé Sean de faire le tri et de m'appeler en cas d'urgence.

— Quelle est la prochaine étape ? s'enquit-elle en ramassant son verre.

— J'organise des rendez-vous et je tends des perches à des clients potentiels. J'ai embauché deux diplômés de l'université de l'Illinois. Ils démarrent lundi. Ensuite, je croise les doigts et je prie pour que des gens acceptent de coucher avec le Terroriste du Web… métaphoriquement, bien sûr.

Rylann pencha la tête, curieuse.

— Une chose m'intrigue. Qu'est-ce qui t'a fait changer d'avis au sujet du monde de l'entreprise ? À l'époque où nous nous sommes rencontrés, tu voulais enseigner.

La question était parfaitement anodine. Kyle aurait pu répondre vaguement comme il l'avait déjà fait des dizaines de fois. Cependant, assis en face de Rylann à la veille du neuvième anniversaire du décès de sa mère, il songea que le moment était peut-être venu de dévoiler cette partie de sa vie. S'il voulait que Rylann s'offre à lui complètement, sans doute devait-il, lui aussi, abattre quelques-uns des murs qu'il avait érigés autour de lui.

Il s'éclaircit la gorge. Par où commencer ?

— Ma perception de la vie a changé après la mort de ma mère. Ce fut une période très éprouvante pour ma famille.

« Kyle, il y a eu un accident. »

Ces mots resteraient gravés dans sa mémoire jusqu'à la fin de ses jours.

Il avait compris tout de suite à la voix de son père que c'était sérieux. Il avait resserré la main autour du combiné.

— Que s'est-il passé ?

— C'est ta mère. Un camion a embouti sa voiture alors qu'elle rentrait d'une répétition avec le club d'art dramatique. On pense que le chauffeur s'est assoupi au volant. On l'a transportée aux urgences il y a trente minutes. Elle est au bloc.

Le cœur de Kyle s'était serré.

— Mais... elle va s'en sortir, n'est-ce pas ?

Le silence qui avait suivi avait semblé durer une éternité.

— J'ai envoyé le jet te chercher à Willard, avait répondu son père, faisant allusion à l'aéroport de l'université. Un hélicoptère t'attendra à O'Hare pour t'emmener directement à l'hôpital. Nous avons l'autorisation d'utiliser l'héliport.

— Papa...

— C'est grave, fiston. J'aimerais pouvoir faire quelque chose mais on me dit que... qu'il n'y a...

La réalité l'avait percuté de plein fouet quand il s'était rendu compte que son père pleurait.

Le parcours jusqu'à l'aéroport, le vol de quarante-cinq minutes jusqu'à Chicago, puis le trajet en hélicoptère s'étaient déroulés dans une sorte de brouillard. Un membre du personnel hospitalier – Kyle aurait été incapable de le reconnaître dans une parade d'identification deux minutes plus tard – l'avait conduit dans un salon privé de l'unité de chirurgie traumatologique. Kyle y avait trouvé son père, le visage blême.

Il avait secoué la tête.

— Je suis désolé, fiston.

Kyle avait reculé d'un pas.

— Non.

Une voix minuscule s'était élevée derrière la porte.

— Moi non plus, je n'ai pas réussi à arriver à temps.

Kyle avait alors vu Jordan, réfugiée dans un coin, secouée de sanglots.

Il l'avait serrée dans ses bras.

— J'ai parlé à maman hier, Jordan, lui avait-il murmuré. Après mon examen.

Elle avait été si fière de lui !

— Dis-moi que c'est un cauchemar, que nous allons nous réveiller.

On avait frappé et le chirurgien était apparu.

— Excusez-moi de vous interrompre. Je voulais savoir si vous souhaitiez la voir.

Jordan s'était essuyé les yeux et tous deux avaient dévisagé leur père.

Impassible.

— Certaines personnes trouvent réconfortant de pouvoir dire au revoir, avait encouragé le médecin.

Ahuri, Kyle avait vu son père – un self-made-man loué pour son sens des affaires et son aptitude à prendre des décisions, un homme dont le portrait avait été publié à la une des magazines *Time*, *Newsweek* et *Forbes* – hésiter.

— Je ne...

Les mots n'avaient pas voulu sortir de sa bouche. Il s'était essuyé la figure d'une main et avait inspiré profondément. Kyle avait posé une main sur son épaule avant de se tourner vers le chirurgien.

— Oui, s'il vous plaît.

Kyle s'était très vite rendu compte que son père avait un mal fou à gérer les multiples choses à faire concernant la veillée et les obsèques de sa mère. Pour lui alléger la tâche, il s'était installé dans la demeure familiale et occupé de tout. Une épreuve douloureuse, épuisante qu'il n'avait jamais imaginé devoir surmonter à vingt-quatre ans – sélectionner lectures et prières ou les habits mortuaires, par exemple. Toutefois, il y était parvenu avec l'aide de Jordan.

Après les funérailles, il avait prévu de rester une semaine ou deux pour soulager son père en répondant aux coups téléphone, cartes, bouquets et autres mails dont ils étaient inondés chaque jour. Vu l'empire qu'avait bâti Grey Rhodes, le nombre de personnes qui tenaient à présenter leurs condoléances était énorme.

Malheureusement, son père ne semblait pas se remettre de son chagrin. Il n'avait aucune envie de recevoir des visiteurs ni de parler avec ses amis ou les membres de sa famille au téléphone. Il préférait s'éclipser pour de longues balades en solitaire autour de la propriété ou s'enfermer dans son bureau.

— Il devrait peut-être consulter un professionnel, avait suggéré Kyle à Jordan, un soir alors qu'ils picoraient un plat de lasagnes apporté par une voisine, la veille.

— J'ai déjà tenté de lui en parler. Il m'a répondu qu'il savait très bien ce qui n'allait pas : Maman est morte.

Ses yeux s'étaient remplis de larmes mais elle les avait très vite ravalées. Kyle lui avait serré la main.

— C'est le chagrin, Jordan.

Il s'était donc résolu à prolonger son séjour à Chicago d'une semaine. Puis de deux. Et de trois. Peu à peu, la situation s'était améliorée et son père avait accepté de revoir quelques proches. Kyle avait pris cela pour un signe positif. En revanche, Grey Rhodes ne s'intéressait plus du tout à son travail. Appels, messages vocaux et mails s'étaient accumulés.

Kyle n'avait donc pas été surpris quand, trois semaines après l'enterrement, l'avocat de l'entreprise, Chuck Adelman, l'avait appelé pour lui fixer un rendez-vous. Chuck s'occupait aussi des affaires personnelles de Grey Rhodes, qu'il connaissait depuis l'université. Kyle avait convenu de déjeuner avec lui dans un restaurant à proximité du siège social.

— Ton père ne répond à aucun de mes coups de fil, avait-il attaqué dès qu'ils avaient passé commande.

— D'après ce que j'ai pu constater, il ne répond à personne.

Chuck s'était exprimé d'un ton calme, le regard empli de bonté.

— Je comprends. J'étais là quand tes parents se sont rencontrés – c'était le mercredi des Cendres et nous étions dans le parc du campus. Ton père a aperçu ta mère assise sur une couverture à l'ombre d'un arbre avec quelques amies. Il a dit : « Voilà une fille totalement sensas. » Il est allé vers elle, il s'est présenté et ça a été le coup de foudre.

— Tiens ! Tiens ! Nos parents nous ont raconté qu'ils s'étaient connus dans une librairie où ils s'étaient disputé le dernier exemplaire d'un manuel de civilisations classiques. Tu veux dire qu'ils avaient fumé ?

Étudiant à l'université de l'Illinois depuis six ans, Kyle savait pertinemment ce que les jeunes faisaient sur le campus le mercredi des Cendres.

Chuck avait marqué une pause.

— Bien sûr, la librairie. Ça me revient... Le bouquin d'analyse mathématique.

— Civilisations classiques.

— Bref... pas la peine de mentionner cette partie de notre conversation à ton père.

— Je suis d'accord. Maintenant que tu as terni à jamais l'image que j'avais de la première rencontre de mes parents, peux-tu me dire pourquoi tu tenais à me voir ?

Chuck avait posé les bras sur la table, l'air grave.

— Il ne peut pas continuer ainsi, Kyle. Il est le P-DG d'une entreprise qui vaut des milliards de dollars.

— En tant que P-DG, il me semble qu'il a le droit de s'accorder un peu de temps, avait grogné Kyle. Ma mère vient de mourir.

— Je ne cherche pas à le traîner de force au bureau. Mais s'il pouvait au moins décrocher son portable de temps en temps. Faire savoir qu'il est toujours le capitaine du navire. Les membres du conseil d'administration commencent à s'inquiéter.

— Ils doivent bien comprendre la situation.

— N'empêche qu'il s'agit d'une entreprise privée. Celle de ton père. En tant qu'avocat, je suis dans l'obligation de te signaler qu'au cas où ton père serait dans l'incapacité de diriger sa société, c'est toi qui serais chargé de gérer ses affaires à la fois personnelles et professionnelles – notamment à la tête de Rhodes

Corporation. C'est toi qu'il a désigné comme son représentant légal.

Kyle avait dû cligner plusieurs fois des yeux pour enregistrer l'information. Il avait toujours su que son père rêvait de l'intégrer dans son entreprise mais de là à lui en confier la direction... C'était un honneur, une lourde responsabilité aussi mais pourquoi Chuck jugeait-il nécessaire d'aborder le problème maintenant ? Certes, Grey Rhodes n'était pas au mieux de sa forme. Mais quelle que soit la situation actuelle, Kyle tenait à mettre les points sur les « i ».

Il avait regardé Chuck droit dans les yeux.

— Personne ne chassera mon père de sa place. Cet homme a construit un empire. C'est un génie et un homme d'affaires émérite. Je défie quiconque de m'affirmer le contraire.

— Je ne me positionne pas en ennemi, Kyle. J'essaie de vous aider. Tu as raison, il a construit un empire. Il est grand temps que quelqu'un en reprenne les commandes. Sans quoi, les rumeurs vont se répandre, que cela nous plaise ou non.

Kyle avait compris le message. Durant le trajet d'une trentaine de minutes le long du lac Michigan pour regagner la propriété familiale, il avait réfléchi. Pour finir, il avait décidé que le mieux serait d'aller droit au but.

À son retour, il avait foncé dans le bureau de son père qu'il avait trouvé en train de contempler des photos de voitures anciennes sur l'écran de son ordinateur. Depuis le décès de son épouse, Grey s'était mis en tête d'en restaurer une – un hobby d'autrefois.

— Tu as trouvé ton bonheur ? avait demandé Kyle en s'installant en face de lui.

— Un habitant de McHenry qui vend une Shelby '68.

Chaque fois que son père prenait la parole, Kyle songeait à quel point il avait changé. Il était déprimé.

— McHenry est à une heure d'ici. On pourrait peut-être aller y jeter un coup d'œil demain ?

— Peut-être.

Kyle proposait des expéditions de ce genre depuis trois semaines, en vain. Si son père caressait le projet de retaper une vieille automobile, il ne semblait pas franchir le pas. Plus rien ne l'intéressait.

— Tu pourrais t'y rendre pour moi ? Tu as besoin de prendre l'air autant que moi.

— Je rentre tout juste. J'ai déjeuné avec Chuck Adelman.

— Vraiment. Et qu'avait-il à te dire ?

— Il va falloir que tu répondes à tes messages.

— Chuck outrepasse les limites. Il n'a pas à t'impliquer là-dedans.

— Je pense que ce serait bien pour toi de te remettre au travail, papa. Histoire de t'occuper l'esprit.

— Je n'ai pas envie de m'occuper l'esprit.

Kyle était resté silencieux un moment.

— Maman aurait voulu que nous allions de l'avant.

Grey s'était de nouveau concentré sur son écran.

— Je me suis donné corps et âme à mon entreprise. C'est fini.

Ce commentaire avait pris Kyle de court. Issu d'un milieu modeste, Grey Rhodes avait toujours été fier de son succès.

— Qu'est-ce que c'est que ce délire ? Cette affaire est ton bébé. Tu l'aimes.

— Pas autant que ta maman. Elle était… tout pour moi. J'espère qu'elle le savait.

Les larmes avaient débordé et Kyle s'était levé mais son père l'avait arrêté d'un geste.

— Laisse. Je vais bien.

— Papa…

— J'ai repoussé tant de choses à plus tard, interrompit Grey. Ce safari, par exemple. Combien de fois ta mère m'en a-t-elle parlé ? Elle avait organisé un voyage de deux semaines en Afrique du Sud et au Botswana. Qu'est-ce que j'ai répondu ? « Je suis trop occupé, on verra ça l'an prochain... » Elle voulait aussi qu'on prenne un cours de cuisine ensemble les mardis et jeudis à 18 heures. Mais je n'aurais jamais pu respecter ces horaires, à cause de la circulation. J'ai dit qu'on verrait ça plus tard. Je pourrais te citer des tas d'autres exemples... Je sais ce que tu essaies de faire et je l'apprécie, fiston. Mais mon entreprise peut s'effondrer. Je m'en fiche. Sans ta mère, rien ne vaut la peine d'être vécu.

Au ton posé mais ferme de son père, Kyle avait compris que la conversation était terminée.

Il avait quitté la pièce et téléphoné à Chuck pour lui soumettre son plan. Une fois que son père aurait recouvré ses esprits, il pourrait faire ce qu'il voudrait de sa société. Il l'avait bâtie, s'il avait envie de la revendre et de passer le restant de sa vie à restaurer des Shelby '68, grand bien lui fasse. Mais ce n'était pas l'homme qu'il venait de laisser devant son ordinateur qui devrait en décider. Car cet homme-là *n'était pas* Grey Rhodes.

Par conséquent, le lendemain après-midi, Kyle avait tenu une réunion avec les huit directeurs adjoints de la compagnie. Il avait délibérément choisi de les recevoir dans le bureau de son père, assis à sa place.

— Vous allez poursuivre vos activités normalement, avait-il annoncé. Toute décision revenant au P-DG devra m'être soumise, accompagnée d'un plan d'action. Je ferai en sorte que mon père réagisse.

Aucun d'entre eux n'était dupe mais tous étaient au service de Grey Rhodes depuis des années. Ils le respectaient et lui étaient fidèles. Sans la moindre contestation, ils avaient promis à Kyle de le soutenir et de l'aider du mieux qu'ils le pourraient.

À bien des égards, endosser le rôle de P-DG provisoire lui avait paru moins difficile qu'il ne l'avait craint. Il bénéficiait des conseils judicieux de Chuck et de ses directeurs mais il avait vite pris plaisir à tenir – indirectement – les rênes.

— Tu es doué, lui avait déclaré Chuck un soir au cours de leur réunion hebdomadaire. Tu as d'excellents instincts.

Pour des raisons pratiques et afin d'éviter les questions délicates, ils se retrouvaient au restaurant.

Kyle avait feuilleté le rapport qu'il avait reçu un peu plus tôt de la part du directeur de la division Sécurisation des contenus, détaillant les résultats des ventes d'un logiciel lancé récemment.

— Je ne suis que le crack de l'informatique. C'est Jordan qui a hérité du gène des affaires.

— Tu en es sûr ? Tu consultes ce document depuis si longtemps que ton steak a refroidi.

— Peut-être que je surveille ma ligne.

Chuck avait ricané.

— Ou peut-être que votre père a transmis ledit gène des affaires à ses deux jumeaux.

Plusieurs semaines s'étaient écoulées ainsi, sans grand changement. Officiellement, suite au décès de son épouse, le P-DG avait décidé de travailler de chez lui afin de passer davantage de temps auprès des siens. En coulisses, Kyle maintenait le contact avec les cadres, répondant à des mails ou se plongeant dans les dossiers jusque tard dans la nuit dans l'une des suites pour invités de la maison de ses parents. À plusieurs reprises, il avait essayé d'entamer une discussion avec son père – sans succès.

Au mois d'août, alors que Kyle aurait dû partir pour l'université, la situation n'avait toujours pas bougé. Agacé de n'avoir pas réussi à convaincre son père de consulter un spécialiste, il avait opté pour l'ultime solution.

Le chantage affectif.

Réunis dans la cuisine un soir, Kyle et Jordan avaient concocté un plan.

— Il faut que ce soit toi, avait-il chuchoté, un œil sur la porte au cas où leur père surgirait à l'improviste.

N'hésite pas à en rajouter. Menton tremblant, grosses larmes de crocodile, tous les moyens seront bons. Papa n'a jamais résisté à tes pleurs.

— Quand ai-je tenté de manipuler papa en pleurant ? s'était-elle indignée.

— Je me souviens très bien d'une fois où quelqu'un que je connais bien a sangloté pendant des jours parce qu'on lui avait refusé une maison de Barbie sous prétexte qu'elle était trop grosse pour sa chambre.

— Nous avions *sept* ans, protesta-t-elle. Aujourd'hui, les circonstances sont différentes.

— As-tu eu ta maison de Barbie ?

Avec un petit sourire espiègle, Jordan avait haussé les épaules.

— Le père Noël a sauvé la mise... Bon, d'accord, avait-elle enchaîné plus sérieusement. Je jouerai le jeu. Mais ça m'ennuie beaucoup d'en arriver là.

— Il a besoin d'aide, Jordan. Admettons-le une fois pour toutes : ni toi ni moi ne pouvons l'aider.

Une heure plus tard, Jordan avait émergé du bureau le nez rougi mais l'air soulagé.

La semaine suivante, Grey Rhodes s'était enfin rendu chez un psychiatre qui lui avait prescrit un antidépresseur, établi un calendrier de rendez-vous hebdomadaires et recommandé un groupe de soutien. Petit à petit, Kyle et Jordan avaient constaté une amélioration. Un jour, leur père avait lancé une vanne à propos du nombre de plats de lasagnes encore stockés dans le congélateur. Un autre jour, de retour après une réunion avec Chuck, Kyle l'avait découvert au téléphone avec la directrice d'une association pour femmes battues à laquelle il souhaitait donner tous les vêtements de leur mère.

Un soir, Kyle grignotait au comptoir de la cuisine en examinant les relevés financiers du mois d'août que lui avait expédiés le directeur du service. Les ventes du nouveau logiciel de pointe avaient explosé.

— C'est le rapport le plus récent ?

Surpris, Kyle avait failli s'étrangler avec une crevette. Il s'était retourné et avait découvert son père debout près du réfrigérateur. Depuis combien de temps ?

— Euh... oui, avait-il bredouillé.

Avalant précipitamment une gorgée de vodka sur glace, il s'était efforcé de prendre un air désinvolte tandis que Grey Rhodes se perchait sur le tabouret voisin. Une lueur que Kyle connaissait bien dansait dans ses prunelles. Il fixait la liasse de documents.

— Si tu me montrais ce que tu as fait de mon entreprise tout l'été ?

Kyle avait souri. Alléluia !

— Il était temps. Tiens ! Lire ces machins est aussi excitant que de regarder sécher un mur fraîchement repeint.

Grey avait ri tout bas, secoué la tête et longuement dévisagé son fils. Puis il lui avait tendu les bras et l'avait serré contre lui.

— Merci, avait-il murmuré d'une voix rauque.

— De rien.

— Je sais que tes cours ont repris il y a deux semaines. Il est sans doute temps pour toi de regagner Urbana-Champaign.

— J'ai déjà appelé le professeur Sharma pour le prévenir que je ne reviendrai pas ce semestre.

— Pas question. Tu as déjà perdu assez de temps comme ça.

Kyle avait anticipé ce moment et mûrement réfléchi aux choix possibles. A), il pouvait réintégrer l'université de l'Illinois jusqu'à l'obtention de son doctorat. B), s'il voulait rester proche de sa famille, il pouvait aussi demander son transfert à l'université de Chicago bien que le programme de sciences informatiques y fût moins prestigieux.

Restait l'option C).

— Tu as raison. J'ai trop longtemps mis ma vie entre parenthèses. Qu'est-ce que j'attends pour mettre à profit mes dons de génie ? Par chance, il se trouve que je connais le président d'une société qui pourrait me proposer un poste à la hauteur de mes attentes.

Le visage de Grey s'était illuminé.

— J'apprécie ton offre. Cependant, nous savons tous les deux que ce n'est pas ce que tu veux.

La vérité, c'était qu'au fil des trois derniers mois, la vision de Kyle avait changé. Lui, Jordan et leur père formaient désormais une équipe bien soudée. Il y aurait des obstacles à franchir, bien sûr – les fêtes de fin d'année, entre autres – mais quoi qu'il en soit, ils se soutiendraient tous les trois. Qu'il travaille chez Rhodes Corporation réjouirait son père et lui permettrait de rester à ses côtés même si ce dernier n'avait plus vraiment besoin de lui.

Toutefois, ses motivations n'étaient pas seulement altruistes. Contre toute attente, Kyle s'était rendu compte qu'il se plaisait dans l'entreprise. Certes, le pouvoir dont il avait disposé n'était qu'illusoire mais il avait adoré se mettre dans la peau d'un leader.

— Trop tard. Il y a deux jours, j'ai postulé pour le poste de directeur du service Sécurisation de réseaux. Entre nous, je pense que c'est du tout cuit. À condition que tu acceptes mes exigences salariales.

Grey avait haussé un sourcil.

— Tes exigences salariales ?

— Mes dons de génie ne sont pas gratuits.

Grey avait esquissé un sourire.

— Pourquoi ai-je l'impression que ce sera la première d'une longue série de revendications de la part d'un certain Kyle Rhodes, directeur du service Sécurisation de réseaux ? Tu vas gravir les échelons comme tous les autres.

Kyle avait serré l'épaule de son père. Les divergences seraient nombreuses mais, sur ce point, ils étaient parfaitement d'accord.

— Normal, avait-il répliqué.

Fascinée, Rylann laissa Kyle raconter son histoire sans intervenir. S'il avait omis certains détails personnels par respect pour son père, il lui en avait dit assez pour lui donner un bon aperçu des sacrifices qu'il avait accomplis pour sa famille neuf ans plus tôt.

Elle en resta coite.

Le Terroriste du Web, l'héritier milliardaire, l'ancien détenu, le génie de l'informatique – aucun de ces termes ne suffisait à décrire Kyle Rhodes. Cet homme était tout simplement généreux, assuré et d'une intelligence redoutable. Une combinaison irrésistible.

Elle lui avait expliqué – et avait tenté de s'en convaincre – qu'elle n'était pas prête à s'engager sur le plan sentimental. Pourtant, ces semaines qu'ils venaient de passer ensemble l'avaient menée à une conclusion indéniable.

Kyle méritait une petite amie digne de ce nom.

Une femme qui ne chercherait pas à cacher leur relation. Une femme qui aurait le courage de révéler à ses supérieurs qu'elle sortait avec le Terroriste du Web. Une femme qui n'aurait jamais le moindre remords, quand bien même sa décision aurait un impact sur sa carrière adorée.

Était-elle cette femme ?

— Vous êtes bien sérieuse, Maître. Aurais-je gâché l'ambiance de ce premier tête-à-tête aux chandelles ?

Kyle la fixait d'un regard inquiet malgré le ton taquin de sa question, et Rylann s'empressa de chasser toute pensée négative de son esprit. Elle se pencha sur la table et glissa une main sous la sienne.

— Décidément, tu es un type formidable.

Il porta ses doigts à ses lèvres et y déposa un baiser.

— Tant mieux.

Tard dans la soirée, Rylann se blottit contre Kyle à l'arrière de la limousine pour le trajet de retour jusqu'à Chicago.

Par discrétion, le chauffeur avait levé la vitre de séparation. Les haut-parleurs diffusaient une musique douce de jazz. Quand Norah Jones se mit à chanter *Come away with me*, Kyle resserra son étreinte autour de Rylann. Inclinant la tête vers lui, elle l'embrassa.

Ce fut un baiser langoureux, exquis. Au bout d'un long moment, Kyle s'écarta, Rylann ouvrit les yeux et ils partagèrent un regard d'une profonde intimité.

Dès qu'ils eurent pénétré dans l'appartement de Rylann, elle l'entraîna dans la chambre. Avec lenteur, il dénoua la ceinture de sa robe, abaissa le tissu vers le sol. Puis il la souleva dans ses bras et la transporta jusqu'au lit.

Il la caressa avec tendresse, attisant son désir. Lorsque enfin il se positionna entre ses jambes et s'enfonça en elle, il enfouit les doigts dans ses cheveux et lui chuchota à l'oreille :

— Tu es à moi, Rylann.

31

Le lendemain matin, Rylann s'habilla pour aller travailler tandis que Kyle filtrait un torrent d'appels dans son salon. Elle achevait de se coiffer quand, s'accordant enfin une pause, il la rejoignit dans la salle de bains.

— Apparemment, on se presse aux portillons pour coucher avec le Terroriste du Web, plaisanta-t-elle.

— Une véritable orgie.

Il la prit par la taille et l'embrassa dans le cou ; sa barbe naissante lui gratta légèrement la peau. S'il avait déjà réquisitionné la brosse à dents neuve de l'armoire à pharmacie, elle ne lui avait pas encore proposé de laisser un rasoir.

Il s'écarta et la contempla dans la glace, l'air malicieux.

— Qu'y a-t-il ? Je vois bien que tu me caches quelque chose.

Il sourit jusqu'aux oreilles.

— J'ai la couverture du magazine *Time*.

— Pas possible ! Toi. En couverture.

— Oui. Le journaliste que j'avais contacté vient de m'appeler pour m'annoncer que son chef approuvait le projet. Je serai baptisé « Le nouveau visage de la sécurisation des réseaux ». Pourvu qu'ils ne se servent pas de ma photo d'identité judiciaire.

— La couverture du magazine *Time*, répéta Rylann. Génial !

Elle se tourna vers lui et posa un baiser sur ses lèvres.

— Une publicité inespérée pour le lancement de ma société. D'accord, j'ai dû accepter de parler du scandale *Twitter* – Tijuana, mon inculpation, la vie en prison et blablabla – mais je me dis que le jeu en vaut la chandelle.

Instantanément, le cœur de Rylann se serra. Elle était ravie pour Kyle mais l'interview risquait de braquer de nouveau tous les projecteurs sur lui et sa faute passée. Or, naïvement, elle avait espéré que tout le monde allait… l'oublier.

Kyle n'avait jamais caché ses sentiments quant à la façon dont le bureau du procureur l'avait traité. Inévitablement, le journaliste allait l'interroger à ce propos. Et si Kyle lui répondait avec franchise, l'image de sa profession en serait ternie.

Elle imaginait déjà la scène, d'ici une semaine. Elle se voyait arrivant au travail le matin de la publication de l'article, se frayant un chemin parmi les collègues et les discussions du matin. Cade se précipiterait vers elle, excédé d'être une fois de plus considéré comme le « méchant » de l'affaire. Cameron ne tarderait pas à le suivre, très probablement furieuse que l'intégrité du bureau qu'elle s'acharnait à rebâtir depuis le départ de son prédécesseur soit de nouveau remise en cause.

Quant à Rylann, elle se retrouverait au beau milieu du chaos.

Oui, elle pouvait supplier Kyle de préserver le bureau du procureur fédéral mais jamais elle ne s'y abaisserait. Quel que soit son avis à elle, il avait le droit d'exprimer ses opinions sur le sujet ; Cade avait mine de rien reçu l'ordre de le laminer à cause de son patronyme et de sa fortune.

Mais résultat, sa situation avec Kyle se compliquait encore un peu plus.

— Ça va ? s'enquit-il en lui effleurant le menton. Tu sembles soucieuse.

Rylann s'obligea à sourire. Elle ne voulait pas gâcher son bonheur.

— Pardon. J'étais sous le choc. Ce n'est pas tous les jours que quelqu'un de mon entourage paraît en couverture d'un hebdomadaire.

Il soutint son regard.

— Certaines choses pourraient devenir quotidiennes, tu sais.

Le pouls de Rylann s'accéléra et elle pensa qu'ils étaient sur le point d'avoir leur grande conversation. À en juger par les réactions de son corps, soit elle était surexcitée à l'idée que leur relation franchisse une étape... soit elle allait succomber à une crise de panique.

La sonnerie du portable de Kyle retentit. Il jura entre ses dents.

— Il faut que je réponde. Navré mais en ce moment, c'est un peu la folie.

— Je comprends. Ne t'inquiète pas pour moi.

Elle poussa un profond soupir quand il fut sorti.

Elle se préparait un bol de céréales dans la cuisine quand Kyle raccrocha et revint du salon.

— Il faut que j'y aille, annonça-t-il. Je dois filer chez moi prendre une douche puis foncer au boulot. D'après Sean, nous avons déjà reçu une trentaine d'appels ce matin. Ce soir, je dîne avec ma famille, ajouta-t-il en l'étreignant. C'est une tradition que Jordan et moi avons instaurée il y a huit ans afin de nous assurer que papa ne serait jamais seul le jour de l'anniversaire de la mort de notre mère. Je peux te téléphoner ensuite ?

Rylann opina, se disant que ce n'était pas plus mal qu'ils passent une soirée chacun de leur côté. Elle avait besoin de réfléchir.

— Bien sûr. Est-ce toujours aussi douloureux pour toi ?

— Le chagrin s'estompe au fil du temps.

Il l'embrassa longuement, la repoussa avec douceur.

— Si je continue, je ne m'en irai jamais, grogna-t-il.

— De toute façon, je m'apprêtais à te jeter dehors. J'ai un grand jury en fin de matinée.

— Très sexy. Je vais fantasmer tout l'après-midi. De quoi s'agit-il ?

— D'une affaire secrète.

— C'est ça. Ce qui se passe au tribunal reste dans le tribunal. Je me rappelle encore ces mots.

Sur ce, il lui adressa un clin d'œil, tourna les talons et quitta l'appartement.

Rylann demeura un instant immobile. Son sourire s'effaçait au fur et à mesure que son dilemme lui pesait. Elle se ressaisit, s'empara d'une cuillère et de son bol de céréales et s'assit devant le comptoir. Elle venait d'allumer son iPad pour lire les informations du jour quand on frappa.

Kyle avait dû oublier quelque chose, songea-t-elle en sautant de son tabouret. Elle traversa la salle de séjour et ouvrit la porte d'entrée, s'attendant à voir des yeux bleu azur et des fossettes.

Elle se figea.

Sur le seuil se tenait… *Jon*.

Il lui tendit les bras.

— Surprise !

32

Rylann cligna des yeux, stupéfaite.

— Jon. Que fais-tu ici ? s'enquit-elle en ignorant ces bras tendus dans lesquels elle n'avait aucune envie de se jeter.

Au bout d'un instant, il les laissa retomber.

— Moi qui espérais un accueil chaleureux… Je suis ici parce que j'aimerais qu'on discute.

— Les téléphones n'existent plus en Italie ?

Il pointa le doigt sur elle en souriant.

— Ah ! Ce sens de l'ironie qui m'a tant manqué ! J'ai essayé de t'appeler, rappelle-toi. Tu m'as raccroché au nez.

Faux, elle lui avait dit au revoir mais ce n'était pas le moment d'ergoter.

— Parce qu'il me semblait que nous n'avions plus rien à nous dire.

Apparemment, elle s'était trompée. Il se balança d'un pied sur l'autre, mal à l'aise.

— Écoute, je viens de me coltiner dix heures de vol en provenance de Rome. Après tout ce que nous avons traversé, tu ne vas tout de même pas me laisser là dans le couloir comme un parfait étranger ?

Rylann en avait bien envie. Cependant, elle recula d'un pas.

— Entre.
— Merci.
Elle le suivit des yeux tandis qu'il s'avançait dans le salon, scrutant le décor. Hormis une coupe de cheveux un peu plus courte et un joli bronzage, il n'avait guère changé. La vie en Italie semblait lui convenir.
— C'est mignon, déclara-t-il.
Il tourna la tête vers le comptoir, s'attardant sur l'iPad et le bol de céréales. Petit-déjeuner en solitaire.
— Comment m'as-tu trouvée ?
— Kellie et Keith. Tu leur as donné ta nouvelle adresse quand tu as emménagé ici.
Comme il se tournait vers elle, satisfait de son examen, elle décida d'aller droit au but.
— Tu vas m'expliquer la raison de ta présence ?
Il la dévisagea.
— Je crois que j'ai commis une erreur. En ce qui nous concerne. L'Italie n'est pas le paradis que j'avais espéré… Tu me manques terriblement, répéta-t-il d'une voix douce en faisant un pas vers elle.
Rylann fut submergée par un tourbillon d'émotions : regrets, compassion et même un soupçon de tristesse. Mais pas d'amour.
— Non, Jon. C'est terminé. Nous en avons convenu quand tu as pris l'avion pour Rome. J'ai évolué.
— Tu sors avec quelqu'un ?
— Oui, répondit-elle après une hésitation imperceptible.
— C'est sérieux ?
Sacrée question.
— Ce pourrait l'être.
Jon tressaillit puis contempla le plafond.
— Ah ! Je ne m'attendais pas à cela.
Il s'accorda une minute de répit. Quand il la fixa de nouveau, ses yeux étaient humides.
— Je suis désolée, Jon.
Il se passa la main dans les cheveux.

— Je suis fatigué. Le voyage a été long. Tu m'offres un verre d'eau ?
— Bien sûr.
Elle fila dans la cuisine chercher une bouteille d'eau minérale dans le réfrigérateur. Quand elle referma la porte, elle constata qu'il l'avait suivie et s'était planté devant le comptoir.
— Tiens !
— Merci.
Il dévissa le bouchon, but.
— Dis-moi juste une chose. Quand nous étions ensemble, étais-tu heureuse ?
Oui. Bien sûr, ils avaient eu leurs différends comme tous les couples mais ils s'étaient fréquentés pendant trois ans, ils avaient vécu ensemble et elle avait même envisagé de l'épouser. Seulement voilà : fidèle à son plan sur six mois, elle s'était remise de leur rupture – plus facilement qu'elle ne l'avait craint.
— Oui, mais…
Il l'interrompit, lui caressant la lèvre avec un doigt.
— Je suis conscient de t'avoir blessée ce soir-là au restaurant. Tu étais persuadée que j'allais te demander ta main et moi, je n'ai rien trouvé de mieux que de t'annoncer mon projet de m'installer à Rome. Je me suis comporté comme un imbécile, Rylann, et je le regrette profondément. Mais nous pourrions recommencer à zéro. Accorde-moi une deuxième chance.
Rylann repoussa la main de Jon.
— C'est impossible, Jon. Je ne t'aime plus.
Il lui saisit le poignet.
— Attends ! Laisse-moi au moins…
— Si vous la touchez de nouveau, je vous étrangle.
Tournant la tête, Rylann vit Kyle sur le seuil de la pièce, le regard luisant de colère.
— Kyle ! s'exclama-t-elle tandis que Jon la lâchait promptement.

L'espace d'un éclair, elle crut qu'il était fâché contre *elle*. Qu'avait-il entendu de cette conversation ? Comment interprétait-il cet épisode, lui qui avait été trahi par son ancienne petite amie ?

À son immense soulagement, il vint se poster auprès d'elle.

— Il me semble que Rylann s'est exprimée de manière parfaitement claire.

Jon cligna des yeux en le reconnaissant.

— Nom d'un chien ! Je vous connais. Vous avez fait la manchette des journaux toute la semaine… Non, Rylann, ne me dis pas que tu couches avec le Terroriste du Web ? Toi, une avocate, avec un ancien détenu ? Comment veux-tu que ça marche ?

— Ce n'est pas votre problème, gronda Kyle.

— Oups ! On dirait que je vous ai énervé, rétorqua Jon.

Rylann se plaça entre eux deux.

— Stop ! Kyle… puis-je te parler un instant dans le couloir ?

Il fusilla Jon des yeux mais acquiesça.

Kyle et Rylann se réfugièrent sur le minuscule palier.

— Qu'est-ce que tu fabriques ici ? chuchota-t-elle après avoir refermé la porte derrière eux.

Il croisa les bras.

— Tu te fiches de moi ? Je découvre ton ex en train de te déclarer son amour éternel et tu me demandes ce que je fabrique ? Je suis revenu parce que j'avais oublié ma montre sur la table de chevet. J'ai entendu une voix masculine à l'intérieur, le verrou n'était pas poussé, je suis entré.

Et puis quoi, encore ?

— Quand tu seras calmé, il serait souhaitable que nous discutions limites et possessivité.

— Entendu. La prochaine fois que l'occasion se présentera, je ne *vérifierai pas* si un cambrioleur s'est introduit chez toi ou si un lunatique que tu as jeté en taule te tient en joue avec un pistolet.

Rylann marqua un temps.

— J'ai sans doute mal choisi le moment d'évoquer ton besoin d'être maître de tout.

Kyle glissa un doigt dans la ceinture de sa jupe et l'attira vers lui.

— Et maintenant, à moi de poser les questions. Primo : quand ce crétin va-t-il s'en aller ?

Elle inclina la tête.

— Tu ne m'en veux pas ?

— Quand je vous ai vus tous les deux, lui t'effleurant la lèvre, j'ai éprouvé un sursaut de rage. Mais quand tu lui as dit que tu ne l'aimais plus… C'est vrai que tu voulais l'épouser ?

Rylann hésita mais elle se refusait à mentir.

— À l'époque où nous étions ensemble, oui, j'étais sûre que nous allions nous marier… Ne fais pas cette tête. C'était il y a une éternité. Depuis, l'eau a coulé sous les ponts.

Il parut rassuré.

— Ce qui nous ramène à ma question : quand va-t-il s'en aller ?

Elle se pressa contre lui.

— Bientôt. Je te le promets. Mais il a voyagé toute la nuit pour venir me parler. Je peux difficilement le jeter dehors.

— Dans ce cas, je m'en charge.

Elle posa les mains sur sa poitrine.

— Kyle, il y a sept mois, une femme t'a traité comme un moins-que-rien. Les circonstances sont différentes mais je ne suis pas comme elle. Je ne peux pas claquer la porte au nez de Jon sans lui donner de quoi faire son deuil de notre relation… Tu peux me faire confiance.

— D'accord.

Rylann poussa un soupir de soulagement. Qu'ils soient officiellement amants ou pas, ils venaient de survivre à leur première querelle et ce, sans égratignures.

Sauf que Kyle changea brusquement la donne.

— Toutefois, ton ex doit comprendre que nous sommes ensemble. D'ailleurs, il est temps que tout le monde le sache. Fini les cachotteries. Aimons-nous au grand jour.

Et c'est ainsi qu'ils entamèrent la grande conversation.

— Tu veux en discuter maintenant ? Ici ? s'exclama-t-elle.

— Il m'avait semblé que la situation était simple. J'ai dû me tromper.

Franchement, il aurait pu choisir un meilleur moment. Mais dans la mesure où un type l'attendait dans sa cuisine, un type qu'elle avait pensé *épouser* et qui voulait la récupérer, le côté possessif de Kyle revenait en force.

Il la voulait toute à lui, point final. Rien de moins.

— Tu sais depuis le début que ma situation professionnelle complique notre histoire.

— Je croyais que cela avait changé. Surtout après hier soir.

L'expression de Rylann se radoucit.

— C'était formidable. Je te l'ai dit, le meilleur premier rendez-vous de ma vie.

— Ce pourrait être ainsi chaque jour, Rylann, murmura-t-il en posant les mains sur ses épaules, sentant que c'était maintenant ou jamais.

Il n'était pas le genre de personne à dévoiler ses sentiments – pas plus qu'elle. Tous deux fonctionnaient à grand renfort de piques et de plaisanteries. Cependant, il y avait des moments dans l'existence où un homme devait prendre sur lui et dire ce qu'il avait à dire.

Ce moment était arrivé.

Il plongea son regard dans le sien.

— Après le fiasco avec Daniela, je me suis promis de ne pas m'engager dans une relation durable avant des lustres. Mais tu as surgi et tout a basculé. Je ne veux plus être un amant de passage, Rylann. Je veux être avec toi.

« Parce que je t'aime. »

Malheureusement, ces mots refusèrent de sortir de sa bouche.

Pas parce qu'il n'y croyait pas – bien au contraire. Mais parce que tout à coup, il se demandait comment cette conversation allait se terminer. Il se tut.

— Moi aussi, je veux être avec toi, murmura-t-elle.

Il sourit et la serra contre lui… jusqu'au moment où il se rendit compte qu'elle n'avait pas fini.

— Mais… ?

— Mais j'ai besoin d'un peu de temps. Tu fais la une de la presse avec le lancement de ta société et le *Time* va bientôt te consacrer un article de fond. Ce n'est pas le moment de rendre publique notre relation. Patientons encore quelques semaines, voire deux mois. Puis, quand tout sera…

— Deux *mois* ? Cela te gêne à ce point d'être vue en ma compagnie ?

— Pas du tout. Je me contente de prendre en compte certains facteurs. Je suis adjointe du procureur fédéral et toi, tu es… toi.

— Voyons si j'ai bien compris : Rylann, la femme que j'ai rencontrée il y a neuf ans, veut vivre avec moi. Mais Pierce la Pinailleuse ne veut que s'envoyer en l'air en cachette. C'est bien cela ?

Elle leva les bras dans un geste de désespoir.

— Que veux-tu que je te dise, Kyle ? Saboter le site de *Twitter* a amusé quelques personnes et je sais qu'elles te soutiennent mais tu es un ex-taulard. Je ne te l'ai jamais caché : cela me pose problème.

Kyle s'écarta.

— Eh bien ! Moi qui croyais avoir connu le pire le jour où ils m'ont jeté en prison…

— Pardonne-moi, je ne voulais pas t'offenser. Mais tu me pousses dans mes retranchements. Nous avons eu la visite inattendue de mon ex-petit ami ce matin et voilà que d'un seul coup, tu te dévoiles. Nous sortons ensemble depuis deux mois. Pourquoi ne pas nous accorder un peu de temps ?

Ah ! Kyle comprit enfin ce qui la tracassait. Elle n'était pas certaine de ses sentiments envers lui.

Pendant des années, il avait préféré s'amuser en multipliant les liaisons sans lendemain. Même avec Daniela, il s'était retenu. Avec Rylann, c'était tout le contraire. Il s'était confié à elle, il lui avait parlé de sa famille et à présent, il venait de mettre cartes sur table. Car pour lui, elle était la femme de sa vie.

De toute évidence, cela ne lui suffisait pas. Que dire ?

Il se rapprocha et lui souleva délicatement le menton.

— La différence entre toi et moi, c'est que je n'ai pas besoin de temps. Je sais ce que je ressens. Tu adores ton métier et je le comprends. J'admire ta passion pour ta carrière. Mais je ne me contenterai pas de la deuxième place dans ton cœur. Je veux davantage.

— Kyle… je t'en supplie… Je n'ai jamais dit que tu arrivais en deuxième place.

— Ce n'était pas nécessaire, Rylann, murmura-t-il.

Parce qu'il le savait déjà.

Il baissa la tête et déposa un baiser sur son front en guise d'adieu. Puis il tourna les talons et s'en alla pour de bon. Il ne se retourna pas quand elle cria son nom.

33

Dans la soirée, Kyle franchit le seuil du restaurant *EPIC*, un établissement situé dans le secteur nord de la ville et repéra sa famille – futur beau-frère inclus – à une table dans le fond.

Jordan l'avait appelé un peu plus tôt pour lui annoncer qu'elle avait invité Nick à se joindre à eux. Elle l'avait dit d'un ton hésitant comme si elle craignait qu'il ne s'offusque.

— Tu n'as pas besoin de me demander la permission, Jordan. Tout est cool entre Nick et moi.

— Vous êtes devenus amis. Comme c'est mignon.

— C'est ça.

Il y avait eu un long silence…

— C'est tout ? s'était enquis Jordan. Tu ne m'envoies pas balader ? Que se passe-t-il ?

— Rien, je suis préoccupé par mon boulot, avait-il menti. À tout à l'heure.

Il avait raccroché avant qu'elle ne puisse poursuivre son interrogatoire. Il n'avait qu'une envie : surmonter aussi bien que possible ce dîner et rentrer chez lui oublier cette sale journée.

En s'approchant, il arbora un sourire.

— Désolé d'être en retard. La circulation était infernale.

Il s'installa entre Nick et son père et prit la carte.

— Alors ? Qu'avez-vous vu de bon ?

Comme personne ne lui répondait, il leva les yeux et constata qu'ils le dévisageaient avec incrédulité.

— Tu veux vraiment nous forcer à te poser la question ? demanda Grey.

Kyle observa Jordan à la dérobée.

« Qu'as-tu raconté à papa ? »

« Rien. »

— Ta transaction avec *Twitter* ? lança-t-elle.

Ah ! Bien sûr. Il avait oublié qu'il n'en avait parlé ni à son père ni à sa sœur. Tous deux lui avaient téléphoné dès la diffusion du communiqué de presse mais il avait été trop accaparé pour leur répondre.

Il repensa à la soirée de la veille avec Rylann. Merveilleuse. Puis, en un clin d'œil, tout avait basculé.

« Au moins, tu sais où tu en es avec elle », se répéta-t-il pour la énième fois.

— L'idée m'est venue quand j'étais en prison. Quatre mois en taule vous laissent du temps pour ruminer.

Il but une gorgée d'eau. Grey s'esclaffa.

— C'est tout ? Tu es moins modeste, d'habitude.

Jordan le fixa, l'œil soupçonneux.

— Tu n'es *jamais* modeste, renchérit-elle.

« Qu'est-ce que tu as ? »

Kyle fronça les sourcils. « Rien. Fiche-moi la paix. »

Elle inclina la tête. « Qu'as-tu encore fait comme bêtise ? »

Il grimaça. « Merci de ta confiance. »

Placé entre lui et Jordan, Nick haussa un sourcil.

— C'est quoi, cet échange de regards ?

Grey, qui s'était plongé dans la lecture du menu, se redressa.

— Ils communiquent encore en langage de jumeaux ? Quand nous étions plus jeunes, Marilyn et moi trouvions cela terrifiant. Ils entretenaient ainsi des conversations entières pendant le repas. On finit par s'y accoutumer.

Kyle s'empressa de les divertir en leur racontant son rendez-vous avec le P-DG de *Twitter*. Dieu merci, l'atmosphère s'allégea ! Nick prit le relais en évoquant sa récente promotion au rang d'agent spécial en charge du bureau de Chicago. La conséquence immédiate était qu'il ne participerait plus à des missions d'infiltration. Il adressa un sourire à Jordan en lui serrant brièvement la main et Kyle en déduisit qu'ils en avaient longuement discuté.

— C'est formidable, Nick. Cela signifie-t-il que vous allez convoler en justes noces avec ma fille ? demanda Grey, subitement.

Jordan écarquilla les yeux.

— *Papa !*

Hilare, Kyle vit Nick se trémousser sur sa chaise. Il leva son verre en direction de l'agent du FBI.

— Bienvenue dans la famille.

— À ta place, je ne me réjouirais pas trop vite. Tu seras le prochain sur la sellette, riposta Grey.

— Quoi ?

— Qui est cette bombe ?

— Il ne faut jamais croire ce que tu lis dans les journaux, papa, grommela Kyle.

— Très bien. Et ce que j'y *vois* ? Quelques semaines avant la bombe, il y a eu une ravissante adjointe du procureur fédéral. Celle dont tu lorgnais le décolleté dans la photo. Tu es P-DG désormais, Kyle. Il est temps pour toi de gérer ta vie personnelle aussi bien que ta vie professionnelle.

Kyle inspira, compta mentalement jusqu'à dix. Ce sermon, il le subissait depuis des années. En général, il y répondait d'un « mais oui, papa » tout sourire, puis quittait la table pour rendre visite à sa conquête de la semaine avant de rentrer à la maison.

Pas ce soir.

— Primo, je ne lorgnais pas le décolleté de l'adjointe du procureur fédéral, je la regardais dans les yeux. Avec le recul, j'aurais dû me rendre compte dès cet instant que j'étais fichu. Quant à m'engager dans une relation sérieuse, voici qui va vous surprendre : j'ai tenté le coup. J'y ai cru dur comme fer. Mais devinez quoi ? *Elle* ne veut pas s'engager avec moi. Je l'ai compris ce matin. Alors pour une fois, j'apprécierais qu'on évite les sarcasmes.

Le visage de Grey s'assombrit.

— Je suis navré, Kyle. Je ne pouvais pas deviner.

Jordan prit la main de son frère, sincèrement attristée.

— Que s'est-il passé ? Je croyais que tout allait pour le mieux entre toi et Rylann.

Kyle savait que ses proches étaient bien intentionnés mais leur compassion était insupportable. Exprimer ses émotions ne lui avait pas réussi ce matin-là et il n'avait aucune envie de renouveler l'expérience. Il se leva.

— Veuillez m'excuser. Je vous laisse commander sans moi. Je vais prendre l'air quelques minutes, j'ai des coups de fil à passer.

Appuyé contre le muret en brique du bar de la terrasse du restaurant, Kyle admira la vue sur les gratte-ciel qui se dressaient tout autour. Il déroula la liste des messages vocaux, mails et SMS arrivés pendant le repas – et s'énerva contre lui-même en se rendant compte qu'il avait espéré en trouver un de Rylann. Il ne s'attendait pas vraiment à ce qu'elle l'appelle après l'incident du matin mais malgré lui, il avait imaginé toutes sortes de scénarios sur la suite des événements après son départ. Tous plus inquiétants les uns que les autres.

Peut-être aurait-il dû songer à se déclarer *avant* que le type qu'elle avait espéré épouser autrefois ne débarque.

Tout en ruminant sur le génie plus que douteux de sa stratégie, il perçut un bruit de pas derrière lui.

— C'est gentil, Jordan, marmonna-t-il sans se retourner. Mais je n'ai pas envie de parler.

— Très bien. Alors si on buvait un coup ?

Surpris, Kyle se retourna et découvrit son père brandissant deux whiskys sur glace.

— Tiens. J'ai fait ouvrir une bouteille de *Macallan 21*.

Kyle prit le verre avec un demi-sourire.

— Grey Rhodes n'accepte que le meilleur.

— *Kyle* Rhodes, rectifia-t-il. L'homme du moment… Pourquoi ai-je appris la nouvelle du lancement de la Rhodes Network Consulting LLC par les journaux comme tous les autres ?

Ah, oui !

— J'avais l'intention de t'appeler juste après la diffusion du communiqué de presse mais ma journée m'a échappé… Et avant cela… j'avais besoin de bâtir ce projet tout seul. Sans les conseils du célébrissime entrepreneur Grey Rhodes.

Grey eut un mouvement de recul, apparemment indigné.

— C'est *ton* plan de développement. Je ne t'aurais pas assailli de recommandations non sollicitées.

— Te rappelles-tu la conversation que nous avons eue il y a environ cinq minutes ? Tu as demandé à Nick s'il comptait épouser Jordan avant de m'enjoindre de prendre en main ma vie personnelle ?

Grey lui concéda un sourire.

— Dont acte. Il m'arrive parfois d'exprimer à voix haute mes opinions concernant mes enfants. As-tu déjà vu l'émission de télé-réalité *L'incroyable famille Kardashian* ? Moi, oui. Je suis tombé dessus un soir dans une chambre d'hôtel. J'en ai eu des cauchemars pendant des semaines.

— Ils n'ont pas encore tourné un épisode dans lequel l'un des Kardashian pirate *Twitter* et purge quatre mois de prison ? railla Kyle.

— Tu sais combien je déteste que tu plaisantes à ce sujet.

— Pardon.

Grey l'observa à la dérobée.

— Remarque, tu as drôlement bien retourné la situation... Je propose un toast au nouveau visage de la sécurisation des réseaux.

— C'est le titre qui va paraître sur la couverture du magazine *Time*. Tu es déjà au courant ?

— Absolument. Le journaliste m'a contacté cet après-midi. Il voulait savoir comment je ressens le fait que mon fils monte sa propre affaire.

— Que lui as-tu répondu ?

— Qu'il y a neuf ans, j'ai su tout de suite que tu ferais un excellent P-DG. Que par la suite, ce fut une bénédiction et un privilège de t'avoir à mes côtés... Je me suis permis d'ajouter que j'espérais que tu continuerais à recommander les produits de Rhodes Corporation à tous tes clients, vu que nous protégeons un ordinateur sur trois en Amérique du Nord.

Kyle rit aux éclats. Décidément, son père ne ratait pas une occasion de placer cette phrase !

— Merci, papa.

Un silence les enveloppa. Puis Grey se pencha vers Kyle.

— Tu sais que nous en sommes au moment crucial du tête-à-tête entre père et fils où je suis supposé t'interroger sur cette fameuse Rylann, n'est-ce pas ?

Kyle posa son verre sur le muret et fourra les mains dans ses poches.

— Oui. Et c'est là que je te réponds « merci mais je n'ai rien à ajouter ». Après quoi, comme par miracle, la serveuse surgira pour nous demander si elle peut nous apporter autre chose à boire, coupant court à la discussion.

Aussitôt, une voix s'éleva derrière eux.

— Excusez-moi. Puis-je vous apporter autre chose à boire, messieurs ?

Jetant un coup d'œil derrière lui, Grey vit une jolie serveuse blonde. Il fixa Kyle, ahuri.

Kyle le gratifia d'un grand sourire.

— Je lui ai donné deux cents dollars pour qu'elle vienne nous interrompre aussitôt que je mettrais mes mains dans les poches. Je me doutais que tu ne résisterais pas à la tentation de te mêler de mes affaires.

À l'autre bout de la ville, Rylann était assise à côté de Jon dans un bar à vin près de chez elle. C'était la première occasion qu'ils avaient de se parler depuis le matin. Après le départ de Kyle, elle n'avait malheureusement pas eu le temps de se morfondre sur son triste sort. Elle était retournée dans la cuisine annoncer à Jon qu'elle l'appellerait plus tard et avait filé au bureau.

Dès qu'ils se furent installés, Rylann avait pris en main la conversation. Elle avait expliqué à Jon, gentiment mais fermement, que leur relation était finie pour toujours. Cette fois, il l'avait écoutée et, malgré son expression de désespoir, il semblait avoir enfin compris.

— En somme, j'ai tout gâché… Sans doute est-ce le prix à payer pour m'être comporté comme un crétin égocentrique il y a sept mois.

— Jon, je ne voudrais pas que tu interprètes mal mes paroles mais… quel est le problème ? Je devrais être flattée que tu aies pris l'avion depuis Rome pour tenter de me récupérer, seulement… je peux être honnête avec toi ?

— Tu l'es toujours.

— Tout ceci me paraît plus désespéré que sincère. Tu me sembles perdu.

— Je ne sais pas. Je ressens un manque. Les deux premiers mois en Italie ont été fabuleux mais mon excitation a fini par se dissiper. Je suppose que j'espérais pouvoir revenir et reprendre ma vie avec toi comme avant. Je suis rongé de remords, tu sais. Nous étions heureux et j'ai tout fichu en l'air.

Le laisser endosser la responsabilité entière de leur rupture était tentant. Il le méritait bien. Mais face à cet homme qu'elle avait cru aimer autrefois, elle prit conscience tout à coup qu'elle était, elle aussi, fautive.

— Ce n'est pas que de ta faute, Jon.

— Que veux-tu dire ?

— Sur le moment, nous ne nous en rendions pas compte et je ne suis pas sûre de pouvoir mettre le doigt dessus mais... En façade, tout semblait aller pour le mieux. Sauf qu'il devait y avoir un hic, non ? Sans quoi, tu n'aurais jamais eu envie de partir pour l'Italie sans moi et moi... j'aurais cherché à te retenir.

— Et nous savons tous deux à quel point tu peux être tenace.

— Exact, avait-elle convenu en riant.

Ils avaient bavardé longuement du passé, de l'Italie, de la nouvelle existence de Rylann à Chicago. Après le repas, ils se séparèrent sur le trottoir.

— Tu rentres à Rome demain ?

— Oui, du moins provisoirement. J'ai pris une semaine de congé dans l'espoir de la passer avec toi... Je vais profiter de ce temps libre pour réfléchir, décider de ce que je voudrais devenir quand je serai grand.

— Je te souhaite tout le bonheur du monde, Jon.

— Et réciproquement, Rylann.

Il lui caressa la joue puis monta dans le taxi qui devait le ramener à son hôtel.

Rylann resta un moment sur place, se remémorant un moment semblable, sept mois plus tôt, quand ils s'étaient dit au revoir devant leur immeuble à San Francisco.

Une fois la voiture disparue, elle rentra chez elle à pied en ressassant tous les événements de la journée. Quelques semaines auparavant, elle avait confié à Rae qu'elle n'avait pas envisagé une seule seconde d'accompagner Jon à Rome parce que c'était de la folie et que la folie, ce n'était pas son truc. Et pourtant... Ces deux derniers mois, avec Kyle, elle avait commis toutes sortes d'excentricités. Pour lui, elle avait été prête à contourner les règles, à contrecarrer la logique, à suivre son instinct.

Ce constat l'effrayait un peu.

Dès l'instant où elle avait rencontré Kyle, elle avait su qu'il serait une source d'ennuis. Dès son premier sourire. Quand ils s'étaient retrouvés, elle s'était promis de rester sur ses gardes, de s'accorder une simple récréation. Mais ces dernières semaines, leur relation avait pris un tour beaucoup plus sérieux.

Ce matin-là, quand il l'avait accusée de ne pas vouloir être vue en sa compagnie, elle avait eu... honte. Se rencontrer en cachette était amusant un temps mais Kyle méritait mieux. Toutefois, il l'avait prise de court.

À présent, elle devait prendre une décision. Elle pouvait laisser Kyle sortir de sa vie une deuxième fois et préserver sa réputation de Rylann Sans Peur : rester cette avocate qui ne commettait jamais la moindre faute professionnelle, qui luttait pour établir sa réputation dans un métier où l'on méprisait souvent les femmes. Ou alors, elle pouvait accepter que sa couronne soit ternie à jamais : se diminuer aux yeux de sa patronne et de ses collègues, en révélant au grand jour sa relation avec le Terroriste du Web.

Rylann entra dans son appartement, jeta son sac et ses clés sur le comptoir de la cuisine. Elle fila dans sa chambre se changer. Elle accrocha dans l'armoire son tailleur du jour – gris – auprès de tous les autres. Puis, son regard se porta sur l'étagère du haut et la boîte à chaussures contenant la chemise en flanelle de Kyle.

34

Le lendemain matin – vendredi –, assis à son bureau au cœur de la ville, Kyle contemplait d'un œil distrait la vue spectaculaire sur la rivière de Chicago.

Quand son portable sonna, il eut un petit sursaut. Il s'empressa de vérifier l'identité de son interlocuteur et ravala sa déception. Sean.

Il décrocha et tous deux discutèrent de la feuille de route de la semaine. La date officielle d'engagement de tous les employés était fixée au lundi. L'équipe se composait de Sean, Gil et Troy, deux assistants administratifs et une réceptionniste. À en juger par le volume d'appels reçus depuis la diffusion du communiqué de presse, ils ne pourraient pas fonctionner très longtemps en si petit comité – surtout après la parution de l'article du *Time*.

Comme l'avait souligné son père la veille, Kyle avait bâti lui-même sa situation professionnelle. Il en était fier. Mais cela n'atténuait en rien la terrible sensation de vide qui le rongeait depuis qu'il avait quitté l'appartement de Rylann.

Il l'avait poussée dans ses retranchements et au bout du compte, il avait obtenu les réponses dont il avait besoin. Pas celles qu'il avait souhaitées.

Quand un client potentiel le contacta sur sa ligne fixe, il s'efforça de se concentrer sur son travail. Peu après, son cellulaire bipa, annonçant l'arrivée d'un SMS.

De la part de Rylann.

Fossettes Craquantes, as-tu l'intention à un moment ou à un autre de recruter du personnel ?

Une demi-seconde à peine et Kyle fonça dans le hall d'accueil.

Debout devant le comptoir de réception se tenait Rylann, en imperméable et escarpins à talons.

— J'espère que tu acceptes les rendez-vous à l'improviste, déclara-t-elle avec un sourire.

Hmmm...

Ce sourire, il le connaissait bien. Mais cette fois, Pierce la Pinailleuse ne le charmerait pas si facilement. Elle aurait beau l'assaillir d'impertinences et de plaisanteries, dévoiler son tailleur sexy sous son trench-coat, il demeurerait impassible.

— Comment m'as-tu trouvé ?

— Je suis allée sur le site de la Rhodes Network Consulting LLC et j'y ai cherché l'adresse du siège. Tu m'avais signalé ton intention d'accélérer le mouvement dès aujourd'hui.

Il s'en souvenait, à présent. Il en avait parlé dans la limousine, sur le chemin du retour de Urbana-Champaign.

— Comment va ton ex ? s'enquit-il d'un ton sec.

Rylann haussa les épaules.

— Pas trop mal, je suppose. Tout bien considéré. Il est à bord de l'avion pour Rome et réfléchit à ce qu'il va faire de sa vie... Tu sembles fatigué.

— J'ai mal dormi.

Elle opina, se balança d'un pied sur l'autre.

— Pourrions-nous aller dans ton bureau pour bavarder ? Je me sens mal à l'aise, ici.

— Suis-moi, répondit-il après une légère hésitation.

Ils n'échangèrent aucune parole dans le couloir – un record. L'observant à la dérobée, Kyle nota qu'elle examinait tout sur son passage.

— Les locaux sont superbes, approuva-t-elle quand ils atteignirent enfin la porte. Tu as dû effectuer beaucoup de travaux ?

Ils entrèrent et Kyle se percha sur le bord de sa table et fourra les mains dans ses poches, peu enclin à échanger des banalités de ce genre.

— Pourquoi es-tu ici, Rylann ?

— Pour te donner ceci.

Le cœur de Kyle se serra. Lui qui avait espéré... mais quelle importance, après tout ?

— Tu l'as oubliée chez moi hier matin.

Kyle lui prit la montre et l'enfila sur son poignet.

— Merci de me l'avoir rapportée.

Elle le dévisagea, le regard grave.

— Je suis venue aussi pour te dire que j'ai eu tort, ajouta-t-elle en s'avançant d'un pas vers lui. Je veux être avec toi, Kyle, plus que tout.

Il resta figé.

— J'attends le « mais ».

— Il n'y a pas de « mais ». Je veux m'impliquer totalement. Je vais parler de nous à Cameron cet après-midi.

N'était-ce pas exactement ce qu'il voulait entendre ?

— Rylann, je suis fou de toi. Tu le sais... Mais si nous nous lançons dans une relation sérieuse, j'ai peur que tu le regrettes un jour. Je ne m'en remettrais pas.

— Je ne le regretterai pas. Je te le promets.

— Tu dis cela maintenant mais plus tard ?

Tout à coup, devant un Kyle estomaqué, les yeux de Rylann se remplirent de larmes.

— Je ne regretterai jamais, jamais de t'avoir empêché de sortir de ma vie une deuxième fois, Kyle. Je peux même te le prouver.

Elle entreprit de déboutonner son imperméable, avec une lenteur étudiée, puis elle en écarta les pans et le laissa glisser à terre.

Kyle sut alors, sans l'ombre d'un doute, ce qu'elle ressentait pour lui.

Elle portait sa chemise en flanelle.

— Tu l'as gardée toutes ces années, murmura-t-il, sidéré.

— Oui. Elle m'a suivie d'un bout à l'autre du pays.

Kyle essuya délicatement sa joue humide avec son pouce.

— Pourquoi ?

— Eh bien... j'espérais probablement que tu reviendrais la chercher un jour.

Une vague de joie le submergea, si intense qu'il eut du mal à respirer.

— Je t'aime, Rylann, chuchota-t-il en la serrant contre lui. À présent, j'ai enfin la réponse à la question que tout le monde me pose – pourquoi j'ai piraté le site *Twitter*. À l'époque, je l'ignorais. Maintenant je sais que je l'ai fait pour te retrouver.

Elle s'abandonna à son étreinte.

— Ce doit être la meilleure justification à un crime que j'aie jamais entendue... Je t'aime, moi aussi.

Esquissant un sourire, il se pencha pour l'embrasser. Il avait fallu neuf ans et toutes sortes de détours pour que leur histoire se dessine.

Enfin, Rylann et lui étaient réunis.

35

Dans l'après-midi, Rylann se rendit jusqu'au bureau de Cameron.

Elle marqua un temps, inspira profondément, puis frappa.

— Entrez !

Cameron lui adressa un large sourire et l'invita d'un geste à s'approcher.

— Bonjour, Rylann. Asseyez-vous.

Rylann referma doucement la porte derrière elle en tentant de jauger l'humeur de sa supérieure. Elles travaillaient ensemble depuis deux mois et Rylann ne pouvait que se réjouir de cette expérience. Bien que très jeune pour son poste, Cameron était dynamique, juste et très douée. En sa qualité de procureure fédérale d'un des districts les plus importants du pays, elle disposait d'un pouvoir significatif au sein du système judiciaire.

Bref, Rylann la respectait énormément.

Elle prit place dans un fauteuil en se demandant par où commencer.

« Il m'est arrivé une drôle d'histoire, il y a neuf ans. J'ai autorisé un parfait inconnu à me raccompagner chez moi et… »

Bof !

Elle s'éclaircit la gorge.

— Je souhaitais vous parler d'une affaire personnelle.
Cameron parut inquiète.
— Rien de grave, j'espère ?
— Non, non. Cependant, il y a quelque chose que vous devriez savoir et je tiens à ce que vous l'appreniez de ma bouche.
Elle se tut un instant, rassembla tout son courage.
— Kyle Rhodes et moi explorons la possibilité d'une relation non professionnelle.
Elle inclina la tête.
— Aïe ! Ça passait nettement mieux quand j'ai répété mon texte dans ma tête. Permettez-moi de recommencer, sans les fioritures... Voilà, dit-elle en regardant sa patronne droit dans les yeux... Je sors avec le Terroriste du Web.
Cameron demeura silencieuse un moment.
— Bien. Commençons par le commencement. Cette histoire a-t-elle débuté alors qu'il était votre témoin ?
— Non.
Cameron acquiesça.
— Je m'en doutais mais je me devais de vous poser la question.
Rylann se pencha en avant.
— Cameron, je sais que cela peut paraître absurde. Nous avons expédié cet homme derrière les barreaux en le traitant de terroriste. Au vu de sa réputation, tôt ou tard, quelqu'un nous verra ensemble et établira le lien entre moi et ce bureau. Les remarques désobligeantes vont pleuvoir. Croyez-moi, je n'ai pas pris ma décision à la légère. Mais Kyle fait désormais partie de ma vie et je suis prête à en accepter les conséquences.
— Joli discours, commenta Cameron.
— Merci. J'ai les nerfs en pelote.
Cameron l'examina attentivement.
— Avez-vous peur que je vous renvoie à cause de cette histoire ?
Rylann secoua la tête.

— Non. Ce que je crains, ce sont les tensions qui pourraient en découler dans notre relation de travail. Et que vous remettiez en cause mes capacités de jugement à l'avenir.

Cameron s'appuya sur ses coudes.

— J'apprécie votre franchise, Rylann. Je serai donc directe avec vous.

Elle indiqua la porte.

— Sur la plaque, vous pouvez lire « Procureure fédérale ». Il y a à peine six mois, le mot « adjointe » précédait cet intitulé. Si Silas était encore là, il serait fou de rage d'apprendre que vous fréquentez un homme qu'il a récemment fait inculper. Mais vous savez quoi ? Silas est un crétin. Il a régné en dictateur sur ce bureau, en ne pensant qu'à son image publique. Dès qu'un de ses adjoints remportait une victoire, il s'en attribuait le mérite. En cas de défaite, il nous laissait porter le chapeau. N'oublions pas non plus qu'il acceptait des pots-de-vin du plus grand mafieux de Chicago et a plus ou moins tenté de commanditer mon assassinat – mais ce n'est pas à l'ordre du jour.

Rylann cligna des yeux.

— En somme, la situation était très différente sous Silas Briggs.

— Quand j'ai repris les rênes, je me suis fixé deux objectifs : mettre fin à la corruption et incarner la procureure fédérale dont je rêvais quand j'étais adjointe. Alors, oui, votre liaison avec Kyle Rhodes risque de susciter des ragots. Mais en comparaison de tout ce qui s'est passé ici du temps de Silas, je pense pouvoir gérer le problème. Nous formons une équipe soudée, Rylann. Vous êtes une avocate remarquable et dévouée. À mes yeux, c'est tout ce qui compte.

Rylann reprit son souffle.

— Vous n'imaginez pas à quel point je suis soulagée, Cameron.

— Vous étiez paniquée, devina celle-ci en riant tout bas.

— Si j'avais été à votre place, je me serai sûrement demandé comment une femme dans ma position pouvait avoir envie de se lancer dans une telle aventure.

— Je vous comprends mieux que vous ne le croyez. Ah ! Les mystères de l'amour. Il y a trois ans, un agent du FBI a déclaré à la télévision nationale que j'étais une bonne à rien.

Elle consulta sa montre.

— Or dans vingt-huit heures, nous allons nous marier, acheva-t-elle.

— Ô mon dieu ! Je n'étais pas au courant. Félicitations.

— Nous avons fait profil bas, avoua Cameron, le regard pétillant. Je n'en parle que depuis aujourd'hui – de toute façon, la mèche sera vendue lundi matin quand je me présenterai ici, la bague au doigt. Ni Jack ni moi ne voulions de fioritures. Ce sera une cérémonie intime, la famille et quelques amis seulement, sur la terrasse de l'hôtel *Peninsula*.

— Quelle bonne idée.

— C'est le lieu où Jack et moi nous sommes retrouvés. Si l'on veut. C'est une longue histoire.

— Je ne vous retarde pas davantage, déclara Rylann en se levant. Merci de votre compréhension.

— Que voulez-vous ? Je suis d'excellente humeur. Si vous étiez venue vendredi dernier, je vous aurais peut-être virée… Humour de procureure, précisa-t-elle en voyant Rylann écarquiller les yeux… Bon week-end !

Une fois dans le couloir, Rylann s'adossa contre le mur et, paupières closes, poussa un profond soupir.

Elle avait survécu.

Il ne lui restait qu'un ultime *mea culpa* à faire. Elle se dirigea vers le bureau de Cade. La porte était ouverte et elle s'immobilisa sur le seuil de la pièce pour frapper.

Concentré sur l'écran de son ordinateur, Cade leva les yeux vers elle et sourit.

— Salut, toi ! Tu arrives un peu tôt pour notre café chez *Starbuck's*.

— Tu peux me consacrer une minute ?

— Bien sûr. Entre.

Rylann ferma la porte derrière elle et s'assit en face de lui. Elle croisa les jambes, posa les mains sur ses genoux.

— J'ai quelque chose à te dire. Autant te prévenir tout de suite, le sujet est délicat. Voire très délicat.

Il ne parut pas surpris par ce préambule.

— Je crois savoir de quoi il s'agit. Les rumeurs ?

— Quelles rumeurs ?

— À notre sujet. Je te jure que je n'y suis pour rien.

Rylann le fixa, ahurie. Elle s'était imaginé que Jack Pallas avait inventé ce mensonge pour déstabiliser Kyle.

— Épatant, marmonna-t-elle. Maintenant, je vais avoir *deux* scandales sur le dos.

— Quoi ? Qu'avez-vous fait, Ms. Pierce ?

— Tu te rappelles la brève que tu as lue dans la chronique « Scènes et cœurs » à propos de Kyle Rhodes aperçu en compagnie d'une bombe à la chevelure brune.

Cade la dévisagea longuement, attendant la suite. Tout à coup, le déclic se produisit.

— Sans blague ! C'est toi ?

— Le terme « bombe » me paraît excessif mais ce n'est pas une raison pour avoir l'air aussi choqué.

— Ce n'est pas ce que j'ai voulu dire.

— Je sais, je plaisante. J'essaie d'arrondir… La partie n'est pas gagnée, ajouta-t-elle devant son air méfiant.

— Quand cela a-t-il commencé ?

— Il y a quelques semaines. Après la clôture de l'affaire Quinn… Je sais, cela peut paraître bizarre. Je viens d'en parler avec Cameron. Je tenais à ce que tu l'apprennes de ma bouche.

— J'ai traité ton petit ami de terroriste.

— Par chance, il n'était pas mon petit ami à l'époque.

Cade se balança dans son fauteuil, toujours sur ses gardes.

— Il y a deux mois, je t'ai révélé quelques détails concernant ce dossier. Je t'ai avoué que Silas m'avait donné l'ordre de laminer Kyle Rhodes... Tu le lui as répété ?

— Bien sûr que non. C'était confidentiel. Je suis toujours celle avec qui tu prends ton café chaque jour chez *Starbuck's*, Cade. La seule différence, c'est que je sors avec un ex-taulard que tu as qualifié un jour de cybermenace pour la société.

Il ne souriait pas encore mais il ne la fixait plus comme si elle était soudain devenue une femme à barbe.

— Tu es consciente que ce sera le sujet de toutes les conversations ?

— Je n'ai aucun doute là-dessus. Ça ne me plaît guère mais j'assumerai. Je n'ai pas le choix.

Cade se pencha vers elle.

— Sérieusement, qu'est-ce qu'il a de si fascinant ? Ce n'est qu'un crack de l'informatique, fortuné, doté d'une belle chevelure.

— Pas seulement.

— Tu es vraiment amoureuse ! s'exclama-t-il en agitant les bras. Qu'est-ce que vous avez tous, ces temps-ci ? Sam Wilkins me soûle au sujet d'une fille qu'il a rencontrée par hasard, Cameron se marie en douce et toi, tu es ensorcelée par le Terroriste du Web. Vous a-t-on glissé une pilule du bonheur dans votre café sans que je m'en aperçoive ?

— Non, juste de la très bonne herbe.

Cade s'esclaffa.

— Pierce, tu es impayable.

— Cela signifie-t-il que tu es toujours d'accord pour aller prendre un café chez *Starbuck's* tout à l'heure ?

Il eut une petite moue.

— Tu ne vas pas me bassiner avec Kyle Rhodes, j'espère ?

— Oh si ! Et ensuite, nous irons lécher les vitrines et nous offrir une pédicure… Cade, on discutera comme d'habitude.

— D'accord. Quinze heures, Pierce. Je passerai te chercher.

À 18 heures 30, Rylann remballa ses affaires et quitta le bureau, l'une des dernières à partir en ce vendredi soir.

Pour finir, le monde ne s'était pas écroulé après la grande révélation. Certes, dans son milieu, deux personnes seulement – hormis Rae – étaient au courant mais leur opinion importait par-dessus tout et Rylann avait l'impression d'avoir remporté une victoire.

Cependant, elle n'était pas naïve. Comme l'avait souligné Cade, les mauvaises langues allaient s'en donner à cœur joie. Désormais, elle ne pourrait plus mettre sa célébrité sur le compte de son audacieuse descente dans un labo clandestin trois mètres sous terre.

Si Rylann Sans Peur était un peu triste de voir son statut légendaire s'envoler, Pierce la Pinailleuse n'avait pas le moindre regret. Les inévitables chuchotements et haussements de sourcils sur son passage ne changeraient rien au fait qu'elle excellait dans son métier. Comble du bonheur, elle allait pouvoir l'exercer et rentrer chez elle le soir retrouver un homme qu'elle admirait, qui la poussait vers le haut et faisait battre son cœur.

Rylann Sans Peur n'avait jamais connu une telle félicité.

Elle poussa la porte-tambour, traversa la place puis décida de s'offrir un taxi. Dans la voiture, elle envoya un SMS à Kyle, lui disant qu'elle avait eu une conversation avec Cameron et le rappellerait dès son retour chez elle.

Vingt minutes plus tard, à cent mètres de son immeuble, son portable sonna. C'était Kyle.

— Alors ? Comment ça s'est passé ?

— Mieux que prévu. Je n'en ai parlé qu'à Cameron et à Cade mais c'étaient les deux personnes qui m'inquiétaient le plus.

— Dis-moi que Morgan a failli tomber dans les pommes.

— Dois-je en déduire que vous ne trinquerez pas lors du pique-nique annuel du 4 Juillet organisé par le bureau du procureur fédéral ?

La voiture s'arrêta et Rylann sortit son portefeuille.

— Un pique-nique le 4 juillet ? Vraiment ?

— Il paraît, oui. Avec les gosses, les conjoints... tout le toutim... Tenez, monsieur, vous pouvez garder la monnaie. Merci, dit-elle à l'intention du chauffeur.

Elle descendit, claqua la portière.

— Oh ! La jolie jambe que j'aperçois, susurra Kyle dans son oreille.

Elle se retourna. De l'autre côté de la rue, Kyle l'observait, adossé contre une somptueuse voiture de sport gris métallisé.

Joli spectacle.

Rylann raccrocha et s'avança vers lui, sa mallette à la main. Les bras croisés, Kyle la contemplait avec admiration.

— L'imperméable te sied à merveille.

— C'est ta voiture ?

— Exact. Elle te plaît ?

« Magnifique ! »

— Pas mal.

— Venant de ta part, c'est un sacré compliment, murmura-t-il en la serrant contre lui. Tu crois qu'ils invitent aussi les douces moitiés avec un casier judiciaire, à ton pique-nique ?

— Commençons par surmonter la semaine prochaine, proposa-t-elle en riant. On avisera après la parution de l'article dans le *Time*.

Kyle inclina la tête comme s'il venait de comprendre quelque chose.

— Tu as peur de ce que je vais raconter lors de l'interview, devina-t-il.

« Eh bien... oui. »

— Tu diras ce que tu voudras.

C'était son entreprise, à lui de gérer le problème comme il l'entendait.

Il lui caressa le menton.

— Je serai circonspect, Maître. Nous sommes ensemble dans cette galère... Que dirais-tu d'un dîner en ville ?

— Un deuxième tête-à-tête aux chandelles ? Ma foi, l'affaire devient sérieuse.

— Dis-moi où tu as envie d'aller. Je te donne carte blanche... J'adore te gâter.

Paroles grisantes. Blottie dans ses bras contre son bolide rutilant, elle repoussa une boucle tombée sur son front. Puis, brusquement, elle se rappela qu'elle avait encore un *mea culpa* à faire. Aïe !

— Qu'as-tu ?

— Je me demande comment tout expliquer à ma mère.

— On pourrait prendre exemple sur mes parents et lui raconter une version épurée de l'histoire mettant en valeur mes nombreuses qualités. Voyons... « Il était une fois, un type en chemise de flanelle et bottes d'ouvrier dans un bar. Il se trouve qu'en fait, c'était un prince déguisé. »

À cet instant, une berline remplie de cinq adolescents ralentit à leur hauteur. Le conducteur baissa sa vitre et hurla :

— Yo, le Terroriste du Web ! Qu'est-ce que tu dis de mon *tweet* : « Va te faire voir ! »

Le groupe explosa de rire. À l'arrière, l'un des garçons se leva, se retourna et baissa son pantalon, montrant ses fesses. Puis ils redémarrèrent en trombe.

— Apparemment, ceux-là ne font pas partie de mes supporters, marmonna Kyle.

— Que vais-je faire de toi, Kyle Rhodes ? s'exclama-t-elle en nouant les bras autour de son cou.

— Ce que tu veux. Reste près de moi et je te promets que ta vie sera une éternelle aventure, murmura-t-il en lui caressant la joue.

Comme il baissait la tête pour réclamer ses lèvres, Rylann songea qu'elle n'aurait pu imaginer meilleur plan.

Découvrez les prochaines nouveautés
des différentes collections J'ai lu pour elle

Le 6 mars

Inédit **_Abandonnées au pied de l'autel_ - 2 - _Le scandale de l'année_ ∞ Laura Lee Guhrke**

Au premier regard, Julia a su qu'Aidan Carr, le duc de Trathen, avait en lui l'âme d'un diable, qui brûlait de la posséder. Alors, quand treize ans plus tard la jeune femme cherche un prétexte compromettant pour obtenir son divorce, Aidan semble incarner la réponse à toutes ses prières…

Inédit **_Scandale en satin_ ∞ Loretta Chase**

Sous ses grands yeux bleus d'apparence innocents, Sophy Noirot est en réalité une vraie friponne, dont les principaux atouts sont le sens du scandale et de la réclame. Quoi de mieux quand on tient une boutique de robes pour se faire connaître ? Et bientôt, elle croise le chemin du comte de Longmore…

Les Highlanders du Nouveau Monde - 1 - _Sur le fil de l'épée_ ∞ Pamela Clare

1755. Exilé au Nouveau Monde avec ses deux frères, Iain MacKinnon est enrôlé de force dans l'armée anglaise. Un jour, il sauve la vie d'une certaine Annie Burn. Écossaise, elle voit en lui un ennemi. Pourtant, aux confins de cette terre sauvage, elle va accepter sa protection, et plus encore.

Le 20 mars

Inédit

Les chevaliers des Highlands - 1 - Le chef

Monica McCarty

Chef de l'un des plus puissants clans d'Écosse, Tor MacLeod ne se laisse dominer par personne. Pas même par sa jeune épouse, Christina, qui lui a été donnée pour former une alliance contre les Anglais, qui tentent d'envahir le pays. Et si Tor se détourne de Christina, elle, de son côté, espère bien le conquérir…

Inédit

Les Frazier - 1 - Amante ou épouse ?

Jade Lee

Fille d'actrice, Scher Martin n'a jamais réalisé son rêve le plus cher : fonder un foyer. Désabusée, elle accepte de devenir la maîtresse du vicomte Blackthorn. Mais quand le cousin de ce dernier lui propose le mariage, Scher comprend qu'elle devra faire un choix entre devenir une femme respectable ou une amante scandaleuse…

La ronde des saisons - 3 - Un diable en hiver

Lisa Kleypas

Après ses amies Annabelle et Lillian, c'est au tour de la timide Evangeline Jenner de se trouver un mari. Et quel mari ! Lord Saint-Vincent est un débauché notoire et un aristocrate plein de morgue, qui vient de trahir son meilleur ami en tentant d'enlever sa riche fiancée. Et c'est pour échapper aux griffes de sa famille qu'Evangeline va signer un pacte avec ce diable d'homme.

Le 6 mars

PROMESSES

Inédit **_Friday Harbor - 1 - La route de l'arc-en-ciel_**

Lisa Kleypas

Artiste de talent, Lucy Marinn voit son univers s'effondrer quand son petit ami lui annonce qu'il la quitte… pour convoler avec sa propre sœur ! Lucy fuit au bord de la mer. Elle y fait la rencontre d'un charmant étranger. Sam Nolan. Une belle amitié naît entre eux, mais leur attirance devient bientôt irrépressible...

Le 20 mars

CRÉPUSCULE

Inédit

Les ombres de la nuit - 8 - Le démon des ténèbres

Kresley Cole

Sur une île mystérieuse, les humains détiennent captives toutes sortes de créatures, utilisées à des fins scientifiques. Carrow est l'une d'elles. Pour retrouver sa liberté, la sorcière accepte le marché que lui proposent ses bourreaux : partir à la recherche d'un être rare et d'une violence inouïe, mi-démon, mi-vampire… Malkom Slaine.

Inédit

La chronique des Anciens - 1 -Le baiser du dragon

Thea Harrison

Mi-humaine, mi-dragonne, Pia Giovanni a été choisie pour une mission ultra dangereuse : dérober un élément du trésor de Dragos Cuelebre, le dragon le plus redoutable au monde. Simple pion dans la guerre qui oppose le roi Faë à Dragos, Pia va bientôt subir la colère de la ténébreuse créature…